- 허리 통증 환자 10명 중 9명은 3개월 안에 저절로 좋아진다.
- 50~60대 2명 중 1명은 통증이 없어도 디스크가 튀어나와 있다.
- 탈출된 척추디스크의 70%는 저절로 크기가 줄어든다.
- 뼈주사(스테로이드)는 잘 쓰면 명약이 되고 잘못 쓰면 독약이다.
- 목과 어깨 통증의 대부분은 근육통이다.
- 근육통이 디스크 통증보다 더 아플 수도 있다.
- 무릎을 너무 아껴써도 퇴행성 관절염이 잘 온다.
- 60세 이상 사람들 10명 중 6명은 통증이 없어도 어깨힘줄이 찢어져 있다.

우리집 관절·척추 주치의

1쇄발행 2015년 4월 10일
2쇄발행 2016년 9월 09일

지 은 이 김영범
펴 낸 이 최지숙
편집주간 이기성
편집팀장 이윤숙
기획편집 주민경, 윤일란, 허나리
표지디자인 주민경
책임마케팅 하철민, 장일규
펴 낸 곳 도서출판 생각나눔
출판등록 제 2008-000008호
주   소 서울 마포구 동교로 18길 41, 한경빌딩 2층
전   화 02-325-5100
팩   스 02-325-5101
홈페이지 www.생각나눔.kr
이 메 일 bookmain@daum.net

- 책값은 표지 뒷면에 표기되어 있습니다.
  ISBN 978-89-6489-372-2 13510

- 이 도서의 국립중앙도서관 출판 시 도서목록(CIP)은 서지정보유통지원시스템 홈페이지
  (http://seoji.nl.go.kr)와 국가자료공동목록시스템(http://www.nl.go.kr/kolisnet)에서
  이용하실 수 있습니다(CIP제어번호: CIP2015009392).

관절질환, 척추질환 치료할 때,
편하게 물어볼 의사 친구가 없을 때 꼭 필요한
관절·척추 질환 필독서

우리집
관절·척추
주치의

김영범 지음

 보건복지부 인증의료기관/ 재활전문병원 지정

"근로복지공단 대구병원" 재활전문센터장이 전하는

100세 등산을 위한 관절·척추 관리법

생각나눔

내가 살고 있는 대구 북구에는 해발 280m 정도 되는 낮은 동네 산이 있으며, 이 산을 항상 규칙적으로 등산하시는 100세가 넘은 한 어르신이 있다. 연세가 지긋하시다 보니 이 산을 자주 다니는 동네 사람들은 다 알고 있다. 높은 산은 아니지만 이미 60대 초반에 관절염과 각종 질환으로 등산을 포기하신 노인들이 흔한 현실을 보면 놀라지 않을 수 없다.

나라의 발전으로 기대여명이 점점 늘어나면서 사람들 사이에서 가장 중요한 화두는 건강과 노후보장이 되었다. 굳이 더 중요한 것을 꼽으라면 당연 건강이다. 노후보장도 건강이 없으면 말짱 도루묵이기 때문이다. 100세에 등산할 수 있는 건강을 유지하려면 다음의 두 가지가 만족되어야 한다. 첫째는 평상시 꾸준한 운동을 통하여 몸을 관리하여 건강한 신체 상태를 유지하는 것이며, 둘째는 관절염, 디스크 등 다양한 질환이 발생했을 때에 과하지도 않고 부족하지도 않은 적절한 치료를 받아서 그 위기의 순간을 잘 극복하고 최선의 몸 상태를 만드는 것이다.

정비부대에는 '닦고 조이고 기름치자'라는 말이 대문짝만 하게 붙어 있다. 자동차의 기능을 잘 유지하며 고장 없이 오랫동안 사용하기 위해서 기본적으로 꼭 필요하기 때문이다. 사람의 몸도 비슷하다. 닦고 조이고 기름 치는 것을 꾸준히 해야 한다. 그리고 한 부분에 문제가 발생하면 적절한 치료를 받아야 다시 최선의 기능을 유지하게 된다.

우리 몸의 가치는 자동차와 비교할 수 없다. 자동차는 돈을 들이면 다시 새것으로 바꿀 수 있지만, 인간의 몸은 한 번 망가지면 되돌리기가 쉽지 않다. 현대 의학은 너무 깊고 넓고 다양하다. 많은 치료법이 있고 사람들 대부분은 의료에 대해서 무지하다. 관절통이나 요통이 발생했을 경우, 그리고 어떤 치료를 결정하려고 할 때 그나마 친한 의사가 있으면 조언을 구하기도 하지만 편하게 연락할 수 있는 친한 의사가 없는 사람이 대부분이다. 또한, 서양의학의 분야는 너무 다양하게 쪼개져 있어서 친한 의사가 있어도 정보의 전달은 제한적이다. 재활의학과를 전공한 나에게 친구가 갑상선 암 치료에 대해서 물어보면 난 솔직히 잘 모르겠다고 말을 할 것이다. 의사이지만 내 전공영역을 벗어난 외과 영역에 대한 지식은 기본적인 수준을 벗어나지 못하기 때문이다.

그러다 보니 소수이긴 하지만 어떤 사람들은 큰 효과가 없는 치료를 받기도 하고 운이 좋지 않은 환자들은 특정 치료를 받고 증상이 더 악화되기도 한다.

나는 관절, 근육, 힘줄, 인대, 디스크, 신경의 근골격계 질환을 전문으로 하는 재활의학과 전문의로서 이 책에서 근골격계 질환과 치료에 대한 기본적인 지식을 전달하고자 한다. 본인의 질병에 대한 진단과 치료 방법의 결정은 고도의 전문성이 필요한 의사의 진료가 필수적이지만, 의사가 제시해주거나 권유해주는 치료법에 있어 본인의 결정이 어느 정도 필요한 경우에 있어서, 이 책의 내용들이 큰 도움이 될 것이라 생각한다.

이 책은 질환에 대한 실제적인 치료를 위해서 쓴 책이 아니다. 와이퍼를 교체하는 단순한 일은 직접 본인이 할 수 있지만, 자동차 고장시 정비사에게 의뢰하여 수리해야 한다. 이 책도 마찬가지로 자가로 해결할 수 있는 치료 부분에 대해서는 언급을 하지만, 정확한 진단과 올바른 치료는 어쩔 수 없이 전문가인 의사들의 몫이며 책임이다. 이 책은 의사의 진료를 절대로 대신할 수는 없다.

나는 환자를 치료한 경험들, 세계의 여러 공신력 있는 연구 논문들과 교과서들을 바탕으로 하여 이 책을 기술하였다. 그러나 의학은 너무 넓고 깊고 방대하다. 무릎, 한 관절만 가지고도 교과서만 수천 페이지에 달하며, 전 세계에서 연구되고 발표되는 의학정보들은 지금 이 순간에도 쏟아지고 있다. 여러 한계와 제한점들이 있지만, 이 책의 내용이 건강하게 본인의 몸을 지키는 데 큰 도움이 될 것이라 생각한다.

3,500년 전에 기록된 내가 가장 좋아하는 책은 인간의 수명이 120세라고 말하고 있으며, 최근 유럽의 의학자가 인간의 수명은 과학적으로 120세까지 가능하다고 발표하였다. 오래 사는 것은 분명한 축복이다. 그러나 이 축복의 기본 전제는 건강이다. 현재 우리나라의 기대여명은 82세에 달하며 향후 계속 늘어나 120세에 이를 것이다. 평상시 꾸준한 운동을 통하여 몸을 건강하게 유지하고, 질병이 발생했을 때는 올바른 지식을 가지고 적절한 치료를 잘 받는 것이 곧 행복한 노후를 위해 필수적이다. 이 책을 읽은 분들의 삶이 항상 행복하기를 바란다.

목 차

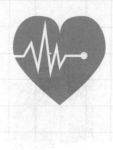

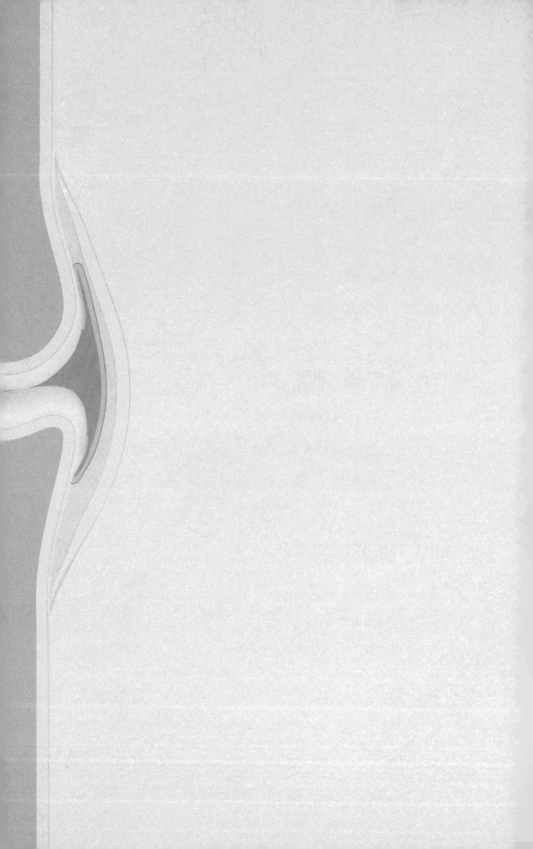

PART 1

허리

01

허리 통증(요통)

    올해 여름 더운 날씨에 인조 가죽 의자에 앉아 진료를 보다 보니, 허벅지 아래쪽에 땀이 고여 답답하였다. 필자는 환기가 잘되는 저렴한 플라스틱 재질의 미끄러운 방석을 하나 구입하였다. 환기가 되어 시원하게 진료를 할 수 있었지만, 방석이 미끄러워서인지 허리 근육에 평상시보다 힘이 더 들어가는 느낌을 받았었다. 수일이 지나면서 허리 양쪽에 묵직하고 둔한 통증이 발생하였다. 잠시만 앉아 있어도 정확하게 허리의 어느 부위인지는 모르겠지만 아래 허리 양쪽으로 뻐근한 통증이 들었고, 자리에서 일어나서 스트레칭 운동을 하면 완화되곤 하였다. 미끄러운 방석 위에서 엉덩이의 위치를 유지하기 위해서 허리에 힘이 걸렸고 수일이 지나면서 과부하로 인해 허리 주위 근육에 통증이 발생한 것이었다. 이런 종류의 허리 통증(요통)은 주위에서 흔하게 발생한다. 그리고 이런 허리 통증의 대부분은 그렇게 만든 원인을 교정만 해주고 잘 쉬면서 스트레칭 운동을 해주면 몇 주안에 저절로 회복된다. 나의 허리 통증은 2주 정도 후에 거의 사라졌다. 물론 미끌미끌해서 허리 부분에 힘이 들어가게 만들었던 그 방석은 바로 없애버렸다.

Q: 47세 회사원입니다. 일하다 보면 한 달에 수차례 허리 통증이 발생합니다. 주위에 허리디스크로 수술한 친구도 있는데 혹시 허리디스크가 아닐까 걱정됩니다. 허리 통증이 있는 경우에 허리디스크일 확률이 큰가요?

A: 허리디스크가 아닐 확률이 높습니다. 허리 통증(요통)은 보통 사람 10명 중 9명이 겪는 매우 흔한 통증이며, 허리 통증(요통) 환자 10명 중 9명은 3개월 이내에 증상이 치유됩니다.

허리 통증은 매우 흔한 증상이다. 사람들 2명 중 1명은 지난 6개월 동안 요통을 겪었으며, 평생 동안 10명 중 9명 이상은 요통을 경험한다. 또한, 지금 이 시간에 허리가 아픈 사람들은 100명 중 7명이나 된다.

요통은 감기, 두통만큼 주위에서 굉장히 흔하게 볼 수 있는 증상이다. 물론 허리디스크, 압박골절 등 걱정하고 고민해야 할 요통이 분명 있지만, 대부분은 근육통이다.

허리 통증은 대부분 특별한 치료 없이도 호전될 수 있다. 인간의 자가 치유력은 아무도 무시하지 못하는 제일 강력한 치료 도구이다. 허리 통증 환자 2명 중 1명은 1주일 이내에 증상이 사라진다. 그리고 10명 중 8명은 2달 이내에 증상이 치유되며, 10명 중 9명은 3개월 이내에 증상이 치유된다.

컴퓨터를 사용하는 시간이 많고 의자에 앉아 있는 시간이 많은 나도 자주 허리 통증이 발생한다. 정확히 세어보진 않았지만 적어도 한 달에 한 번 이상은 될 것 같다. 심한 경우는 진료실 의자에 1시간 이상 앉아 있기 힘들 때도 있고, 가끔씩 재활치료와 열전기치료를 받기도 한다. 대부분의 경우 1~2주 안에 통증은 가라앉는다.

장애우들을 돕는 일을 하시는 아버지는 자주 나에게 허리 통증을 호소하신다. 하지만 다른 특별한 증상이 동반되지 않은 허리 통증이기에 자세에 대한 몇 가지 주의사항을 알려드리고 허리 운동 몇 가지를 알려드린다. 보통 1~2주가 지나지 않아 허리 통증은 호전된다. 허리를 전문적으로 보고 있는 재활의학과 전문의인 아들의 간단한 설명에 속으로는 서운해하실지도 모르지만, 사실대로 말씀드렸을 뿐이다. 아버지의 허리 통증은 그리 오래가지 않고 해결된다.

사람들의 성격은 천차만별이다. 성격이 예민한 사람들은 허리 통증이 발생하면 바로 병원을 찾아오는 반면에 통증이 극심하지 않으면 지켜보며 참고 지내는 분도 있다. 위의 두 가지 경우 다 바람직하지 않다. 너무 병원을 자주 찾다 보면, 과잉치료를 받을 위험과 함께 쓸데없는 돈 낭비도 하게 된다. 또한, 너무 병원을 찾지 않다 보면 병을 키울 수 있다.

다리로 뻗치는 통증이 동반되는 경우, 다리의 힘이 약해지는 경우, 감각이 떨어지고 피부에 이상한 느낌이 발생한 경우 등의 신경학적 이상이 동반되지 않고 허리에만 국한된 통증이라면, 1~2주 정도 쉬면서 지켜보는 것도 괜찮은 방법이다.

요통 대부분은 잘못된 자세를 교정하고 잘 쉬면 저절로 통증이 사라지게 된다. 그러나 통증이 심하거나 2~3주 이상 통증이 지속되는데도 낙관적으로만 생각해서 병원을 찾지 않고 멀리하는 것은 바람직하지 않다. 사람들 10명 중 1명 정도는 만성적인 허리 통증으로 고생하며, 100명 중 1명은 허리 통증으로 인한 신체장애로 일상생활과 직업생활에 악영향을 미치게 된다. 작은 구멍 하나가 댐을 무너뜨리는 법이다. 치료가 필요한 경우에는 빨리 병원을 찾아 치료를 받아야 나

중에 크게 발생할 수 있는 질환들을 예방할 수 있다.

Q&A

Q: 지난 명절에 6시간 이상을 운전하고 난 후 허리가 아프기 시작했습니다. 허리디스크의 증상은 아닌 것 같은데 무엇이 문제일까요?

A: 특징적인 증상들이 보이지 않는다면 대부분은 근육이나 인대, 힘줄에서 통증이 발생하게 됩니다. 그러나 허리 통증(요통)이 있는 사람들에서 10명 중 8명 이상에서는 정확한 원인을 알 수 없습니다.

허리 통증(요통)에는 66가지 이상의 진단명이 있다. 그만큼 허리 통증을 만드는 원인이 다양하다는 것이다. 요통은 크게 특이적 요통과 비특이적 요통으로 나눈다. 특이적 요통은 X-ray, MRI, CT 등의 검사에서 디스크 돌출, 협착 등의 구조적인 병적 소견이 관찰되고, 병적 소견과 지금 겪고 있는 통증이 의학적으로 일치하는 요통을 말한다. 비특이적 요통은 X-ray, MRI, CT 등의 검사에서 구조적인 병적 소견이 관찰되지 않으나 요통은 있는 경우로서 근육, 인대, 힘줄이 원인이 되는 요통을 말한다.

허리 통증(요통)이 있는 사람들 10명 중 8명 이상은 비특이적 요통으로 정확한 원인을 밝혀내는 것이 어렵다. 정확한 원인을 모르니 답답한 감은 있으나 허리에 눈에 보이는 큰 이상이 없다는 것이므로 통증의 원인 질환 자체는 가볍다는 것을 의미한다.

통증은 인간을 고통스럽게 만들기에 좋지 않은 느낌인이 분명하지만, 인간의 생존을 위해서는 없어서는 안 될 중요한 감각이다. 통증이 있기 때문에 인체에 가해지는 유해자극을 인지하고 몸을 보호하기 위해 적절한 통증 행동을 하게 된다. 통증이 있어 인간은 유해자극으로부터 몸을 보호하고 생존하게 된다.

허리 통증은 허리에 좋지 않은 스트레스가 있다는 것을 우리에게 알려주는 신호이다. 발생한 지 4주가 되지 않는 통증을 급성통증이라고 한다. 급성통증기에 허리에 악영향을 주고 있는 스트레스를 바로 잡지 않으면 만성 통증으로 넘어가게 된다. 급성 통증기에는 자세를 바로 잡고 스트레스를 주던 원인을 제거하면 인의적인 치료 없이 저절로 통증이 사라질 수도 있다.

만성화되면서 병은 점점 심각해지고 그만큼 치료의 기간이 길어지게 되며 치료의 난이도도 높아지게 된다. 자세교정과 가벼운 운동치료로 회복이 가능할 수도 있었는데, 주사치료, 수술 등 더 중하고 무서운 치료를 받을 확률이 높아지는 것이다.

Q&A

Q: 예전부터 허리가 좋지 않아 자주 허리의 통증이 발생합니다. 허리의 건강을 위해서는 무엇을 해야 할까요?

A: 척추는 부드러운 곡선을 이루고 있습니다. 이 곡선을 잘 유지하는 것이 허리를 포함한 척추의 건강 유지에 매우 중요합니다. 이것을 위해서 올바른 자세를 습관화해야 합니다. 또한, 척추 주위 근육의 유연성이 잘 유지되어 있어야 하며, 척추와 주의 구조물을 안정적으로 보호하기 위해 적절한 근력을 유지해야 합니다.

척추는 목 척추뼈 7개, 가슴 척추뼈 12개, 요추 척추뼈 5개, 천추 척추뼈 5개, 미추 천추뼈 4개의 총 33개로 이루어져 있다. 옆에서 보았을 때 목과 허리 척추는 'C'자 형태로 앞쪽으로 휘어져(전만) 있고, 가슴 척추는 그 반대로 뒤쪽으로 휘어져(후만) 있다. 척추가 직선이 아니고 곡선을 이루는 것은 다 이유가 있다. 척추가 일직선이면 충격흡수에 문제가 생겨 척추뼈의 골절이 흔하게 발생할 것이다. 흉추가 뒤쪽으로 휘어져 있어 폐에 들어오는 공기의 양이 제대로 유지되며, 심장에 피가 들어오며 제대로 기능하게 되고 갈비뼈와 흉추 사이에서 보호받게 된다. 흉추가 후만을 이루어있기에 직립하여 정면을 바라보기 위하여 목과 허리는 'C'자 형태로 전만을 이루고 있는 것이다.

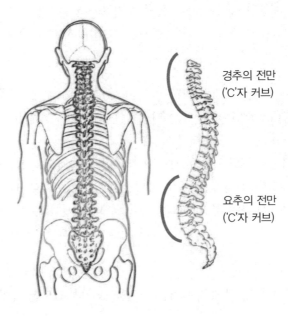

경추의 전만
('C'자 커브)

요추의 전만
('C'자 커브)

사람의 정상적인 척추 모양

우리 척추의 근육, 인대, 디스크는 곡선이 있는 척추의 모양에 잘 맞추어져 있는 부속품들이다. 척추의 모양이 흐트러졌을 때, 허리 주위의 근육, 인대, 디스크(추간판)에 부담이 증가하게 되고 허리에 여러 가지 병을 만들게 된다.

척추의 정상적인 모양이 깨지고 각종 척추주위 질환이 발생하게 되는 원인은 일상생활 시 잘못된 자세와 과사용, 운동부족이다. 허리 근육의 유연성과 근력, 협응능력이 저하되고 척추에 스트레스를 주는 과부하가 걸리게 되면 허리의 근육, 힘줄, 인대, 디스크 등에 문제가 발생하게 된다. 따라서 이것들을 바로 잡는 것이 건강한 허리를 유지하는 비결인 동시에 가장 훌륭한 치료가 되는 것이다.

Q&A

Q: 허리에 스트레스를 주는 좋지 않은 자세와 운동에 대해서 알고 싶습니다.

A: 서 있든 앉아 있든 한 자세로 오래 있는 것과 무거운 물건을 들어서 허리에 부하를 주는 것은 허리의 건강에 가장 좋지 않습니다. 앉은 자세는 서 있는 것보다 허리에 스트레스를 많이 줍니다.

교통사고, 낙상 등의 외상으로 인한 경우를 제외하고 허리의 통증은 주로 잘못된 자세와 무거운 물건을 들거나, 과도한 작업으로 과부하를 주면서 발생하게 된다.

앉아 있든 서 있든 한 자세로 오래 있는 것은 허리의 건강에 좋지 않다. 디스크는 안에 수핵이 있고 이 수핵을 섬유륜이라고 하는 조직이 둘러싸고 있는 형태로 이루어져 있다. 디스크의 약 70% 정도가 물

성분으로 이루어져 있다. 조직에 영양성분을 공급하는 혈관은 디스크의 바깥쪽에만 분포하며 가운데 60%에 해당하는 부분에는 혈관이 없다. 디스크 바깥쪽까지만 있는 혈관에서부터 영양성분이 확산되어 가운데 디스크 부분을 먹여 살리게 된다. 허리에 적절한 움직임이 있어야 가운데 디스크 부분에 영양분이 원활하게 공급될 수 있다. 미숫가루를 물과 잘 섞이도록 물통을 잘 흔들어야 하는 것과 비슷하다.

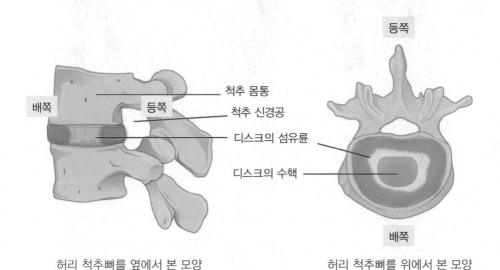

허리 척추뼈를 옆에서 본 모양   허리 척추뼈를 위에서 본 모양

Q 허리 척추뼈와 디스크 모습: 디스크는 척추뼈 사이에 위치해서 수직으로 전해지는 충격을 흡수해주며, 허리의 움직임을 만들어주는 역할을 한다. 이 디스크의 바깥쪽에 위치한 섬유륜에만 혈관(붉은색)이 분포하며, 수핵은 이 혈관으로부터 확산으로 영양분을 공급받는다. 한 자세로 오래 있는 것은 디스크의 건강에 좋지 않다.

앉아 있든 서 있든 30~40분에 한 번씩 간단한 허리 스트레칭을 해주는 것이 좋다. 앉아 있는 자세는 서 있는 자세보다 허리에 더 많은 스트레스를 준다. 앉아서 공부하고 있다면 자주 일어나 허리 운동을 해주는 것이, 허리에 스트레스를 줄여주고 허리 통증을 예방하는 것이며, 곧 치료인 것이다.

Q 오래 앉아 있는 것은 허리에 좋지 않다. 30~40분마다 시간을 내어 간단한 허리 스트레칭이라도 해주는 것이 좋다.

　사무직이거나 공부를 하는 학생의 경우에는 앉아 있는 시간이 많으므로 앉아 있을 때 올바른 자세를 취해야 한다. 의자에 앉을 때는 아래 허리와 엉덩이 부분이 의자의 등받이에 붙게 앉는 것이 좋다. 엉덩이를 앞쪽으로 쭉 빼고 앉는 경우가 많은데, 허리에 부담을 많이 주게 되어 요통이 발생하기 쉽다. 그렇다고 바짝 당겨서 허리를 너무 일직선으로 세우는 자세는 바람직하지 않다. 허리와 등 주위 근육이 과하게 긴장하여 쉽게 피로하기 쉽기 때문이다. 무릎은 엉덩이 관절보다 약간 높은 위치에 두거나 같은 높이에 있는 것이 허리의 스트레스를 줄이며, 유연한 'C'자 커브의 유지에 도움이 된다. 무릎이 너무 낮거나 곧게 펴는 자세로 오래 있으면 허리는 일직선으로 펴지려고 해서 정상적인 커브를 유지하지 못하게 된다. 사무직으로 컴퓨터 작업을 많이 하는 경우에는 눈의 위치가 컴퓨터의 상단 3분의 1지점에 위치하는 것이 좋다.

올바른 자세

잘못된 자세

Q 장시간 서서 일할 때에는 두꺼운 책이나 낮은 발 받침대를 놓고 교대로 발을 올려 놓아가면서 일하는 것이 허리에 좋다.

장시간 서서 일할 때는 뒷굽이 높은 신발은 좋지 않다. 뒷굽이 높아지면 허리의 C자 커브가 더 조장되는 스트레스를 주게 되어 허리의 건강에 좋지 않다. 또한, 일할 때 한쪽 다리를 낮은 발판이나 두꺼운 책 위에 올려놓고 작업하는 것이 좋다. 물론 발판에 올려놓는 다리는 수시로 교대해주어야 한다. 한 발만 올려놓고 장시간 일을 하면 발판을 놓지 않은 것보다 더 악영향을 준다.

올바른 자세   잘못된 자세

Q 무거운 물건을 들 때에는 물체를 몸에 붙여서 들고 다리를 펴면서 일어
나는 것이 허리에 스트레스가 적다.

무거운 물건을 들 때에는 물건을 몸에 최대한 붙이고 다리를 펴면
서 들어올려야 허리에 스트레스가 적게 걸린다. 허리로 물체를 들어
올리면 안 된다.

Q 허리(디스크)에 가는 스트레스 양의 비교. 왼쪽으로 갈수록 허리에 가는 스트레스는 심해지고 오른쪽으로 갈수록 허리에 부하가 줄어든다. 무릎을 세우고 누워 있는 자세가 허리에는 가장 좋다.

위의 그림은 자세에 따라 허리에 가는 스트레스의 양을 비교한 그림이다. 무릎을 세우고 누워 있는 자세를 취할 때 허리(디스크)에는 가장 적은 부하가 걸린다. 즉, 허리 건강에 가장 좋은 자세이다. 왼쪽에 있는 것처럼 서서 허리를 굽히는 자세는 허리에 가장 안 좋은 영향을 준다. 여기에 무거운 물건까지 들고 있으면 허리에 가해지는 스트레스는 한층 더 심해진다.

우리가 일상생활 중에서 취하는 자세의 적절성은 우리의 몸이 먼저 말해준다. 10·20분 시간이 흘렀을 때 허리에 불편감이 든다면, 그것은 우리 허리의 건강을 지키기 위해서 안 좋은 유해 자극이 있다는 신호를 주는 것이므로 올바른 자세로 바꾸어 앉아야 한다.

Q: 다리를 꼬는 자세는 허리에 안 좋은 것이 사실인가요?

A: 다리를 꼬는 자세로 오랜 시간 있는 것은 허리에 매우 안 좋습니다. 그
러나 양다리를 자주 바꾸어줄 수 있다면 다리 꼬는 자세도 좋은 자세
일 수 있습니다. 오히려 양다리를 대칭으로 놓고 똑바로 오랫동안 앉
아 있는 것이 허리 건강에는 더 안 좋습니다.

보통 다리를 꼬고 앉는 것이 허리에 좋지 않다고 알고 있다. 양다리
를 똑같은 모양으로 대칭적으로 균형을 맞추어 앉는 것이 허리에 좋
을 것으로 생각하지만, 꼭 그렇지만은 않다. 직접 본인이 양쪽이 대칭
인 앉은 자세를 취하고 10분만 앉아 보면 알 수 있다. 불편감이 심하
여 그 자세를 유지하기 힘들 것이다. 오래 앉아 있어야 하는 경우에
는 10~20분마다 다리를 바꿔가면서 꼬고 앉는 것도 허리의 건강에
좋다. 그러나 꼭 기억해야 하는 것은 한 자세로 다리를 꼬고 오랫동
안 앉아 있으면 허리에 매우 안 좋다는 사실이다.

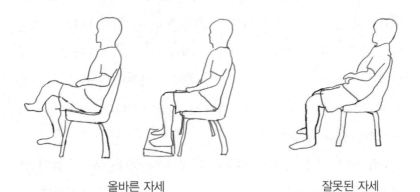

올바른 자세   잘못된 자세

🔍 오랫동안 다리를 꼬고 앉는 것은 허리에 악영향을 준다. 그러나 매
5~10분 정도마다 반대로 자세를 변경시켜 주면 꼬는 자세도 허리에 좋은
자세가 될 수 있다.

Q: 의자에 설치하는 허리 보조 등받이가 허리의 정상적인 모양에 큰 도움이 될 수 있을까요?

A: 약간의 도움은 될 수도 있습니다만 허리 척추의 자연스러운 'C'자 커브는 보조 등받이로 만들어지는 것이 아닙니다. 허리 척추의 자연스러운 모양은 허리 주위 근육의 적절한 유연성 운동과 근력 운동으로 만들어지는 것이며, 운동으로 자연스러운 C자 커브가 만들어졌을 때 건강한 허리가 되는 것입니다.

허리의 'C'자 커브를 만들기 위해서 의자 등받이 앞에 베개나 보조 등받이를 놓는 경우가 많다. 작고 두께가 얇은 것은 도움이 될 수 있지만, 과도하게 커브를 만들어주는 보조 등받이는 오히려 허리를 피곤하게 만든다.

오래전 나도 마트에서 허리의 커브를 만들어주는 보조 등받이 기성품을 사 본 적이 있었는데 사용한 지 며칠 만에 빼버렸다. 허리의 자연스러운 C자 형태는 인위적인 보조물을 사용해서 만드는 것이 아니다. 우리의 허리 주위 근육의 적절한 유연성과 근력으로 자연스럽게 만들어지는 것이다. 허리의 유연성 운동과 근력 운동 없이 보조 용품으로 형태를 만들어주는 것은, 오히려 허리 주위의 근육과 인대를 피로하게 만들 수 있으며 허리 통증을 유발할 수 있다.

요즘 만들어지는 의자들과 자동차의 의자는 어느 정도의 인체공학적인 척추의 모양을 고려하여 제작되어 그 자체로 크게 무리가 없는 것 같다. 나와 우리 가족들은 그 어느 누구도 허리의 'C'자 커브를 만들어주는 보조 등받이를 사용하지 않는다. 중요한 것은 허리 주위 근육들의 적절한 유연성과 근력 유지이다.

Q: 침대가 허리의 건강에 중요다고 하는데 어떤 침대가 허리에 좋은가요?

A: 허리에 너무 푹신한 매트리스는 좋지 않습니다. 그렇지만 어떤 것이 가장 좋다고 정확하게 말할 수는 없습니다. 본인이 하루를 잤을 때 가장 편하게 느껴지는 바닥이 본인에게는 가장 좋은 잠자리입니다.

미국에서 유학하는 한 고등학생이 방학을 맞아 한국에 들어와서 허리 통증으로 내 진료실을 찾아왔다. 근육과 힘줄에 부하가 걸려 발생한 비특이적인 요통이었다. 학생은 허리 통증을 발생시킨 원인을 이미 스스로 알고 있었고, 나에게 정확하게 알려주었다. 미국 학교 기숙사의 침대 매트리스 한쪽이 약간 꺼져 있어 잘 때마다 불편감을 느꼈다고 했다.

나도 고등학교 때 기숙사 생활을 했었다. 그 당시 우리나라 학교 기숙사에서 좋은 매트리스를 깔아놓은 학교는 거의 없었을 것이다. 나또한 한쪽이 푹 꺼진 매트리스에서 잠을 자며 허리 통증을 느꼈던 적이 있었다.

좋은 침대 매트리스는 포근한 느낌이 들되 너무 푹신하지는 않아야 한다. 사람은 엉덩이와 머리 부분이 가장 무겁기 때문에 너무 푹신한 매트리스에서는 엉덩이가 더 밑으로 가라앉게 되어 있다. 그렇게 되면 허리의 정상적인 'C'자 곡선이 깨져 척추 후만의 모양이 되고 허리 통증을 유발하게 된다.

난 가끔씩 허리에 불편감이나 통증이 발생하게 되면 포근할 정도의 두꺼운 라텍스 요를 깔고 바닥에서 잔다. 나에게는 허리를 바로잡고 요통을 없애는 좋은 방법이다. 요즘 사람들은 어느 정도 쿠션이 있는 푹신한 침대 바닥에 익숙해져 있어 딱딱한 바닥에 누우면 허리가 뜨는 느낌과 함께 불편감을 느끼는 경우도 많다. 그러나 어느 정도의 두꺼운 요를 깔고 아래 그림과 같이 무릎 밑에 베개를 바치는 자세를 취하면 편안함을 느낄 수 있을 것이다.

진료실에서 수면 시 어떤 베개가 좋은지? 어떤 침대가 좋은지 묻는 경우가 종종 있다. 사실 대략적인 원칙은 있지만, 정답은 없다. 위에 언급된 원칙을 가지되 본인에게 가장 편한 베개와 매트리스가 가장 좋은 것이다. 우리 몸이 느끼는 불편감과 편안함은 제일 민감한 평가 도구이다. 불편감 더 나아가 통증이 발생하면 그것은 우리 몸을 지키기 위한 사전 경고임을 알아야 한다.

올바른 자세   잘못된 자세

🔍 바로 누워 잘 때 무릎 밑에 베개를 놓으면 허리에 스트레스가 줄어든다. 또한 모로 누워 잘 땐 무릎 사이에 베개를 끼워 넣고 팔 밑에 베개를 놓고 자는 것이 올바른 수면 자세이다.

Q: 집이 이사를 하면서 짐 정리를 하였더니 허리가 묵직하게 아픕니다. 병원에 갈 정도는 아닌 것 같고 집에서 혼자 쉽게 할 수 있는 치료법이 없을까요?

A: 이완과 부드러운 호흡만으로 허리 통증이 호전될 수 있습니다. 근육통으로 인한 허리 통증에 가장 중요하면서 기본적인 운동은 골반 후방 경사운동입니다. 이 운동을 제대로만 하면 즉석에서 효과를 보는 경우가 많습니다.

수개월 전 일요일 저녁 친구가 부친상을 당해 급히 대구에서 강원도 횡성을 다녀온 일이 있었다. 내려오는 일요일 깊은 밤 중앙고속도로에는 차가 거의 없었고 다음 날 진료를 위해 150km/h 이상의 빠른 속도로 집으로 돌아왔다. 놀랄 만큼 빨리 집에 도착하였지만 쉼 없이 내리 2시간 정도를 온몸이 긴장된 상태로 운전해서인지 자고 난 다음 날, 뒷목, 어깨, 허리에 뻣뻣함과 뻐근한 통증이 발생했다.

심리적 긴장상태는 몸의 근육에 스트레스를 주게 되고 지속되면 근육이 경직되어 통증을 유발하게 된다. 이 경우 특별한 운동법은 일단 차치하고 몸의 이완과 부드러운 심호흡만 잘해도 근육통에 좋은 효과를 볼 수 있다.

허리의 이완을 위해서는 허리 척추가 최대한 많이 땅에 닿게 하는 것이 중요하다. 양다리를 의자에 올려놓거나 무릎 밑에 두꺼운 베개나 이불을 놓고 무릎이 세워지는 자세를 취하면 허리가 바닥에 닿게 된다. 이때 온몸의 힘을 완전히 빼고 천천히 부드럽게 호흡을 하면서 온몸 근육의 힘이 완전히 빠져서 바닥에 눌어붙는다는 느낌을 받아야 한다. 호흡 시에는 코로 공기를 들이마시고 입으로 길게 천천히 숨을 내쉰다. 10~20분 정도 시행하고 하루에 3~5회 정도 시행해본다. 이것만으로도 허리 통증이 완화되는 것을 많이 느끼게 될 것이다. 실제로 나도 허리가 불편할 때 종종 이 방법을 사용하며 심신이 안정됨과 함께 허리의 불편감이 완화되는 것을 느낀다.

Q 허리 근육을 이완시키는 자세. 10~20분 정도 길고 천천히 호흡하여 온 몸에 힘을 빼고 바닥에 몸이 달라붙는 느낌이 들게 한다.

허리 통증으로 병원을 찾는 환자들이 기본으로 교육받는 운동은 골반 기울이기 운동(후방경사운동)이다. 나 또한 허리 통증이 발생하면 다른 운동은 못하더라도 골반 기울이기 운동은 시행하고 통증을 가라앉히곤 한다.

심하게 허리를 사용하는 일을 하거나 외상에 의한 경우를 제외하고 삶 속에서 특별한 사건 없이 허리 통증이 발생할 경우 대부분 통증의 원인은 근육과 인대에 있다. 그리고 더 자세히 보면 허리뼈의 뒤쪽으로 위치한 근육의 뻣뻣함으로 인한 통증이 대부분이다. 이때 골반 기울이기 운동은 바로 이 허리의 근육을 스트레칭해주는 운동으로서, 제대로만 이 운동을 한다면 바로 즉석에서 허리 통증이 완화되는 것을 느낄 수 있다. 허리의 재활운동에서 가장 중요한 운동 중 하나이다.

골반 기울이기 운동은 여러 가지 방법이 있으나 내가 잘 쓰는 방법은 두 가지이다. 첫 번째 방법은 누운 자세에서 하는 방법으로서 가장 기본이 되는 방법으로, 무릎을 세우고 바닥에 누우면 아래 허리 부분이 떨어져 있는 것을 느끼게 되는데, 아랫배에 힘을 주어 배가 등 쪽으로 내려가게 해보면, 떠 있던 아래 허리 부위가 땅에 닿는 느낌이 들게 된다. 이때 이 자세를 5~10초 유지하면 된다. 방법을 잘 모르겠으면 재활의학과를 찾아가 교육을 받으면 된다.

허리 척추 모양

Q 골반경사운동

무릎을 세우고 누우면 허리 밑부분이 바닥에서 뜬다. 배에 힘을 주어서 뜬 허리를 바닥에 닿게 하고 이 자세를 10초 동안 유지한다. 하루에 2~3회 시행하며 한 회에 6~10번 정도를 시행한다.

두 번째 방법은 앉아 있는 자세에서 하는 것으로 운전을 하거나 사무실에서 앉아 있을 때 해보면 효과적이다. 엉덩이를 의자의 등받이에 붙이고 앉아서, 심호흡을 하고 숨을 길게 내쉰다. 이때 배 근육에 힘이 들어오면서 배가 들어가는 느낌이 들 것이다. 이때 들어간 배는 그대로 둔 상태에서 다시 숨을 들이마시고 다시 숨을 길게 내쉰다. 그러면 배 근육에는 힘이 더 들어오게 되며, 배는 더욱더 등 쪽으로 달라붙게 된다. 이때 허리의 척추뼈를 쭉 펴는 듯한 느낌으로 배에 힘을 주어 10초 정도 유지하게 되면, 허리의 뒷부분에 있는 허리 근육이 스트레칭 되는 느낌이 들면서 시원한 느낌이 들게 된다.

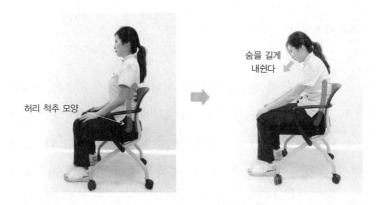

허리 척추 모양

숨을 길게
내쉰다

Q 골반경사운동

숨을 길게 내쉬면서 배 근육에 힘을 주고 배가 등쪽으로 달라붙는 느낌이 들도록 한다. 이때 힘이 들어가며 들어간 배는 그대로 둔 상태에서 다시 숨을 빨리 들어마시고 길게 내쉬어 배에 더욱더 힘이 들어가고 등쪽에 붙게 만들어준다. 허리가 펴지면서 허리에 시원한 느낌이 들게 된다. 이 자세를 10초 동안 유지한다. 복근훈련도 되는 좋은 운동방법이다. 허리 뒤가 뻐근하게 아파올 때 수시로 시행해준다.

Q: 무거운 짐을 들다가 허리를 삐끗하였습니다. 몸을 조금만 움직여도 허리가 아파서 절절거립니다. 이렇게 아픈데 허리운동을 바로 해야 할 까요?

A: 요추 안정화 운동은 허리건강에 매우 중요한 운동입니다. 그렇지만 갑작스럽게 급성으로 요통이 발생한 경우, 발생 첫 2주 안에 시행하는 요추 안정화 운동이나 유연성 운동은 통증을 더 악화시킬 수 있으며, 증상의 호전에 큰 도움이 되지 않습니다.

허리 주위 근육들의 유연성이 잘 유지됨과 동시에 허리의 건강을 위해서 꼭 갖추어야 할 것은 근육들의 근력과 협응능력이다. 무거운 피아노를 힘센 두 사람이 옮긴다고 하였을 때 힘만 가지고 피아노를 옮길 수 있는 것은 아니다. 두 사람이 조화롭게 잘 힘을 쓸 때 안전하고 정확하게 피아노를 움직일 수 있는 것처럼, 우리 허리에 있는 근육들도 근력뿐 아니라 여러 근육들이 조화롭게 움직일 수 있는 능력이 있어야 건강한 허리이다.

허리 근육들의 적절한 근력과 협응능력을 길러주는 운동을 요추 안정화 운동이라고 한다. 텐트를 쳤을 때 텐트의 기둥을 사방에서 당겨주는 튼튼한 로프가 있어야 안정적인 텐트가 될 수 있다. 척추를 기둥이라고 생각했을 때 주의 근육들이 튼튼하게 잡아주어야 안정적이고 건강한 허리를 유지할 수 있다.

요추 안정화가 잘 이루어지지 않았을 때 발생할 수 있는 흔한 병이 허리염좌다. 허리를 움직일 때 허리 근육들이 조화롭고 민첩하게 작동해주어야 근육, 힘줄, 인대, 디스크 등의 우리 몸의 구조물에 무리가 안 가게 된다. 이런 근육의 움직임이 부적절하면 인대, 힘줄에 과부하가 걸리면서 문제가 발생하게 되는 것이다.

보통 사람들이 허리를 삐끗했다고 말을 하는 허리염좌가 발생하면 극심한 통증으로 제대로 걷지도 못하고 엉거주춤한 자세로 진료실을 방문하게 된다. 신체검진을 위해 침대에 누워보라고 하여도 통증이 심하여 간신히 진료실 침대에 눕게 된다. 염좌 시의 급성통증은 심한 디스크(추간판 탈출증)을 앓고 있는 사람보다도 훨씬 심하다. 환자들의 대부분은 심한 외상이나 허리를 과하게 쓰다가 다친 것이 아니다. 일상생활 속에서 순간적으로 삐끗하면서 통증이 발생하게 되는데, 아침에 세수하고 허리를 세우다가, 또는 소파에 앉아 있다가 일어서면서, 화분을 옮기면서 순간적으로 발생하게 된다.

급성으로 갑작스럽게 허리 통증이 발생할 경우 발생 2주 안에 시행하는 유연성운동과 요추 안정화 운동은 통증의 호전에 별 도움이 되지 않으며 증상이 더 심해질 수도 있다. 실제로 통증이 극심하여 운동할 생각은 엄두도 못 내는 경우가 대부분이다. 허리의 재활운동은 통증 발생 2주 후 점차적으로 꾸준히 시행해야 한다. 적절한 재활운동은 증상의 호전도 가져오고 허리의 안정화에 도움을 준다. 또한, 만성 요통으로의 이행을 막게 되며 향후 발생할 요통의 예방에도 도움이 된다.

고관절 굴곡근의 신장

🔍 고관절 굴곡근 스트레칭 운동
(10초간 유지, 6~10회, 하루에 2~3번)
한 다리의 무릎을 잡고 가슴에 최대한 붙이며, 펴진 반대쪽 다리는 최대한 아래로 뻗습니다. 펴진 다리의 고관절 굴곡근의 스트레칭 운동입니다.

허리와 고관절 신전근의
스트레칭

🔍 허리와 고관절 신전근 스트레칭 운동
(10초간 유지, 6~10회, 하루에 2~3번)
두 다리의 무릎을 잡고 가슴에 최대한 붙입니다.

허리와 고관절 신전근의
스트레칭

🔍 고관절 신전근 스트레칭 운동
(10초간 유지, 6~10회, 하루에 2~3번)
양 다리의 발목 또는 발끝을 잡고 가슴을 최대한 두 다리에 붙입니다.

　　스트레칭 운동은 위에서 설명한 이완요법을 먼저 시행하여 허리의 근육이 부드러워졌을 때 시행하는 것이 좋다. 허리 근육을 강화시키고 협응능력을 향상시키는 요추 안정화 운동은 스트레칭 운동을 먼저 하여 근육의 유연성이 있는 상태에서 시행하는 것이 좋다.

　　허리의 척추뼈는 골반과 연결되어 있으며, 이 골반에는 고관절을 넘어 허벅지까지 많은 근육이 연결되어 있다. 허리의 정상적인 'C'자 커브를 유지하기 위해서는 허리 주위 근육은 물론이고, 고관절을 움직이는 굴곡근과 신전근의 유연성이 잘 유지되어야 한다.

Q 요추 안정화 운동 1단계
(10~30초간 유지, 6~10회, 하루에 2~3번)
위의 자세를 10~30초 유지한다. 요추 주의 근육을 강화시켜 허리의 건강을
지켜준다.

Q 요추 안정화 운동 2단계
(10~30초간 유지, 6~10회, 하루에 2~3번)
위의 자세를 10~30초 유지한다. 요추 주의 근육을 강화시켜 허리의 건강을
지켜준다.

Q: 어제저녁에 일을 하다가 허리를 삐끗하였습니다. 통증이 심해서 약을
먹고 누워서 쉬고 있습니다. 얼마의 기간 동안 이렇게 쉬는 것이 좋을
까요?

A: 극심한 허리 통증이 발생했을 경우 침대에서 적절한 휴식을 취하되
2~3일이 넘지 않아야 합니다.

허리 통증이 갑자기 발생했을 경우, 누구나 무거운 물건을 든다거
나 허리를 많이 사용하는 일이나 운동을 피하게 된다. 허리에 문제가
발생하였으니 쉬는 것이 당연하다. 그렇지만 얼마나 쉬어야 되는 것일
까? 진료실에서도 이에 대해 묻는 환자분들이 많다. 침대에서 가만히
쉴 경우 평균적으로 하루에 1% 정도 근육량이 감소하게 되며, 심폐
기능은 1.5% 정도 감소하게 된다. 허리의 건강을 위하여 궁극적으로
는 허리의 유연성, 근력, 협응능력을 유지해야 하는데 너무 오래 쉬게
되면 역효과가 발생하게 된다. 급성손상으로 통증이 심한 경우 염증
반응이 있는 부위를 자극하면 증상이 심해지므로 2~3일의 침상안정
은 바람직하다. 그러나 그 이상의 침상안정은 바람직하지 않다. 허리
에 부담이 갈만한 활동을 조심하면서 일상생활을 하는 것이 좋다.

허리를 삐끗하거나 만성적 통증이 있는 사람들 중에 허리 보조기
를 수주씩 착용하는 경우를 종종 보게 된다. 허리 보조기는 비특이
적인 허리 통증에는 거의 필요가 없다. 경우에 따라 1~3주간 착용을
해야 할 경우도 있지만 2~3일 내로 단기간만 착용하는 것이 바람직
하다. 허리 보조기를 착용하면 허리의 유연성은 급격하게 떨어지고
근력과 근육의 양이 감소하게 된다. 허리 통증에 도움이 되라고 착용
한 보조기가 오히려 허리에 악영향을 주게 된다.

02
디스크(추간판 탈출증)

이삿짐센터에서 일을 하는 30대 중반의 남자입니다. 얼마 전부터 허리가 뻑뻑하게 아파지기 시작하더니, 며칠 전부터는 엉덩이와 허벅지 뒤쪽으로 저리고 당기는 듯한 통증이 발생하였습니다.

Q&A

Q: 흔히들 이야기하는 허리디스크는 구체적으로 어떤 질병인가요?
A: 추간판(디스크) 탈출에 의해 척추의 신경근(뿌리)에 염증을 일으키거나 신경을 압박하게 되어, 다리와 허리에 통증을 유발하게 되는 질환을 말합니다. 증상이 심한 경우 다리에 감각 이상이나 마비증상을 만들 수도 있습니다.

내 진료실을 찾는 사람들이 가장 많이 호소하는 증상은 허리 통증이다. 그만큼 허리 통증은 흔하며 나 또한 1달에 1~2번 정도는 짧게나마 허리 통증을 겪는다. 허리 통증이 자주 발생하거나 통증이 심한 사람들은 허리디스크는 아닐까라는 걱정을 한 번쯤은 하게 된다.

허리디스크는 좌골신경통, 요추 신경근병증, 추간판 탈출증의 여러 용어로 불려진다. 사람들이 흔히 말하는 허리디스크라는 것은 의학적 용어로 정확하게 표현하면 추간판 탈출증에 의한 요추 신경근병증이다. 척추뼈 분절 사이에 있는 디스크(추간판)가 탈출되면 염증이 발생하고, 심한 경우에는 척추 신경근(뿌리)을 압박하면서 허리와 다리에 통증을 유발하게 된다. 사람들 대부분은 튀어나온 디스크가 신경을 눌러서 통증이 발생한다고 알고 있지만, 실제적으로는 누르지 않고 염증반응으로 신경을 자극해서 통증이 발생하는 경우가 더 많다. 이 책은 일반인들의 쉬운 이해를 위한 것이므로 요추 신경근병증이라는 의학적 용어보다는 허리디스크라는 단어를 사용해서 기술하도록 하겠다. 환자분이 진료실에서 하는 본인 증상에 대한 설명을 주의 깊게 들어보면, 신체검진을 하지 않아도 대략적으로 허리디스크가 발병한 것인지, 아니면 근육통 등의 비특이적 요통인지를 쉽게 알 수 있다.

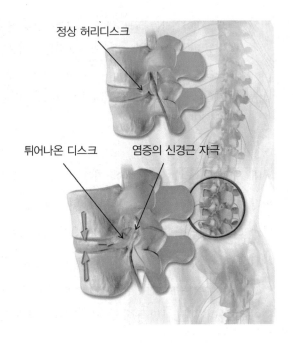

정상 허리디스크

튀어나온 디스크   염증의 신경근 자극

Q: 주위에 허리 아픈 사람들이 흔히들 허리디스크 같다는 말을 많이 하는데, 허리디스크가 실제로 흔한 질병인가요?

A: 허리디스크(추간판 탈출증)가 허리 통증의 원인일 확률은 4% 정도로 낮습니다.

허리디스크는 허리가 아픈 사람들이 흔하게 머릿속에 떠올리는 병명이다. 그러나 허리가 아픈 사람들 100명 중 4명 정도가 허리디스크에 의한 통증이며, 대부분은 인대, 근육, 힘줄 등이 원인이 된 비특이적 요통이다.

대부분 30~50대에서 발병하게 되며 남자에게서 조금 더 흔하다. 다리와 엉덩이에 저림, 쑤심, 저릿함, 당기는 등의 통증이 발생하면 예전 어른들은 흔히 좌골신경통이라는 용어를 많이 사용했었다. 이런 증상들을 일으키는 가장 큰 원인은 허리디스크지만 디스크 외에도 좌골신경통을 만들 수 있는 원인은 여러 가지이다.

Q: 허리디스크의 주증상은 무엇인가요?

A: 허리디스크의 주된 증상은 다리로 방사되는 통증입니다. 허리의 통증은 있을 수도 있고 없을 수도 있습니다.

허리 통증이 있는 사람들은 한 번쯤은 허리디스크 걱정을 한다. 그러나 허리디스크의 주증상은 허리 통증이 아니다. 엉덩이나 다리가 저리고 당기는 등의 증상으로 나타나는 방사통이 허리디스크의 주된 증상이다. 허리디스크로 인하여 엉덩이와 다리로 발생하는 방사통은 저리다, 당긴다, 화끈거린다, 콕콕 쑤신다, 저릿하다, 칼로 베이는 것 같다, 전기가 오는 것 같다, 우리하게 아프다 등 사람들마다 다양하게 표현된다.

단순히 허리의 통증만 있을 경우에는 사람들이 흔하게 걱정하는 허리디스크가 아닐 확률이 대부분이다. 허리의 통증만 있을 경우 대부분은 허리 주위의 근육, 인대, 힘줄 등에서 오는 비특이적 통증이 대부분이며 비특이적 통증은 사람들 대부분에게서 수주 안에 없어진다.

진정한 허리디스크가 발병한 경우 허리의 통증은 있을 수도 있고 없을 수도 있다. 허리디스크가 악화되었을 경우 다리에 감각이 저하되는 소견이나 보통 터치에도 통증을 느끼게 되는 과민감각, 또는 이상한 감각을 느끼게 되는 이상 감각 증상 등이 발생할 수 있다. 디스크가 신경을 심하게 눌러 압박이 심하거나 돌출된 디스크 주위에 염증이 심할 경우, 발목이나 엄지발가락 등의 근력이 저하되는 근마비 증상이 발생할 수도 있다.

쓸데없는 걱정은 하지 않는 것이 유익하다. 필요치 않은 걱정이 오히려 병을 만들고 통증을 키울 수 있다. 병원에서는 통증이 심한 사람들에게 가끔 플라시보약을 투약한다. 플라시보약이라는 것은 실제로는 효과가 없는 약이지만 환자에게 효과가 좋은 약인 것처럼 설명하고 주는 약을 말한다. 밀가루 같은 성분으로 만들어 입으로 복용시킬 수도 있고, 식염수 등을 주사액으로 줄 수도 있다. 통증이라는 것은 매우 주관적인 것이어서 사람의 기분과 생각에 의해 많은 영향을 받는다. 많은 환자들이 효과가 전혀 없는 플라시보약에 반응을 하여 통증이 줄어드는 효과를 본다.

실제적인 효과가 없는 플라시보약이 진통 효과를 줄 수 있는 것처럼 큰 문제가 없는데 잘 못 알게 되면 오히려 증상을 더 악화시킬 수도 있다. 허리 통증이 있을 경우 괜히 허리디스크라는 생각을 하고 신경을 쓰다 보면 증상은 더 심해질 수 있다. '건강염려증'이라고 하여 작은 증상에도 큰 병인 것처럼 심하게 걱정을 하여, 별 질환이 아님에도 심하게 고민하고 걱정하는 사람을 드물지 않게 볼 수 있다.

허리디스크의 주요 증상은 다리 통증이다. 인간의 다리에는 요추 2번부터 천추 1번까지 5개의 굵은 척추신경이 내려오게 되며, 이 신경들이 다리를 움직이고 기능하게 하며, 하지의 전 영역에 감각을 느끼게 해준다. 한 다리에 5개의 척추신경이 내려오다 보니 디스크가 튀어나온 위치에 따라서 발생하는 통증의 부위도 달라지게 된다.

디스크(추간판)의 돌출은 요추 4~5번, 요추 5~천추 1번 사이에서 가장 흔하게 발생하게 된다. 요추 4~5에서 디스크가 튀어나와 허리디스크를 만들게 되면 보통은 요추 5번 신경이 자극되어 종아리 외측과 발등으로 통증이 주로 발생하게 된다. 또한, 요추 5~천추 1번에서 디스크가 튀어나와 허리디스크를 만들게 되면, 주로 천추 1번 신경이 자극되어 엉덩이, 허벅지와 종아리 뒤쪽, 발의 바깥쪽으로 통증이 발생하게 된다. 물론 동시에 요추 4~5, 요추 5~천추 1번에서 디스크가 나온 다발성 디스크 돌출 소견이 있는 경우에는 두 가지를 합친 다리의 부위에 통증이 발생하게 된다.

환자분들이 겪는 다리의 통증을 자세하게 듣다 보면 MRI를 찍어보지 않아도 어느 부위에서 디스크가 돌출된 것인지 허리의 몇 번 신경이 문제 인지를 예측할 수 있다.

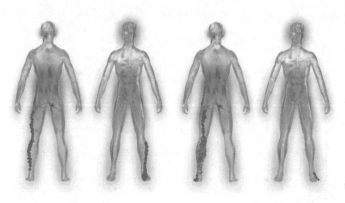

요추4~5번 디스크 통증   요추5~천추1번 디스크 통증

Q&A

Q: 건강검진에서 허리 MRI를 찍었는데 허리디스크가 튀어나온 소견이
   있다고 합니다. 내가 허리디스크에 걸린 건가요?

A: 허리 MRI에서 디스크가 튀어나온 소견이 있다고 허리디스크로 진단
   하면 안 됩니다. 정상적인 퇴행과정에서 허리디스크의 돌출된 MRI 소
   견은 매우 흔합니다.

추간판은 그 튀어나온 정도와 형태에 따라 팽륜, 돌출, 탈출, 분리
의 4단계로 구분된다. 팽륜은 약간 튀어나와 있는 정도를 말하는 것
이고, 추간판 분리는 디스크의 수핵(가운데 부분)이 아예 떨어져나
와 흘러내린 것을 말한다. 1994년에 NEJM(New Engalnd Journal of
Medicine) 저널지에 허리와 다리에 통증이 없는 무증상 환자들을 대
상으로 MRI를 시행하여 추간판 탈출 소견을 조사해보았다. 참고로

NEJM 저널지는 일반 사람들도 잘 알고 있는 사이언스나 네이처보다 인용지수가 훨씬 더 높은 의학계 최고의 저널지로서 그 공신력은 대단하다. 여기에 한 번 실린 내용은 의학 교과서에 실릴 정도이다. 연구 결과 무증상인 사람들 100명 중 36명에서만 정상적인 디스크(추간판) 소견을 보였으며, 나머지 64명에서는 정도의 차이는 있지만, 디스크(추간판)가 신경 쪽으로 튀어나와 있는 이상소견을 보였다. 즉, 겉으로 아무 통증이나 증상이 없는 사람들도 알고 보면 디스크가 나와 있는 사람이 많다는 것이다.

디스크(추간판) 팽륜, 돌출, 탈출 소견은 허리와 다리에 아무런 증상이 없어도 나이가 들어감에 따라 그 빈도가 증가한다. 20~30대 사람들 10명 중 2명 정도에서 디스크가 돌출된 소견이 보이며, 40~50대에서는 10명 중 3~4명에서, 60대 이상인 사람들 10명 중 6명 이상에서 디스크 돌출 소견을 보인다. 나이가 증가함에 따라 디스크는 더 많이 돌출된다. 즉, 디스크가 튀어나오는 것에 있어 전부는 아니지만 퇴행성 변화가 큰 영향을 끼친다는 것을 말해준다.

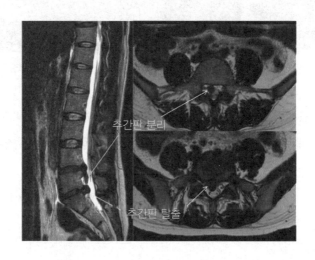

평균연령 46세인 우리나라 사람을 대상으로 한 조사에서는 10명 중 6명에서 디스크 팽륜이 관찰되었다. 또한, 디스크 돌출은 10명 중 4~5명에서, 디스크 탈출은 10명 중 3명에서 관찰되었다. 디스크 분리 소견을 보이는 사람은 없었다. 디스크의 수핵에 물이 빠지면 MRI에서 디스크는 검은색으로만 관찰되는데, 이런 소견을 '블랙디스크'라고 한다. 디스크 퇴행성 변화 소견인 '블랙디스크'는 100명 중 76명에서 관찰되었으며, 디스크의 바깥쪽을 싸고 있는 섬유륜이 찢어진 모습도 76명에서 관찰되었다. MRI에서 디스크가 찢어지거나 돌출되거나 하는 식의 병적 소견은 나이가 들어감에 따라 증가하였다.

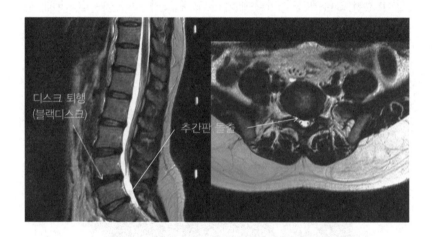

다시 한번 강조하지만, 허리 MRI 또는 CT상에 디스크가 나와 있는 소견은 매우 흔한 소견으로 통증, 근마비 등의 증상이 없는 경우에는 의미가 없는 경우가 대부분이다. 아무 증상도 없는데 영상 사진만 보고 괜히 허리디스크에 대해 걱정할 필요는 없다. 설령 허리에 통증이 있고 MRI상 디스크가 나와 있는 모습이 보인다 하더라도 그 통증의 원인은 허리디스크가 아니고, 근육이나 인대에서 기인하는 일시적인 비특이적 요통일 확률이 훨씬 높다.

MRI에서 허리에 디스크 탈출 소견은 있었지만 아무런 증상도 없었던 사람들을 5년 동안 지켜보았던 한 연구가 있다. 대략 10명 중 6명은 계속 무증상이었다. 3명 정도에서 약한 요통을 경험하였고, 1명 정도에서 심한 요통을 경험하였다고 한다. 지금 이 시간 허리 통증이 있는 사람은 10명 중 1~2명 정도에 해당한다. 게다가 허리 통증의 대부분은 디스크가 아닌 근육과 인대 통증이다. 이 사실을 고려해보면 증상이 없이 우연히 발견된 허리의 디스크 탈출은 대부분이 큰 문제를 만들지 않음을 짐작할 수 있다.

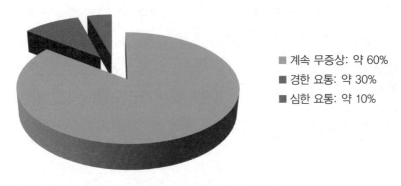

디스크 탈출은 있으나 통증이 없었던 사람들의
5년 후 요통의 발생 정도

■ 계속 무증상: 약 60%
■ 경한 요통: 약 30%
■ 심한 요통: 약 10%

• 보통 사람들 중 어느 한 시점에 요통이 있는 사람: 20%
• 보통 사람들 중 지난 1달 동안 요통이 있었던 사람: 40%

Q: 허리디스크는 어떤 경우에 잘 발생하나요?

A: 허리디스크는 디스크에 가해지는 스트레스와 퇴행성 변화에 의해서 발생하게 됩니다. 무거운 물건을 들고 허리를 비틀거나 구부리는 일을 하는 경우에 허리디스크에 가해지는 스트레스는 매우 커집니다. 흡연을 하거나 비만인 경우 허리디스크 발병 확률이 높아진다.

노화에 의한 척추와 디스크의 퇴행성 변화, 허리에 스트레스를 많이 주는 자세, 일 및 여러 가지 환경적 위험 요인들이 복합적으로 영향을 주어 허리디스크가 발생하게 된다.

무거운 물체를 많이 들고 나르는 직업은 일반 사람들이 상식적으로 알고 있는 것처럼, 당연히 허리디스크에 하중과 스트레스를 많이 주게 되어 허리디스크가 발생할 위험이 높다. 무거운 물체를 들고 허리를 비틀고 돌리는 식의 일을 하게 되면 그 위험성은 더 높아진다. 디스크를 치약과 비교하면 좀 더 쉽게 이해할 수 있다. 치약을 세게 누르면 치약은 좀 더 많이 나온다. 또한, 같은 힘이라도 치약을 짤 때 비틀어 짜면 그냥 누르는 것보다 치약이 더 잘 나온다. 또한, 앉아 있든 서 있든 고정된 한 자세로 움직임 없이 가만히 있는 것은 허리디스크에 악영향을 주게 된다.

🔍 허리(디스크)에 가는 스트레스 양의 비교. 왼쪽으로 갈 수록 허리에 가는 스트레스는 심해지고 오른쪽으로 갈 수록 허리에 부하가 줄어든다. 무릎을 세우고 누워 있는 자세가 허리에는 가장 좋다.

가만히 바로 누워 있을 때 허리디스크에 가는 압력과 비교했을 때, 등받이 없는 의자에 앉아 있거나 편하게 서 있는 경우에는 5배, 서서 허리를 앞으로 구부리는 자세는 9배, 가볍게 조깅할 때는 3배~8배의 압력이 걸리게 된다. 허리디스크에 가장 많은 압력이 가해져 스트레스를 주는 경우는 무거운 물체를 들어 올리는 경우이다. 20kg 정도 되는 무거운 물체를 특별한 방법 없이 그냥 들어 올릴 때는 23배의 압력이 디스크에 걸리게 된다. 이때 물체를 최대한 몸에 붙이고 무릎을 구부리고 허리를 편 자세로 물체를 들게 되며, 17배 정도로 디스크에 걸리는 압력을 줄일 수 있어 디스크에 가는 스트레스를 최소화 시킬 수 있다.

비만도 허리디스크의 당연한 위험요인이다. 많은 몸무게 자체가 디스크에 스트레스를 주는 것은 물론이고, 뱃살이 많아진 경우에는 요추의 부드러운 C자 형태에 악영향을 주어 더더욱 디스크에 스트레스를 많이 주게 된다.

발암물질로 이미 백해무익한 것으로 잘 알려진 흡연은 허리디스크에 검증된 위험요인이다. 담배에 들어있는 니코틴 성분은 혈관을 수축시키는 작용을 하게 되는데, 흡연에 의해서 디스크에 영양분과 산소를 공급하는 작은 혈관들이 수축하게 되면 영양분과 산소의 공급이 줄어들게 되고, 그만큼 디스크의 건강을 해치게 되는 것이다. 임신과 출산을 많이 한 경우, 진동이 오는 작업을 하는 경우도 허리디스크의 위험요인이다.

인간에게 발생하는 질병 대부분은 영향력이 크든 작든 가족력(유전)이 연관되어있는 경우가 많다. 허리디스크의 경우도 가족력(유전)도 디스크의 위험요인이 된다. 부모님이 허리디스크로 고생하셨으면, 그 자녀들은 허리의 건강에 특별히 더 조심하는 것이 좋다.

Q&A

Q: 허리디스크가 외상으로 인해 순간적으로 발생할 수 있나요?

A: 외상에 의해 순간적으로 허리디스크가 발생할 수도 있습니다. 순간적으로 '뚝' 하거나 찌릿하는 느낌이 들면서 허리와 다리에 심한 통증이 발생하게 되며 심한 경우 다리에 감각저하, 근마비 등이 발생할 수도 있습니다.

허리디스크는 외상에 의해서 순간적으로 발생할 수도 있지만 그런 경우가 흔하지는 않다. 허리디스크 중 정확히 몇 %가 순간적인 외상으로 발생하는지의 통계는 없다. 그러나 아주 드물지도 않아서 나는 4~5개월에 1~2명 정도는 경험하는 것 같다. 그런데 순간적으로 디스크로 인하여 심한 통증이 발생한 사람들의 대부분은 이전부터 허리가 좋지 않았던 사람들이 대부분이다. 허리디스크를 이전에 앓았던 적이 있거나 아니면 치료를 받으며 일상생활을 하는 사람들 중에 운동을 하거나 무거운 물건을 들다가 순간적으로 극심한 통증이 발생하면서 병원을 찾는 경우가 많다. 심한 경우에는 말총 증후군이라고 하여 대소변 장애와 하지의 마비가 발생하는 경우도 있다.

그러나 허리디스크 대부분은 디스크의 퇴행성 변화와 동반되어 순간적으로 발생하기보다는 서서히 발생하는 경우가 훨씬 흔하다. 따라서 각종 보험심사나 여러 보상 문제에서 외상성 허리디스크로서 인정받는 것이 까다로울 때가 많다.

Q&A

Q: 허리 MRI를 찍고 보았더니 디스크가 나오긴 했는데 신경을 누르고 있지는 않은 것처럼 보입니다. 제가 허리디스크가 맞나요?

A: 허리디스크에서 통증은 튀어나온 디스크가 신경을 눌러서만 생기는 것은 아닙니다. 튀어나온 디스크가 신경을 누르지는 않지만, 염증을 만들면서 신경을 자극해 아픈 경우도 매우 흔합니다. 이 경우 항염증 물질을 주사하면 통증이 확연하게 좋아질 수 있습니다.

허리디스크라고 하면 보통 사람들은 디스크가 나와서 신경을 누르기 때문에 아픈 것이라고 생각한다. 이런 설명이 완전히 틀린 얘기는 아니지만 그렇다고 100% 맞는 이야기도 아니다. 허리디스크 환자에서 다리 통증이 발생하는 이유는 튀어나온 디스크가 기계적으로 신경을 직접 압박하여 생기기도 하지만, 신경 주위에 염증을 유발하여 통증을 만들게 되는 경우가 많다. 디스크의 가운데 부분을 구성하는 수핵은 디스크 밖으로 튀어나오게 되면 강력한 염증을 만들게 된다. 염증이 신경을 자극하게 되면 이 자극된 신경이 분포하는 엉덩이나 다리의 특정 부위에 방사통을 유발시킨다.

허리디스크 환자 중에는 튀어나온 디스크의 크기가 작아 신경을 직접 누르지는 않지만, 매우 심한 통증을 다리에 가지고 있는 경우가 많다. 이런 경우 강력한 항염증 물질(스테로이드)을 염증이 있는 부위에 주사하는 시술을 하게 되는데, 통증이 극심하여 울면서 진료실로 들어온 환자분들이 수일 후에는 밝은 표정으로 진료실을 들어오게 된다.

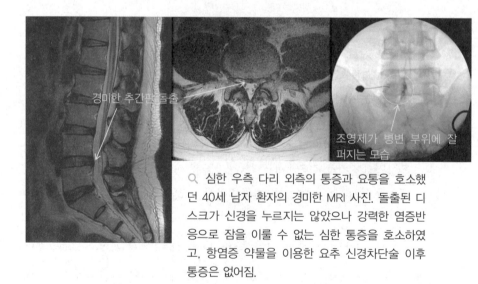

경미한 추간판 돌출

조영제가 병변 부위에 잘 퍼지는 모습

Q 심한 우측 다리 외측의 통증과 요통을 호소했던 40세 남자 환자의 경미한 MRI 사진. 돌출된 디스크가 신경을 누르지는 않았으나 강력한 염증반응으로 잠을 이룰 수 없는 심한 통증을 호소하였고, 항염증 약물을 이용한 요추 신경차단술 이후 통증은 없어짐.

Q: 튀어나온 허리디스크는 시술이나 수술을 통해서 꼭 제거해주어야 하나요? 가만히 놔두면 어떻게 되는 건가요?

A: 허리디스크로 인한 통증은 대부분 2개월 안에 없어지게 되며, 10명 중 7~8명에서는 튀어나온 디스크가 저절로 흡수되어 작아집니다. 게다가 튀어나온 디스크가 클수록 많이 더 잘 흡수됩니다. 디스크가 아예 떨어져서 분리된 경우에는 거의 100% 흡수되어 사라집니다. 대부분 튀어나온 디스크는 일부러 제거해줄 필요가 없습니다.

허리 통증의 대부분을 차지했던 근육, 인대 등이 원인이었던 비특이적인 허리 통증은 2~3개월 안에 저절로 치유된다. 그럼 과연 허리디스크도 자가치유가 될 수 있을까? 허리디스크로 인해 발생하는 허리, 엉덩이, 다리의 통증은 비특이적 허리 통증에서와 마찬가지로 저절로 그 증상이 없어질 확률이 높다. 많은 수의 허리디스크 환자들에서 2달 이내에 통증이 호전된다. 따라서 특별한 경우를 제외하고는 2~3개월 동안은 물리치료, 재활운동치료, 약물치료, 유산소 운동 등의 비수술적 치료를 시행해보는 것이 바람직하다.

그럼 일부러 제거하지 않고 놔두게 되면 튀어나온 디스크는 어떻게 될까? 사람들 대부분은 튀어나온 디스크가 향후 어떻게 되는지 잘 알지 못한다. 디스크 환자 10명 중 8명에서는 1~2년 사이에 튀어나온 디스크의 크기가 자연적으로 줄어든다. 튀어나온 디스크를 일부러 제거하지 않아도 10명 중 7~8명에서는 튀어나온 디스크 크기가 줄어들기 때문에 환자들을 고통스럽게 만드는 통증만 조절된다면 충분히 기다려볼 만하다는 것이다. 물론 바로 디스크를 제거해주어야 하는 예외적인 경우도 있다.

허리디스크 환자 10명 중 5명 이상에서 원래 튀어나온 디스크의 50% 이상 크기가 저절로 줄어든다. 그리고 더 재미있는 사실은 튀어나온 디스크의 크기가 클수록 잘 흡수되어 크기가 더 작아진다는 사실이다. 디스크가 아예 떨어져 나와 버린 경우(디스크 분리)에 환자들은 대부분 극심한 통증을 호소하게 된다. 이때 MRI를 통하여 튀어나오다 못해 떨어져 나와 버린 디스크를 직접 눈으로 보게 되면 근심이 매우 커지게 된다. 그러나 디스크가 떨어져 나온 경우에는 10명이면 10명 전부, 거의 100% 흡수가 되어 없어져 버린다.

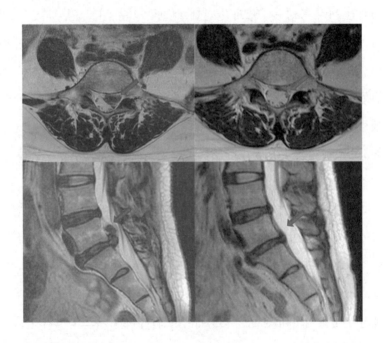

Q 허리디스크가 발병한 38세 여자 환자에서 1년 동안 시간이 지나면서 저절로 흡수된 디스크 모양.

디스크 수핵이 분리되어 떨어져나오게 되면 염증반응을 매우 강력하게 일으키기 때문에 그만큼 통증이 심하다. 심한 통증과 심하게 나와 버린 디스크를 보면 많은 환자들은 수술을 심각하게 고민하게 된다. 그러나 디스크가 떨어져 나온 경우는 거의 100% 다 흡수되어 저절로 사라지게 되며, 염증반응이 심한 만큼 강력한 항염증약(스테로이드)을 신경차단술을 통하여 주사하게 되면, 반응이 좋아 통증은 확연하게 좋아진다는 사실을 꼭 알고 있어야 한다.

6~15개월 동안 탈출된 추간판의 크기 변화(MRI)

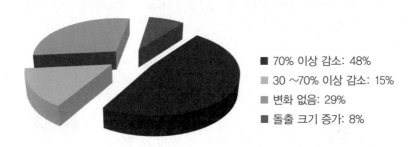

- 70% 이상 감소: 48%
- 30 ~70% 이상 감소: 15%
- 변화 없음: 29%
- 돌출 크기 증가: 8%

3년 전 친한 친구가 어머니의 허리디스크와 수술에 대한 의견을 묻고자 나에게 급하게 전화를 하였다. 어머니가 눈물을 흘리실 정도로 허리와 다리 통증이 심하셨고 MRI에서는 디스크가 떨어져나와 있는 소견이 있다고 하였다. 그 친구와 어머니는 허리수술의 결정을 두고 고민하고 있었다. 난 위에 언급된 이야기를 해주었고 친구의 어머니를 모셔다가 신경차단술을 시행하였다. 눈물을 흘릴 정도로 극심했던 통증은 주사한 다음 날 대부분 사라졌다. 수개월 후에 디스크 통증이 재발하여 한 차례 신경차단술을 더 시행 받긴 하였으나 현재 아무 불편감 없이 잘 지내고 계신다.

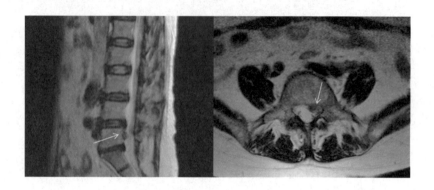

Q. 54세 여성의 떨어져 나온 디스크(추간판 분리). 이 형태의 디스크는 1~2 년 안에 거의 100% 흡수된다.

Q&A

Q: 왼쪽 다리 뒤쪽으로 당기는 증상이 있어 병원을 갔더니 허리디스크로 진단을 받았습니다. 처음 어떤 치료를 받는 것이 좋을까요?

A: 처음 2~3일 동안은 침상에서 안정을 취하면서 열전기치료, 견인치료, 약물치료 등을 실시합니다. 이후 증상을 고려하여 재활운동치료를 시작합니다. 통증이 잘 조절되지 않으면 주사치료 등을 시행할 수 있습니다. 통증의 완화와 재발 예방을 위해서 가장 중요한 것은 디스크를 유발한 원인의 제거와 재활운동입니다.

허리디스크는 전체 허리 통증의 4%에 해당하여 허리 통증의 원인 중 일부분만 차지할 뿐이다. 허리의 통증으로 병원을 찾는 사람들 대부분은 허리디스크가 아니고 근육, 인대, 힘줄 등이 원인이 되는 비특이적 요통이므로, 허리에 통증이 있을시 허리에 대해서 잘 아는 전문의를 찾아가 제대로 진단을 받는 것이 중요하다.

허리디스크 환자들 10명 중 7~8명은 저절로 통증이 줄어들게 된다. 게다가 튀어나온 디스크도 저절로 흡수되어 그 크기가 작아진다. 따라서 허리디스크가 발병했을 때 적절한 치료방법의 선택은 매우 중요하다. 허리디스크에 대하여 제대로 된 지식을 가지고 있을 때 치료방법을 현명하게 선택할 수 있다.

허리디스크의 치료 중 제일 먼저 해야 할 것은 환자를 괴롭히는 통증을 경감시키는 일이다. 급성으로 통증이 발생했을 경우에는 2~3일 정도는 침상에서 안정을 취하면서 소염진통제, 근이완제 등의 약을 복용한다. 동시에 열전기치료와 견인치료 등을 시행할 수도 있다. 증상이 매우 심한 경우는 바로 경막외 스테로이드 주입술을 시행할 수도 있다. 약을 복용하면 온몸에 퍼진 약물 중 일부가 디스크가 튀어나온 부위에서 효과를 내는 것이지만, 주사치료는 염증이 발생한 디스크 돌출 부위에 약을 집중시켜 효과 면에서 훨씬 우수하다.

침상안정은 특별한 경우를 제외하고 2~3일을 넘기지 않아야 한다. 이후 통증을 고려하여 일상생활로 복귀하는 것이 좋다. 침상안정이 길어지면 허리 주위 근육이 약해지고 이것은, 결국 허리의 긴강에 악영향을 주게 된다.

견인치료는 허리를 아래위의 방향으로 잡아당겨 척추가 늘어나게 하는 힘을 주는 치료이다. 척추가 늘어나게 하는 적절한 힘을 주게 되면 뻣뻣한 허리 주위 근육이 이완되고, 척추 사이에 디스크가 들어 있는 공간이 넓어져 디스크를 들어가게 하는 효과가 있으며, 신경을 누르는 압력이 낮아지는 효과가 있다. 그러나 항상 효과가 좋은 것은 아니다. 효과가 없거나 견인치료를 받고 오히려 더 불편한 경우도 종종 발생하게 되는데, 이런 경우에는 견인치료를 중단하면 된다. 견인치료는 목디스크에서 허리디스크보다 더 효과가 크다. 허리디스크에 있어서 견인치료의 효과는 확실하게 정립되어 있지는 않다.

Q 허리디스크 환자에서 요추 견인치료를 받고 있는 모습.

허리디스크로 인한 급성 통증이 있을 때 허리의 재활운동을 시행하는 것은 좋지 않다. 피부에 뾰두라지가 났을 때 그것을 계속 건드리면 염증은 더 심해지고 뾰두라지는 더욱 악화된다. 이와 비슷하게 급성기에 시행하는 허리운동은 척추신경 주위에 염증을 조장할 위험이 있다. 허리디스크 증상 발병 약 2주를 전후로 하여 재활운동을 시작하는 것이 좋다. 허리의 재활운동은 허리와 다리의 근력을 강화시키고 협응능력을 증진시킨다. 또한, 허리와 다리의 유연성을 좋게 만들어 재발 방지와 기능적인 회복을 통한 일상과 직장으로의 복귀에 큰 도움이 된다.

치료에 있어서 가장 중요한 것은 허리디스크를 유발한 그 원인을 찾아서 교정해주고 유해요인을 제거해주는 것이다. 안 좋은 자세로 인하여 허리디스크에 스트레스가 많이 왔던 사람은 안 좋은 자세를 반드시 교정해주어야 완전한 치료가 될 수 있다. 무거운 물건을 많이 들었던 사람은 될 수 있으면 무거운 물건 드는 일을 피해야 한다. 본인의 직업상 그것이 불가능하다면 허리에 가장 무리가 가지 않는 최선의 방법으로 무거운 물건을 옮기는 방법을 알아 배워야 한다. 허리 주위 근육은 일상생활, 운동, 일을 할 때 척추를 안정되게 잡아주고, 척추에 가는 충격을 분산해주고 완화시켜 주는 데 매우 중요한 역할을 담당한다. 허리 주위 근육의 근력이 약해진 사람은 척추의 안정성이 약해져 허리디스크를 유발하게 되므로, 허리 주위 근육을 강화시켜 주어야 한다. 허리 주위 근육 강화운동을 포함한 허리의 안정화 운동은 치료와 예방을 위해 기본적으로 꼭 들어가야 할 가장 기본적인 치료이다. 치료에 있어서 가장 중요한 것은 교육과 재활운동치료가 된다.

Q & A

Q: 허리디스크로 진단받고 약을 먹고 열전기치료와 견인치료를 받았는데도 통증이 참기 힘들 정도로 지속됩니다. 어떤 치료를 더 받는 것이 좋을까요?

A: 약물치료와 재활치료에 만족할 만한 통증의 호전이 없는 경우, 다음 단계로 시행할 유용한 시술은 신경차단술입니다. 일종의 주사치료인 신경차단술로 10명 중 8명이 효과에 만족합니다.

약물치료와 재활치료로 만족할 만한 통증의 호전이 없는 허리디스크 환자들에게 있어 다음 단계의 유용한 치료는 신경차단술이다. 쉽게 설명해 통증을 만드는 원인이 되는 허리디스크가 튀어나온 부위에 주사를 맞는 것이다. 신경차단술은 독감예방주사를 어깨 근육에 맞는 것만큼 쉽고 간단하지 않다. 척추디스크의 돌출로 인해 염증이 생긴 척추신경 가까운 곳에 항염증 약물을 주입하는 시술로, 주삿바늘이 몸 안으로 6cm 이상 깊이 들어간다. 또한, 중요한 신경들을 피해서 주사를 해야 하기 때문에 많은 주위를 요구하며 꽤 난이도가 있는 시술이다.

몸살로 몸이 힘들 때 타이레놀 한 알에 신기하게도 몸살기가 사라지는 경험을 많은 사람들이 해보았을 것이다. 타이레놀은 몸 안에서의 염증반응을 조절해서 그런 효과를 낸다. 염증이라는 것은 우리 몸에 통증을 만들게 된다. 척추의 염증이 발생한 부위에 강력한 항염증 약물인 스테로이드 주사를 놓는, 신경차단술은 디스크 통증을 확연

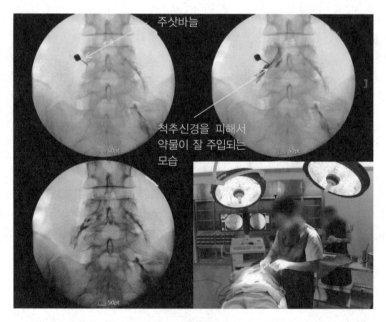

주삿바늘

척추신경을 피해서 약물이 잘 주입되는 모습

🔍 허리디스크 환자에서 선택적 척추 신경근차단술을 시행하는 모습.

히 경감시킬 수 있다. 신경차단술을 받는 환자들 10명 중 8명 정도가 2주 후에 통증이 호전된다.

신경차단술 외에 시행할 수 있는 시술에는 디스크를 고주파 등으로 태워 제거하는 신경성형술, 수핵감압술, 수핵성형술이 있으며, 이외에도 풍선확장술, 근육 내 자극술, 기능적 근육 자극요법, 증식주사요법 등이 있다. 각 시술 나름의 효과는 있다고 보고되고 있어 시술을 받는 자체가 큰 문제가 되지는 않지만, 충분히 검증되어 모든 의사들이 공통적으로 인정하는 치료방법을 먼저 사용하여 치료해보는 것이 바람직하다.

질병의 치료에 있어서 수술은 특별한 몇몇 경우를 제외하고는 마지막 단계로 이루어지는 치료이다. 허리디스크의 치료에 있어서 위에 언급한 비수술적 방법들을 먼저 사용해야 한다는 것에 대해서는 거의 모든 의사들의 의견이 합치되고 있다. 그러나 허리디스크 치료에 있어서 수술적 치료가 꼭 필요한 경우에는 수술을 당연히 시행해야 한다. 수술적 방법은 튀어나온 디스크를 제거하는 추간판 절제술이다. 미세현미경을 이용하여 척추뼈의 뒷부분을 일부 잘라내어 디스크가 주는 압력을 줄여주면서 튀어나온 디스크를 제거해주는 수술로서 현재 우리나라에서 디스크 수술로 흔하게 시행되는 수술이다. 이 외에 내시경을 통해서 추간판을 제거하는 수술도 있다. 내시경으로 추간판을 제거하는 수술의 경우는 수술 부위가 작기는 하지만, 내시경을 사용하여 작은 공간에서 추간판을 제거하다 보니, 불안전하게 수술이 될 경우가 있다는 것이 단점이다.

Q: 허리와 다리의 통증으로 디스크로 진단받고 약을 먹고 재활치료를 받고 있는데, 오늘 아침 무거운 물건을 든 이후에 갑자기 소변이 시원하게 나오지를 않는 것 같습니다. 어떻게 해야 할까요?

A: 빨리 수술이 가능한 전문병원을 찾아가 MRI를 찍고 수술을 고려해야 합니다. 디스크가 심하게 나올 경우 척추신경다발을 압박해 실금, 요저류, 실변 등 대소변 기능에 이상이 발생할 수 있습니다. 이런 경우는 응급으로 허리 수술을 해야 합니다.

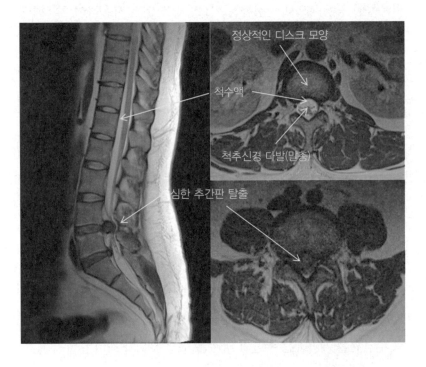

Q. 34세 남자 환자의 말총증후군. 실뇨와 양 발목의 근마비, 양 하지의 심한 통증을 호소하였으며, 응급수술을 시행받았다. 오른쪽 위쪽에 있는 사진은 건강한 허리척추의 횡단면으로서 흰색의 척수액이 잘 관찰된다. 오른쪽 아래쪽 그림은 디스크가 심하게 돌출되어 정상적인 척수액이 보이지 않는 모습이다.

허리디스크가 있을 경우 꼭 수술해야 할 경우는 세 가지 경우이다. 첫 번째는 말총 증후군이 발생한 경우이다. 디스크가 척추신경을 너무 세게 압박하게 되면 실변, 요실금, 요저류가 등의 대소변기능 이상과 양 하지에 통증과 함께 항문과 생식기 부위에 감각 이상, 양다리에 마비증상이 발생할 수 있다. 이런 경우는 응급상황으로서 증상 발생 48시간 이내에 감압술과 추간판 절제술이 시행되어야 한다. 이 시간 이내에 수술을 시행하게 되면 신경이 다시 재생되어 제 기능을 찾을 확률이 높아지지만, 이 시간을 넘기게 되면 신경이 다시 재생될 확률이 많이 떨어진다.

두 번째 경우는 다리의 근육 마비 증상이 점차로 진행하면서 악화되거나 마비 증상이 4~6주 이상 지속되는 경우이다. 보통 정상 측의 다리보다 힘이 약간 빠지는 경우는 허리디스크의 경우는 꽤 흔하게 볼 수 있는데, 이런 경우는 꼭 수술해야 되는 경우라고 볼 수 없다. 그렇지만 중력을 거슬러서 움직이지 못할 정도로 힘이 지속적으로 약해지는 경우에는 수술적 치료를 시행해야 한다. 또한, 근육의 마비가 4~6주의 비수술적 치료에도 불구하고 지속되는 경우에는 수술적 치료를 시행해야 한다. 발목을 들어 올리는 힘과 엄지발가락을 위로 들어 올리는 힘이 약해지는 경우가 제일 흔하다.

세 번째 경우는 2~3개월 동안 디스크가 튀어나와 있는 염증 부위에 항염증 주사치료 등 여러 치료를 열심히 시행해보았지만, 통증이 극심하여 참을 수 없는 경우이다. 약물치료, 주사치료 등 비수술적인 치료를 총동원해도 통증이 너무 심한 경우에는 남아있는 마지막 방법인 수술적 방법을 시행할 수밖에 없다.

Q: 허리디스크 수술 시에 합병증이 발생할 수 있나요?

A: 병원에서 이루어지는 시술이나 수술 시 합병증이나 부작용이 전혀 없는 경우는 없습니다. 허리디스크로 수술이 꼭 필요한 경우에는 수술적 치료를 해야 하지만, 그 외의 경우에는 수술적 치료의 합병증을 고려하여 신중하게 수술의 여부를 결정해야 합니다.

수술적 치료가 두려운 이유는 일단 침습적으로 내 몸에 수술용 칼이 들어온다는 부담감과 발생할 수 있는 수술의 합병증 때문일 것이다. 외국의 한 연구에 의하면 디스크 수술을 하고 난 후 급성기 합병증으로 신경의 손상에 의해 근위약이나 감각저하가 생긴 경우는 100명 중 1명, 뇌척수액이 누수 된 경우는 100명 중 7명, 수술부위 감염이 발생한 경우는 100명 중 0~2명이 있었다고 보고하고 있다. 모두 합쳐보면 10명 중 1명에서 수술 후 급성기 합병증이 발생하게 된다. 또한, 후기 합병증으로 수술 후 척추분절이 불안정하거나 수술 이후에도 통증이 심하게 있는 수술실패 증후군이 발생한 경우는 100명 중 5~20명 정도로 보고되고 있다. 많은 경우 10명 중 2명에서 후기 합병증이 발생한다.

2013년에 우리나라에서 디스크로 척추수술을 받은 약 18,000명의 환자를 대상으로 5년 안에 재수술을 받는 환자 비율을 조사하여 발표하였다. 척추수술을 받은 환자 100명 중 4명은 한 달 이내에 재수술을 시행 받았으며, 5년 이내에는 총 13명 정도가 재수술을 시행 받았다.

디스크 수술 후 5년 내 재수술 환자의 비율 = 13.4%

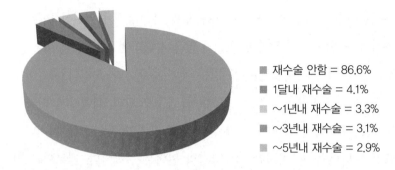

- ■ 재수술 안함 = 86.6%
- ■ 1달내 재수술 = 4.1%
- ▨ ~1년내 재수술 = 3.3%
- ■ ~3년내 재수술 = 3.1%
- ▨ ~5년내 재수술 = 2.9%

디스크 척추수술 후 5년 이내 재수술을 시행한 환자의 비율

최근 10년간 우리나라에서 이뤄지는 척추수술건수가 급격하게 많이 늘었다. 물론 우리나라의 노령화가 진행되고 더 안전하고 효과 좋은 수술 기법의 증가로 늘게 된 것도 있지만, 이것만 가지고는 가파른 척추 수술 건수의 증가를 설명하기는 어렵다. 국민보험공단의 통계를 보면 2006년부터 2012년까지 척추수술 건수는 총 86% 증가하여 매년 12%씩 증가하였다. 또한, 최근 수년간 척추수술의 13% 정도는 수술이 적절하지 않았다고 판단되어 보험급여 지급이 조정되었다. 허리에 특별한 무리를 주어 디스크의 발병을 증가시킬 전 국민적인 사건이 없었기에 2006년부터 2012년까지 수술건수가 86%나 증가했다는 것이 허리디스크의 발병이 86%나 늘었다는 것을 의미할 가능성은 희박하다. 또한, 우리나라의 척추수술은 미국에 비해서는 1.5배, 일본에 비해서는 3배 정도 많이 시행되고 있다. 현재 우리나라에서 일어나고 있는 척추수술이 과하게 시행된다는 의견들이 여기저기에서 나오는 이유의 근거이다.

허리디스크는 전체 허리 통증의 4%에 해당하여 허리 통증의 원인 중 일부분만 차지할 뿐이다. 허리의 통증으로 병원을 찾는 사람들 대부분은 허리디스크가 아니고 근육, 인대, 힘줄 등이 원인이 되는 비특이적 요통이므로, 허리에 통증이 있을시 허리에 대해서 잘 아는 전문의를 찾아가 제대로 진단을 받는 것이 중요하다. 허리디스크 환자들 10명 중 7~8명은 저절로 통증이 줄어들게 되며, 튀어나온 디스크는 많은 환자들에서 저절로 흡수되어 그 크기가 작아진다. 허리디스크가 발병했을 때 적절한 치료방법의 선택은 중요하다. 전문의가 진료를 하고 치료를 잘해주겠지만, 근골격계 질환의 치료에는 환자 본인의 결정도 어느 정도 중요하다. 허리디스크에 대하여 제대로 된 지식을 가지고 있을 때 치료방법을 현명하게 선택할 수 있을 것이다.

03

척추관 협착증

"가만히 앉아 쉴 때는 괜찮은데 걷기 시작하면 걸을수록 엉덩이와 다리에 통증이 발생합니다. 예전에는 지하철 한 정거장 정도는 쉬지 않고 걸어갈 수 있었는데 요즘은 조금만 걸어도 통증이 심해서 자주 쉬었다가 걸어가야 합니다. 쪼그리고 앉아서 쉬면 통증이 감소되곤 합니다. 허리를 펴면 통증이 발생해서 앞으로 허리를 굽히고 걸어 다닙니다. 허리를 굽히면 엉덩이와 다리에 통증이 덜 생기거든요."

Q&A

Q: 주변 어르신들이 척추관 협착증이 있다는 얘기를 많이 듣습니다. 척추관 협착증의 주 증상은 무엇인가요?

A: 척추관 협착증의 주증상은 가만히 앉아서 쉴 때는 불편감이나 통증이 없지만, 걷기 시작해서 걷는 거리가 멀어질수록 허리, 엉덩이, 다리에 통증이 발생하는 것입니다. 병이 심해지면 등을 펴고 서기만 해도 엉덩이와 다리에 통증이 발생하게 되며, 허리를 구부려 앉은 자세에서는 통증이 완화됩니다.

노화와 과사용으로 인해 척추의 퇴행성 변화가 진행되면 척추신경이 지나가는 척추강 안에 뼈와 연골들이 비후되어 신경이 지나가는 공간이 좁아지게 된다. 이것이 과도하게 되면 척추신경들이 눌려 다리, 엉덩이, 허리 부위에 통증을 발생시키게 되는데, 이 질환이 척추관협착증이다. 퇴행성 질환의 하나로 주로 65세 이상에서 발병하게 된다.

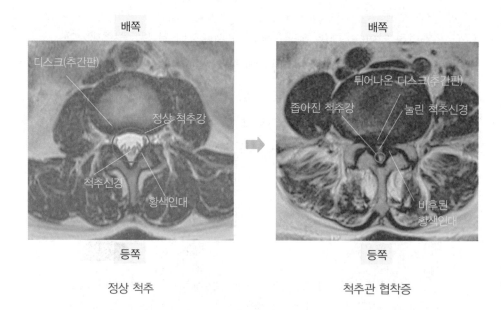

정상 척추   척추관 협착증

Q 척추관 협착증은 척추의 퇴행성 변화로 인하여 척추신경이 여러 구조물에 압박되어 다리와 허리에 통증을 일으키는 질환이다. 빨간색 원은 척추강을 나타낸다. 척추관 협착증의 경우에 척추강이 좁아진 모습이 관찰된다.

척추관 협착증의 대표적인 증상은 간헐적 파행이다. 간헐적 파행이란 가만히 앉아서 쉴 때는 불편감을 느끼지 못하지만 걷게 되면 양하지, 엉덩이 및 허리에 통증이 발생하여 오래 걷지 못하고 자주 쉬게 되는 증상을 말한다. 척추관 협착증의 증상은 허리를 구부리는 자세보다 펼 때 더 악화되어 환자들은 보통 허리를 구부리는 자세를 자주 취하게 된다. 이런 현상은 허리를 펼 때 척추강의 공간이 더 좁아져 척추신경을 더 압박하기 때문에 나타난다. 이런 이유로 산을 내려올 때나, 계단을 내려올 때 허리를 구부리는 자세를 하게 되므로 통증은 더 악화된다. 반대로 언덕, 산, 계단을 올라갈 때, 마트에서 쇼핑 카트를 끌 때, 자전거를 탈 때, 의자에 앉아 있을 때는 허리가 굽혀지는 자세를 취하게 되면서 통증이 줄어든다.

척추 협착증을 오래 앓은 노인 환자분들은 허리는 앞으로 굽고 무릎은 완전히 펴지지 않아 굽혀 있는 상태로 앞으로 쓰러질 것 같은 자세를 취하며 지팡이로 지탱하며 걷게 된다. 이런 모습은 위에서 설명한 것처럼 허리를 굽혔을 때 통증이 줄어들기 때문에 만들어진 것이다.

허리디스크도 신경을 눌러서 발생하는 질환이다. 그러면 척추관 협착증하고는 어떻게 다른 것일까? 허리디스크는 디스크라는 딱딱하지 않은 연부조직에 의해서 신경이 눌리면서 발생하는 질환인 반면, 척추관 협착증은 뼈, 연골, 인대 등 퇴행성 변화로 인하여 딱딱해진 조직에 의해서 신경이 눌려 증상이 발생하게 된다.

디스크는 갑자기 돌출되어 증상이 갑자기 악화될 수도 있고, 디스크가 흡수되게 되면 1~2개월 안에 증상이 확연하게 호전될 수도 있다. 그러나 척추관 협착증은 퇴행성 변화로 인하여 딱딱하게 굳어진 조직에 의해 신경이 눌리게 되며, 이것은 빨리 커지거나 빨리 작아지지 않기 때문에 증상이 단시간에 크게 악화되거나 호전되지 않는 특징이 있다.

Q: 척추관 협착증을 일으키는 위험요인은 무엇인가요?

A: 척추관 협착증은 퇴행성 변화에 의해서 발생하게 됩니다. 허리에 스
   트레스가 많이 가는 자세를 취하거나, 일을 많이 하는 경우 퇴행성 변
   화는 가속화되어 척추관 협착증의 발병 위험을 높이게 됩니다.

척추관 협착증은 퇴행성 변화에 의해서 발생되는 질환으로 노화가
진행될수록, 또는 허리를 과사용 했을 경우 퇴행성 변화는 심해지고
척추관 협착증의 발병 확률은 높아지게 된다.

옷은 오래 입으면 입을수록 헤지게 되고, 연필은 사용할수록 닳아
없어지는 것처럼, 우리가 일상생활에서 사용하는 물건 대부분은 쓰
면 쓸수록 닳아 없어지게 되어 있지만, 우리의 몸은 그렇지 않다. 많
이 사용하여 퇴행성 변화가 심할수록 물건처럼 닳거나 쪼그라드는
조직도 있지만, 뼈나 인대 같은 조직은 반대로 커진다. 손을 많이 사
용한 사람들의 손마디를 손마디가 굵직굵직한 것을 볼 수 있다.

척추는 주로 뼈와 인대로 구성되어있는 인체 구조물이다. 많이 사
용하고 무거운 물건들을 많이 들어 스트레스를 많이 받게 되면 척추
의 퇴행성 변화는 가속화되게 되고, 척추를 구성하는 연골, 뼈, 관절,
인대 등이 어느 이상 커지게 되면 신경을 눌러 척추관 협착증을 발생
시킨다. 허리 통증의 약 3% 정도가 척추관 협착증에 의해서 발병하
게 되는데, 척추관 협착증 또한 허리디스크와 마찬가지로 그 빈도가
높은 것은 아니다.

진료실에서 척추관 협착증으로 치료받는 노인들의 대부분은 젊었
을 때 육체적으로 일을 많이 하신 분들이다. 자녀들과 가족들을 위
해서 고된 일을 마다치 않고 열심히 하셨으리라는 생각이 든다.

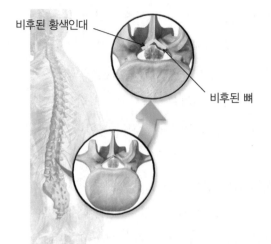

비후된 황색인대

비후된 뼈

척추 협착증

Q. 척추 협착증은 퇴행성 변화로 인하여 황색인대와 척추 후관절이 비후되고 돌출된 디스크에 의해서 척추관이 좁아져 신경을 압박하게 되면서 발생하게 된다.

Q&A

Q: 72세 되신 어머니가 특별하게 걸었을 때 다리가 아픈 증상은 없는데, MRI 사진 검사에서는 척추관 협착이 있다고 합니다. 치료를 받아야 할까요?

A: MRI에서 척추관 협착이 있는 모든 사람이 증상이 있는 것은 아닙니다. 통증 등의 증상이 없이 MRI에서만 보이는 척추 협착은 병으로서의 척추관 협착증이라고 할 수 없습니다. 척추관 협착은 노화로 인하여 나타나는 정상적인 퇴행성 소견으로, 척추 MRI를 찍어보면 60세 이상의 사람들에서는 대부분(10명 중 8~9명) 척추관 협착이 있습니다.

사람들 대부분에게 노화가 진행되어 퇴행성 변화가 진행되면 척추 신경이 지나다니는 척추관의 공간은 좁아진다. 단순히 척추관의 공간이 좁아진 소견은 심하게 좁아져서 실제 척추신경이 압박되는 모습을 보이는 척추관 협착과는 다르다. MRI, CT 검사를 했을 때 척추관이 좁아지는 현상은 노인들 대부분에게 나타나는 현상으로 의미가 없는 경우가 대부분이다. 척추 협착이라는 것은 심하게 척추관이 좁아져서 척추신경을 압박하고 있는 모습이 관찰되어야 한다. 또한, 척추신경을 압박하고 있는 모습이 있어도 증상은 없는 경우도 꽤 흔하다. 척추관 협착은 오랜 시간 동안 발생하는 것이기 때문에 신경도 좁아진 공간에 맞춰서 충분히 적응할 시간을 가질 수 있기 때문이다. 진정한 병으로서의 척추관 협착증은 신경이 압박되는 모습이 관찰되고 다리와 엉덩이, 허리에 통증이 동반되는 경우를 말하는 것이다. 허리디스크와 마찬가지로 MRI상 척추신경이 눌리는 모습이 관찰되어도 증상이 없으면 임상적인 척추 협착증이라고 말할 수 없다. MRI나 CT에서 보이는 척추관 협착 정도와 환자분들이 호소하는 통증과의 연관성이 그리 크지 않다.

척추신경이 들어있는 척수강의 앞뒤 지름은 보통 1.5 ~ 2.5cm 정도 되는데, 척수강의 크기가 줄어들면서 앞뒤 지름이 0.5~1.0cm 정도로 작아져, 척추신경이 실제 압박되어 척추 협착이 발생하게 되면 허리, 엉덩이, 다리에 통증을 만드는 척추관 협착증이 발병할 위험이 높아진다.

배 안에 칼이 들어 있어도 아무 증상이 없어 우리가 인식하지 못하면, 그것은 병이라고 할 수 없다. 엑스레이 검사를 해보지 않는 한 배 안에 칼이 들어있는지도 모르고 살았을 것이다. 허리디스크와 척추관 협착증도 이와 비슷하다. 디스크가 많이 튀어나와 있고 척추강이 좁아져 있어도 증상이 없어서 우리가 전혀 불편감이나 통증을 인지하지 못하였다면, 그것은 임상적으로 의미 있는 병이 아니다. 암 같은 질환들은 증상이 없어도, 결국 생명에 큰 영향을 주기 때문에 우연히 발견되어도 적극적으로 치료받아야 하지만, 디스크나 척추관 협착증 같은 근골격계 질환들은 대부분 생명에 지장이 전혀 없기 때문에 우연히 발견될 경우 큰 의미를 두지 않아도 된다. 현대과학의 산물인 MRI, CT 같은 의료기기가 없던 시절에는 증상이 없었다면, 본인에게 그런 구조적인 문제가 있었는지 평생 알지도 못하고 살아갔을 것이다.

이 세상을 살아가면서 시간을 거슬러 젊어지는 사람은 없다. 인간

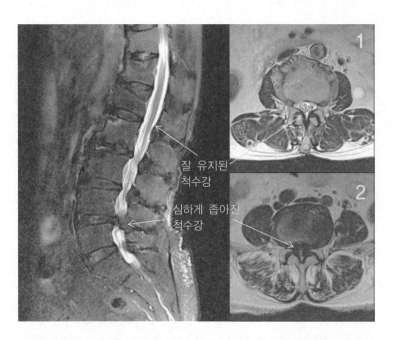

Q 척수 협착증이 있는 77세 여성의 허리 MRI 사진. 1번 사진에서는 척수강 안에 흰색으로 척수액이 잘 보이지만, 척수 협착증이 심한 2번 그림에서는 척수강이 좁아져 흰 척수액이 거의 보이지 않는다.
MRI 사진으로는 매우 심해 보이지만, 수백미터의 거리는 별 문제없이 걸을 수 있는 분으로 경한 증상을 보였다.

이면 누구나 노화가 진행되고 퇴행성 변화가 일어난다. 엑스레이나 MRI, CT 등을 시행해보면, 60세 이상 사람들 10명 중 9~10명(사람들 대부분)은 척추에 퇴행성 변화를 보인다. 척추의 퇴행성 변화 중 가장 흔하게 관찰되는 것 중 하나가 척추강이 좁아지는 척추 협착이다. 허리 MRI를 시행해보면 70세 이상인 사람들 10명 중 8명 이상에서 척추관 협착이 발견된다. 또한, 60세 이상이면서 허리나 다리에 통증이 없는 무증상인 사람들 10명 중 2명 정도에서 심한 척추강 협착 소견이 관찰된다. MRI, CT에서 척추강이 좁아져 척추신경이 눌리는 척추 협착 소견이 관찰되지만, 증상이 없는 사람이 많다.

Q: 100m 정도 걸으면 양다리에 통증이 발생하여 병원을 찾았더니 척추관 협착증이라고 합니다. 빨리 수술을 받아야 할까요?

A: 척추관 협착증의 통증 등의 증상은 시간이 지나도 변함이 없는 경우가 많습니다. 그리고 증상이 변하더라도 급격하게 변하지는 않습니다. 따라서 급하게 수술을 결정할 필요는 없습니다.

공구를 사용하여 손을 많이 쓰는 사람들의 손마디는 하루아침에 굵어지는 것이 아니고 세월이 지나면서 서서히 굵어지게 된다. 척추관 협착증 또한 이와 비슷하게 급격하게 호전되거나 악화되지 않는다. 따라서 향후 증상의 악화 호전 여부를 예측하기가 쉽지 않다. 비후된 뼈나 인대 조직의 크기가 빠른 시간 내에 줄어들기 어렵기 때문에 증상이 확연하게 좋아지지도 않으며, 단번에 크기가 커질 리도 없기에 증상이 확연하게 나빠지지도 않는다.

척추관 협착증 환자들을 5~10년간 관찰해보면 10명 중 7명 정도에서는 통증의 큰 변화가 없다. 그리고 1~2명에서는 증상이 악화되고 1~2명에서는 통증이 드라마틱하지는 않지만, 어느 정도 호전된다. 비수술적으로 치료받은 환자들 3명 중 1명 정도는 증상이 호전된다. 그러나 중등 이상의 통증이 있는 환자들은 증상이 시간이 흘러도 변하지 않고 그대로 유지되는 경우가 많다.

척추관 협착증으로 양하지와 엉덩이에 통증이 발생해도 이것이 급격하게 악화될 확률은 크지 않으므로 급하게 수술을 결정할 필요는 없다. 그렇지만 수술을 해야 할 경우에는 바로 의료진의 안내에 따라 수술을 받는 것이 좋다.

4년 동안 척추 협착증 통증의 변화

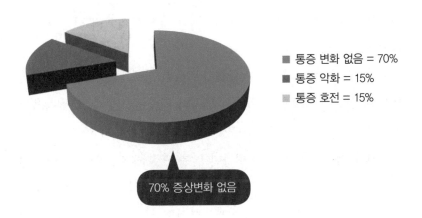

■ 통증 변화 없음 = 70%

■ 통증 악화 = 15%

■ 통증 호전 = 15%

70% 증상변화 없음

Q: 척추관 협착증으로 수술을 꼭 받아야 하는 경우는 어떤 경우인가요?

A: 허리디스크에서 수술을 받아야 할 경우와 비슷합니다. 척추관 협착증으로 다리의 힘이 너무 많이 약해지거나, 대소변 기능에 이상이 발생했을 경우에는 수술적 치료를 반드시 받아야 합니다.

척추관 협착증으로 수술을 해야 되는 경우는 허리디스크 때와 비슷하다. 하지에 힘이 중력을 거슬러서 움직이지 못할 정도로 약해지거나, 실금, 실변 등 대소변 이상이 나타나는 말총 증후군이 발생할 경우에는 48시간 이내에 수술을 시행하는 것이 좋다.

2001년 NEJM(New England Journal of Medicine)에서는 허리를 굽혔을 때는 통증이 호전되고 MRI 등의 영상 검사에서 척추관 협착증에 합당하면서 다른 치료를 받아도, 통증이 너무 심하고 걷는 것에 장애가 발생할 경우에 수술할 것을 권고하고 있다. 다만, 위에도 언급했듯이 척추관 협착증은 빨리 진행하는 병이 아니므로 응급 수술이 필요하지 않으며, 수술을 결정하는 데 있어서 환자들의 의중이 포함되어 있어야 한다고 이야기한다.

초기 위암이 발생했다거나 골절이 발생한 경우 등은 의사가 치료방법으로 수술을 결정함에 있어서 환자의 의중이 그렇게 크게 작용하지 않는다. 물론 수술을 하고 안 하고는 환자 마음이겠지만 말이다. 그렇지만 척추관 협착증을 비롯한 많은 관절, 인대, 힘줄, 근육의 질환인 근골격계 질환에서는 치료방법의 결정에 있어서 환자의 의중이 중요한 한 요소가 된다. 근골격계 질환의 경우에 의사는 치료의 여러 방법들을 제시하고, 환자 본인이 결정하게 하는 경우가 흔하게 있다. 생명에는 큰 지장이 없고 치료 방법의 결정에 있어 환자 본인이 느끼는 통증의 정도가 중요한 지표가 되기 때문이다.

Q&A

Q: 척추관 협착증으로 진단받았습니다. 비수술적 치료(약물, 재활운동치료, 주사치료)와 수술치료 중 어떤 치료를 선택해야 할까요?

A: 척추관 협착증에서 수술할 경우와 비수술 치료를 비교한 많은 연구들이 있었습니다. 많은 연구들이 수술과 비수술 사이에 큰 차이는 없는 것으로 보고하고 있습니다. 그러나 수술적 치료의 대상이 되는 경우에는 수술적 치료를 받는 것이 결과가 더 좋습니다.

수술과 비수술적 치료(약물, 재활운동치료, 주사치료)를 비교한 많은 연구들이 있었다. 수술을 받은 환자와 비수술적 치료를 받은 환자들을 10년 동안 관찰하며 비교한 연구의 결과를 보면, 수술치료와 비수술치료 양쪽 다 10명 중 5명에서는 요통과 다리 통증이 호전되었다. 수술을 받은 환자들의 55%가 10년 후 효과에 만족하였고, 비수술적 치료를 받은 환자들은 49%가 10년 후 효과에 만족하였다. 결과적으로 10년 동안 비교를 해보았을 경우에 수술과 비수술적 치료에 있어서 큰 차이가 없었다는 것이다.

척추관 협착증은 그 병의 진행이 빠르지 않으므로 양다리의 마비 증상 없이 통증만 있을 경우에는 수술을 받을 상황인 경우에 있어서도 비수술적 치료를 택할 수가 있다. 수술과 비수술적 치료를 받은 환자들을 비교한 연구가 2008년 NEJM(New england journal of medicine)에 발표되었다. 수술의 적응증이 되는 환자의 경우에는 수술이 비수술적 치료보다 통증 완화나 신체기능의 향상에 있어서 효과가 좋았다. 수술이 필요한 경우에 합당하면 수술치료를 받는 것이 결과적으로는 더 좋다.

Q: 척추관 협착증으로 진단받았습니다. 비수술적 치료로 어떤 치료를 받아야 할까요?

A: 비수술적 치료로 교육을 통한 올바른 자세 유지와 생활습관 변경, 약 복용, 견인치료, 유산소 운동을 포함한 재활운동, 경막 외 스테로이드 주입술, 보조기 등이 있습니다.

척추 협착증의 비수술적 치료에는 여러 가지가 있다. 어느 한 가지가 독보적인 효과를 나타내는 것이 아니므로 모든 치료를 적절하게 조합하여 치료를 받게 된다. 기본적으로 척추관 협착증의 통증을 유발시키는 허리 신전 동작을 피해야 하며 허리에 무리가 가는 좋지 않은 자세는 피해야 하겠다. 약물로는 혈액순환 촉진제, 소염제, 근이완제, 신경병성 진통제, 마약성 진통제, 항우울제, 스테로이드제 등을 복용하게 된다.

허리디스크와 요통에 사용하는 견인치료를 척추관 협착증에도 사용할 수 있다. 척추를 견인하여 척추신경이 지나는 공간을 넓혀 혈액순환을 호전시키는 효과를 줄 수 있다. 척추 견인을 시행한 환자 10명당 8~9명에서 증상이 다양한 정도로 호전되었다는 보고도 있었지만, 그 효과에 대해서 확실히 입증된 것은 아니다.

척추의 정상적인 움직임을 회복시키고 허리 근육의 힘과 협응능력을 향상시키기 위하여 재활운동을 시행해줄 수 있다. 척추관 협착증으로 인한 통증이 확연하게 감소되지는 않지만, 경도의 통증 완화와 향후 악화되는 것을 예방하는 효과를 줄 수 있다. 유산소 운동은 척추관 협착증에 효과적인 중요한 치료이다. 질환 자체가 걸었을 때 통증이 심해지는 특성이 있으므로 걷는 유산소 운동은 적절하지 않다. 자전거를 타거나 수영장에서의 유산소 운동이 척추관 협착증의 증상 완화에 도움이 된다.

경막 외 스테로이드 주입술은 척추신경 가까이에 강력한 항염증성 약제인 스테로이드를 주사해주는 것이다. 척추관 협착증에서 신경이 주위 구조물에 눌리게 되면 신경은 부종이 생기며 염증반응을 보이게 되는데, 이것을 가라앉혀 신경을 안정시켜주기 위해서 하는 주사 치료이다. 시술을 받은 척추관 협착증 환자 10명당 3~6명에서 통증이 줄어드는 효과가 있다. 그러나 처음 1~3개월의 단기간에는 효과가 있으나, 기간이 길어질수록 그 효과는 많이 떨어지게 된다. 그러나 약물을 병변부위에 집중시킬 수 있는 효과적인 치료 중 하나임은 분명하다. 수술을 심각하게 고려할 정도로 통증이 심한 환자 중에 이 시술을 통해 통증이 완화되어 수술 없이 지내는 분들이 꽤 많다.

경막 외 스테로이드 주입술에 있어 많은 환자분들은 얼마나 자주 맞아야 하는지에 대해 자주 질문한다. 정확하게 결정된 시술의 빈도는 없다. 그러나 경막 외 주입술은 보통 2~3달에 1회를 시행하며 1년에 4~5회를 넘지 않는 것이 좋다. 통증이 심한 경우 단기간에 2~3회의 경막 외 스테로이드 주입술을 시행하는 경우도 있긴 하다. 주입술 간에 최소한 2주간의 간격은 두는 것이 좋다.

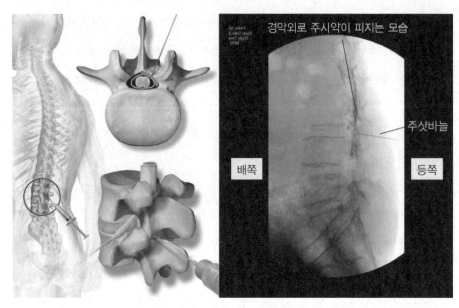

경막외 스테로이드 주입술의 그림과 실제 시술 중인 모습

오랜 기간 동안의 퇴행성 변화로 인해서 발생하는 척추관 협착증의 특성을 고려해보았을 때, 비수술적으로 치료하는 보존적 치료로 아주 드라마틱하게 좋은 효과를 보기 어려우며, 어느 치료 하나가 독보적으로 좋은 효과를 보이지도 않는다. 또한, 급격한 증상의 악화도 드물기 때문에 예방적 치료를 하는 것도 별로 바람직하지 않다. 척추관 협착증으로 인한 통증이 발생했을 때, 여러 보존적인 치료들을 칵테일처럼 적절하게 섞어 적용해 일상생활을 하는데 불편하지 않고, 통증이 적절히 조절되어 살만한 정도로 되면 보존적 치료는 성공한 것이다.

Q: 척추관 협착증으로 진단받고 비수술적 치료를 받았으나 통증이 너무 심해서 수술을 받으려고 합니다. 어떤 수술을 하게 되며 합병증은 어느 정도 발생하게 되나요?

A: 척추관 협착증 시 시행하는 수술은 후궁절제감압술과 척추유합술입니다. 쉽게 말해 좁아진 척추관 뒤쪽의 뼈를 터줘서 압력을 감소시키는 것입니다. 척추관 협착증 수술을 받은 환자 100명당 14명 정도는 5년 안에 합병증으로 재수술을 시행하게 됩니다.

척추관 협착증 시 시행하는 수술은 후궁절제감압술과 척추유합술이다. 쉽게 설명하자면 신경이 지나는 통로를 구성하는 뼈를 제거해주어 공간을 넓혀 주는 것이다. 또한, 척추뼈를 제거함으로써 오는 불안정성을 없애주기 위하여 위아래의 척추뼈를 유합해주는 수술을 같이 할 수도 있다. 감압술만 시행해주는 경우가 있고, 감압술과 척추유합술을 같이 시행하는 두 가지의 수술법이 주로 사용된다.

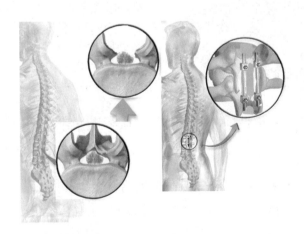

🔍 척수 협착증의 수술적 치료: 감압후궁절제술 + 후방유합술
좁아진 척수강 안의 압력을 줄여주기 위하여 척추뼈의 후궁을 제거해주고, 위아래의 척추뼈를 유합해주는 수술이다.

수술은 침습적인 치료이다. 전신마취를 하고 수술칼을 사용하여 피부와 근육 등의 연부조직을 절제하고 뼈를 깎아내는 치료이다 보니, 합병증이 비수술적 치료보다 당연히 높을 수밖에 없다. 골융합의 실패, 통증의 지속, 감염 등 몇몇 합병증 때문에 재수술을 하게 되는데, 전 세계적으로는 척추관 협착증으로 수술을 받은 사람 10명당 1~2명에서 재수술을 하는 것으로 보고된다.

우리나라에서 척추관 협착증으로 2003년에 수술을 받은 환자 16,000명 정도를 대상으로 한 연구에서는, 5년 이내에 100명당 14명이 재수술을 받은 것으로 보고하고 있다.

척추관 협착증 수술 후 재수술한 환자의 비율 = 14.2%

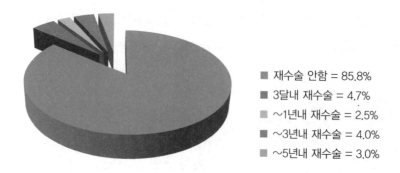

■ 재수술 안함 = 85.8%
■ 3달내 재수술 = 4.7%
■ ~1년내 재수술 = 2.5%
■ ~3년내 재수술 = 4.0%
■ ~5년내 재수술 = 3.0%

척추관 협착증 수술 후 5년 이내 재수술을 시행한 환자의 비율

척추관 협착증에서 증상의 변화는 대부분 급격하게 일어나지 않는다. 이것은 치료에 있어서 급하게 결정하지 않아도 괜찮다는 것을 의미한다. 다리와 허리, 엉덩이에 통증이 발생했을 때에는 일단 보존적인 여러 가지 치료를 시도해보고, 증상이 심할 경우에는 여러 가

지 여건을 고려하여 수술적 치료를 고민해봐야 한다. 의학적인 판단을 가지고 설명해주는 전문의의 의견이 제일 중요하긴 하지만, 분명 환자 본인의 의중과 결정도 꼭 있어야 할 요소이다. 척추관 협착증에 대한 기본적인 지식들은 치료방법의 선택에 있어 도움이 될 것이다.

골다공증과 척추 압박골절

체구가 왜소하신 우리 어머니는 젊어서부터 운동을 별로 좋아하지 않았습니다. 올해 62세이신 어머니가 계단을 내려오다 엉덩방아를 찧으시면서 허리뼈에 압박골절이 발생하였습니다. 통증이 매우 심해 현재 입원하여 치료 중에 있습니다.

Q&A

Q: 골다공증이라는 것이 정확히 무엇인가요? 골다공증으로 아플 수 있나요?

A: 골다공증은 골강도의 약화로 골절의 위험성이 증가하는 골격계 질환입니다. 골다공증은 골절의 위험성을 증가시키는 것뿐입니다. 골다공증 자체가 통증이나 특별한 증상을 만들지는 않습니다.

세계보건기구 WHO는 골량의 감소와 미세구조의 이상을 특징으로 하는 전신적인 골격계 질환으로, 뼈가 약해져서 부러지기 쉬운 상태가 되는 질환을 골다공증으로 정의한다. 미국국립보건원은 간단하게 뼈 강도의 약화로 골절의 위험성이 증가하는 근골격계 질환으로 정의하고 있다.

우리 몸의 모든 조직은 끊임없이 소멸하고 재생되는 과정을 겪게 된다. 한 편에서는 오래된 조직들을 파괴해서 없애고 한편에서는 끊임없이 새로운 조직을 만들어낸다. 손톱, 발톱, 머리카락이 대표적이라 할 수 있다. 뼈도 예외가 아니다. 딱딱한 나무토막처럼 생각해서 부러지지 않는

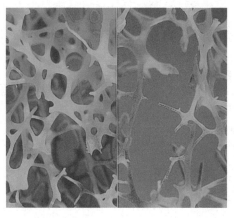

정상 뼈조직   골다공증 뼈조직

이상은 변화가 없을 것 같지만, 매년 전체 뼈의 20% 정도가 새로운 뼈조직으로 대체된다. 뼈도 우리가 모르는 사이에 쉴 새 없이 파괴되고 다시 만들어진다. 좀 더 전문적인 용어로 표현하면 골흡수와 골생성을 반복하며, 골리모델링 과정이 일어나게 되는 것이다. 노화가 진행되고 호르몬 변화가 발생하게 되는 경우, 또한 뼈에 가는 스트레스나 부하가 줄어드는 경우 우리 몸은 골흡수를 늘리고 골생성을 줄이는 방향으로 골리모델링을 하게 된다. 골흡수가 골생성에 비해서 많아지게 되면 당연히 뼈의 양은 줄어들게 되며 심해지면 골다공증이 발병하는 것이다.

골다공증은 골절의 위험성을 증가시키지만, 골다공증 자체가 통증 등의 특별한 증상을 만들지는 않는다. 그러나 당장 피부에 와 닿는 증상이 없다고 골다공증을 방치하게 되면, 최고 사망까지 이르는 중대한 문제가 발생할 위험이 높아지게 된다. 성수대교 붕괴, 삼풍백화점 붕괴, 세월호 사건 등 우리나라에서 발생했던 여러 안전사고들처럼 붕괴나 사고 직전까지 별다른 증상이 없지만, 사고가 한 번 발생하게 되면 그 파괴력과 고통은 매우 큰 것과 비슷하다. 골다공증으로

뼈의 강도가 떨어지게 되면, 정상 골밀도였다면 아무런 이상이 없을 충격에 고관절, 척추 등에 골절이 발생하게 된다.

고관절 골절이 발생한 사람들 2명 중 1명은 골절 전의 보행능력을 회복하지 못한다. 또한, 4명 중 1명은 오랜 시간 동안 병원이나 가정에서 보호를 받게 된다. 더욱 끔찍한 사실은 고관절 골절 환자 5명 중 1명은 폐렴 등 여러 원인으로 해서 1년 이내에 사망하게 된다는 것이다. 척추나 고관절에 골다공증성 골절이 발생하면 심한 통증은 물론이고 많은 신체적 장애를 남기게 된다. 사망률 자체도 상당히 높아지게 되므로 골다공증이 발생하지 않도록 미리 예방하는 것이 중요하다고 할 수 있겠다.

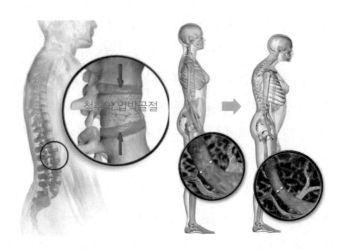

척추의 압박골절

Q 골다공증 자체는 통증을 만들지 않는다. 골다공증은 뼈의 강도를 약화시켜 척추에는 압박골절을 만들게 되며, 척추에 압박골절이 여러 부위에서 발생하게 되면 등은 앞쪽으로 굽게 된다.

Q: 68세이신 우리 어머니는 골밀도 검사상 골다공증이 아니었는데도 허리에 압박골절이 발생했습니다. 골다공증이 아닌데 허리에 압박골절이 발생할 수 있나요?

A: 골밀도 검사상에 골다공증이 아니라고 뼈가 강하다고 단정할 수 없습니다. 골밀도 검사에서 골다공증이 아니어도 충분히 허리에 압박골절은 발생할 수 있습니다.

뼈의 강도는 뼈의 양과 뼈의 질 두 가지에 의해서 결정된다. 특공부대 군인 50명이 보통 부대 군인 100명과 전투력이 비슷할 수 있는 것과 같이, 뼈의 양만 많다고 해서 뼈의 강도가 좋아지는 것은 아니다. 뼈의 양도 많고 질도 좋을 때 뼈의 건강은 유지될 수 있다.

골밀도라는 것은 뼈의 양만을 나타내며 뼈의 질을 반영하지는 못한다. 뼈는 미네랄과 콜라겐으로 구성되어 있고 사람마다 뼈의 구조, 크기, 모양, 피질의 두께가 다 틀리다. 사람들은 일상생활과 운동, 일을 하면서 크고 작은 스트레스와 충격을 받게 된다. 이로 인해 사람은 전혀 느끼지 못하지만, 뼈에는 수없이 미세골절이 발생하고 치유되는 과정을 겪게 된다. 현미경적으로만 관찰될 수 있는 미세골절의 정도와 발생빈도, 또한 사람들마다 제각각이다. 이 모든 것이 인자로 작용해서 뼈의 강도를 결정하게 되는데, 이 중에 골밀도 검사로 알수 있는 것은 미네랄의 양뿐이다.

병원 대부분에서 시행하고 있는 골밀도 검사는 X-ray(엑스레이)를 이용하는 이중에너지 방사선 흡수법(DXA)이다. 비만이나 퇴행성 변화로 인해서 뼈가 더 형성되었을 경우, 뼈 강도와 상관없이 검사 수치에 영향을 주게 되어 정확한 검사가 이루어지지 않는 경우도 많다. 그러나 어쩔 수 없이 뼈의 강도 확인을 위해 현재 가장 편하고 저렴하게 이용할 수 있는 검사가 골밀도 검사임은 부인할 수 없다. 완벽하진 않지만, 어느 정도 뼈의 강도를 나타내줄 수는 있다.

🔍 골밀도 검사 장비: 엑스레이를 이용한 이중에너지 방사선 흡수법을 이용한 골밀도 검사 장비이다. 골밀도 뼈의 강도를 전부 반영하지는 못한다.

보통 골밀도는 T점수와의 표준편차를 나타내는 수치를 가지고 표현하게 된다. T점수는 인종, 성별이 같은 30세 정상 성인들의 골밀도 평균치를 의미한다. 이 T점수와 측정된 골밀도가 얼마나 많은 차이가 있느냐의 정도를 표준편차를 통해서 나타내게 된다. 30대 정상 성인의 평균적인 골밀도와 같을 때에는 T점수(30세 정상인의 평균골밀도 검사치)와의 표준편차는 0이 된다. T점수와의 표준편차가 +(플러스)이면 30세 정상 성인들의 평균 골밀도 다 좋은 것이고, -(마이너스)이면 젊은 성인들의 평균 골밀도 보다 나쁜 것이다. T점수(젊은 정상 성인의 골밀도 평균치)와 비교하여 골밀도의 차이가(표준편차) -1 이내이면 정상 골밀도이다. -1~-2.5 사이이면 골감소증이고 T점수와 비교해서 골밀도가 -2.5 표준편차 이상 떨어지게 되면 골다공증으로 진단한다.

	T점수(젊은 정상 성인 골밀도 평균치)와의 표준편차
정상	−1.0 이상
골감소증	−1.0 ~ −2.5
골다공증	−2.5 이하
심한 골다공증	−2.5 이하 + 골다공증성 골절

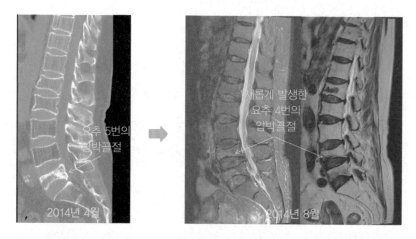

Q 골밀도 검사상 T점수 −1.2로 골감소증이었던 59세 여자 환자의 CT, MRI 사진: 골다공증은 아니었음에도 2014년 4월 요추 5번의 압박골절로 심한 통증이 있었고, 특별한 외상이 없었음에도 4개월 후 요추 4번에도 압박골절이 또 발생하였다.

Q: 골밀도 검사상 T점수 −3.0이 나왔습니다. 골다공증으로 진단을 받았
　는데 골절될 위험성이 얼마나 되는 건지 잘 이해가 되지가 않습니다.

A: 대략 T점수가 1씩 감소할 때마다 척추 골절의 위험은 2배 증가하며,
　고관절 골절은 3배 정도 증가하는 것으로 생각하면 됩니다. −1.0보다
　커야 정상이므로 정상 수치와 비교하면 골절의 위험성은 4배~8배 정
　도 증가한다고 보면 됩니다.

　골밀도 검사가 정확하게 뼈의 강도를 100% 정확하게 표현해줄 수
는 없지만, 고관절 골절이나 척추 골절 위험성과의 상관관계는 잘 형
성된다. 정확하지는 않지만 T점수가 1씩 감소할 때마다 척추 골절의
위험도는 2배 정도씩 증가하고, 고관절 골절의 위험은 3배 정도씩 증
가하게 된다.

　척추 압박골절이 있었던 병력은 다시 골절이 발생할 수 있는 가능
성에 있어서 가장 강력한 위험 인자이다. 그리고 재골절의 위험도는
골밀도에 따라 많이 달라지게 된다. 척추에 압박골절이 있었던 사람
중 골밀도가 정상이었던 경우에는, 이전에 척추의 압박골절이 없었던
사람들에 비해 4배 정도 재골절이 발생한다. 그러나 골밀도가 정상보
다 낮았던 사람은 무려 25배나 더 많이 재골절이 발생하게 된다. 이전
에 골절이 있었던 경험과 골밀도는 골절 위험성에 중요한 인자이다.
이전에 발생했던 골다공증성 척추나 고관절 골절은 그 자체로 굉장
히 강력한 골절의 위험요인이 된다.

　골다공증성 골절은 주로 척추, 고관절(대퇴골), 위팔뼈(상완골), 요
골(노뼈)에서 발생한다. 여자들의 경우 50대 즈음에 폐경기가 찾아오
게 되면 호르몬의 변화로 체내 칼슘 흡수에 이상이 발생하게 되어 골

밀도가 급격히 저하된다. 이로 인해 골다공증이 많이 발생하게 되고 덩달아서 골다공증성 골절이 많이 증가하게 된다. 남자들은 보통 70대 이후에 골다공증에 의한 골절이 잘 발생한다. 평생 골다공증으로 인한 골절이 발생할 확률은 여자는 10명당 3명, 남자는 10명당 1명으로 여자에게 골다공증성 골절이 3배 정도 더 많이 발생한다. 우리나라 50대 사람들의 향후 골다공증성 골절 발생 확률은 여자의 경우는 10명당 6명, 남자의 경우는 10명당 2명 정도 된다.

우리나라에서 여자의 경우 10명 중 6명에서 골다공증성 골절이 발생한다. 매우 많은 숫자에서 발생하는 것이다. 골다공증성 골절이 발생했을 경우 발생하는 신체적인 고통과 장애, 그리고 1년 내 10명 중 1~2명 정도가 사망하게 되는 통계를 생각해보면, 미리 골다공증을 잘 관리하는 것이 매우 중요함을 알 수 있다.

Q&A

Q: 골밀도에 영향을 주는 인자들에는 어떤 것들이 있나요?
A: 유전적 요인, 나이, 칼슘섭취, 육체적 활동이나 운동 정도, 체중, 폐경이나 초경 등의 호르몬 요인 등이 있습니다.

골밀도를 결정하는 것은 젊은 날 어느 시점까지 형성되는 최대의 골량과 노화 및 폐경으로 인해서 소실되는 골량이다. 출생 시의 골량은 일생 중에 가장 낮다. 성장하게 되면서 여러 요인들에 의해서 영향을 받으며 골량이 증가하게 되고 보통 30살이 되면 일생 중 최대의 골량에 도달하게 된다. 그리고 50살까지 약 20년 동안은 최대의 골량이 그런대로 유지되다가 여자의 경우 폐경기에 접어들면서 급격하게 골량이 떨어지고, 남자들은 노화와 호르몬의 변화로 세월이 흐르면서 점점 골량이 감소하게 된다.

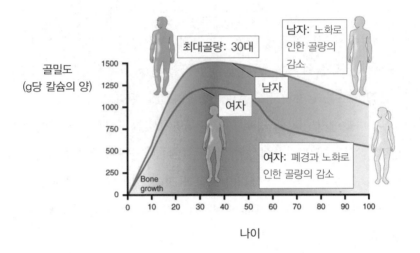

Q 나이에 따른 골밀도의 변화

30살에 보통 최대 골량에 도달하게 되고, 이후 약 20년 동안은 최대 골량을 유지하게 된다. 50대가 되었을 때 여자는 폐경으로 인해 급격한 골량의 감소를 경험하게 된다.

골밀도를 잘 유지하기 위해서는 30대에 최고점에 이르게 되는 최대 골량을 높이고 50대 이후에 소실되는 골량을 줄이면 된다. 30대의 최대 골량을 만들기 위해서는 어린 시절부터 칼슘과 비타민 D의 적절한 영양 섭취와 적절한 운동이 있어야 한다. 우리 몸의 뼈는 골흡수와 골생성을 통한 골리모델링이 끊임없이 발생한다. 뼈의 건강한 골생성에 영양분 공급도 중요하지만 강하고 밀도가 높은 뼈로 리모델링되기 위해서는, 어느 강도 이상으로 뼈에 부하를 주는 운동이 필수적이다. 근육 강화 운동, 유산소 운동 등의 활발한 육체적 활동이 이루어져야 한다.

골밀도에 영향을 주는 여러 요인들 중에 유전적인 요인과 체내에서 일어나는 호르몬 변화는 개개인의 노력으로 바꿀 수 없다. 부모님이 작고 마른 체구에 골밀도가 낮았거나 골다공증성 골절이 있었던 경우, 또한 45세 이전에 조기 폐경이 있었던 경우에는 그 자식들도 골밀도가 낮을 확률이 높다. 유전적인 요인은 골밀도에 있어서 최고 50%까지 그 영향이 있다고 알려져 있다. 부모님이 골다공증이 있었던 경우 유전적 요인을 개개인이 조절할 수는 없지만, 이런 위험성을 알고 다른 조절할 수 있는 요인들을 그만큼 더 신경 써서 관리하면, 유전에 의한 위험성을 어느 정도 상쇄시킬 수 있을 것이다.

여자들의 경우 초경과 폐경의 나이가 중요하다. 초경이 늦게 오거나 폐경이 조기에 발생한 경우 체내 에스트로겐의 양이 감소하는 효과를 주어 골밀도에 악영향을 주게 된다. 에스트로겐은 골흡수를 줄이게 하는 호르몬이다. 에스트로겐이 체내에 부족하면 골흡수는 늘어나게 되어 골밀도는 떨어지게 된다. 체내 호르몬의 변화로 인해 발생하는 초경과 폐경도 개개인이 조절하기 어려운 요인이다.

골밀도에 영향을 주는 요인들 중 조절이 가능한 요인에는 칼슘 섭취를 포함한 영양, 육체적 활동, 흡연, 음주 등의 생활습관, 체중, 약제 등이 있다.

칼슘은 건강한 뼈의 강도와 직결되는 영양 성분으로 칼슘섭취는 건강한 골밀도 유지를 위해서 매우 중요하다. 아무리 운동을 많이 하고 금연, 금주를 하여 체내의 건강 환경을 좋게 만든다고 해도 뼈를 형성시켜 주는 기본 성분인 칼슘이 부족하면 다 소용없는 일이 될 것이다. 한국영양학회에서 권고하는 성인 1일 칼슘 섭취량은 하루에 700mg이며, 골대사 국제학회의 권고량은 하루에 1,000~1,200mg이다. 그러나 대한민국 국민 영양조사를 참고하면 성인 남자가 하루에 섭취하는 칼슘양은 509mg, 여자는 442mg으로 한국영양학회에서 권고하는 칼슘 섭취 권고량에서 일당 200~250mg의 칼슘 섭취가 부족한 상황이다. 더구나 성장기나 임신 중이면 하루에 1,200~1,500mg의 칼슘이 필요하다. 폐경기가 지난 여성은 호르몬의 변화로 체내 칼슘의 흡수 능력이 떨어지게 되므로 1,500mg 이상의 칼슘을 섭취하는 것이 좋다.

칼슘 섭취량을 mg을 얘기하면 감이 잘 오지 않는다. 몇 가지 식품의 예를 들어보면 더 쉽게 이해가 갈 것이다. 대략적으로 우유 1컵에는 보통 200mg 정도의 칼슘이 함유되어 있다. 요플레 1개에는 150mg, 치즈 1장에는 120mg, 아몬드 20개에는 60mg, 밥 1공기에는 21mg, 뱅어포 1장에는 150mg의 칼슘이 함유되어 있다. 보통 성인 1명이 하루에 칼슘 강화우유 1팩만 먹어도 한국영양학회에서 권고하는 칼슘 섭취량은 대충 맞출 수 있다.

우유, 어류, 해조류, 두부, 녹황색 채소에는 칼슘이 많이 함유되어 있어 뼈의 건강에 좋다. 그러나 단순히 칼슘이 많아도 체내로 흡수되지 않고 몸 밖으로 배출된다면 아무 소용이 없다. 식품에 들어있는 칼슘양이 당연히 중요하지만, 칼슘을 체내로 흡수하게 하는 성분도 중요하다. 비타민 D, 유당, 탄수화물(밥)은 칼슘이 체내에 잘 흡수되도록 도움이 된다. 그러나 지방, 카페인, 흡연, 음주, 짠 음식, 섬유소는 칼슘의 흡수를 방해한다.

칼슘이 과다하게 되면 신장 결석이나 변비 등이 증가할 수 있다. 영국의 한 연구에서는 칼슘 섭취가 심근경색의 위험성을 높인다고 보고하기도 하였지만, 이것에 대해서는 논쟁이 있는 상황으로 너무 신경 쓰지 않아도 좋을 듯하다. 칼슘의 섭취는 음식을 통해서 하는 것이 제일 좋지만, 여의치 않다면 칼슘제를 복용해도 괜찮다. 다만, 칼슘제를 복용할 때는 하루에 여러 번 나누어 복용하는 것이 좋다.

Q&A

Q: 골다공증 예방에 좋다고 햇볕을 쬐라고 하는데, 어느 정도로 하면 되는 건가요?

A: 일주일 중 하루에 15~30분, 3~4일 정도 햇볕을 쬐면 됩니다.

비타민 D는 골밀도에 있어서 칼슘만큼이나 중요한 역할을 담당한다. 비타민 D는 음식을 섭취했을 때 체내로 칼슘과 인을 흡수시키는 역할을 하며 뼈의 무기질화에 관여하여 골밀도를 증진시킨다. 여러 연구에서 실제로 비타민 D를 충분히 섭취하게 되면 낙상과 골절의 위험을 20~30% 정도 줄일 수 있다고 보고하고 있다.

점심시간 산책하고 있던 한 병원 직원에게 뭘 하고 있느냐고 물었더니, 태양으로부터 오는 자연 비타민 D를 복용하고 있다는 재미있는 말을 하였다. 그 표현이 재미있어 웃었던 기억이 난다. 실내에서 사무직으로 일하는 사람들 대부분은 낮에 햇빛보기가 쉽지 않은 것이 사실이다. 최근에는 많은 사람들이 적절한 일광욕이 좋다는 사실은 알고 있지만, 어느 정도 햇볕을 쬐야 하는지는 잘 알지 못한다. 햇볕을 오래 쬐게 되면 피부의 노화가 빨라지고 피부암의 위험성이 높아지게 되며 심한 경우 화상을 입을 수도 있다. 피부 미용의 관점에서 요즘 현대인들이 선크림을 많이 사용하게 되면서 비타민 D의 체내 양이 줄어든 것이 사실이다. 햇볕을 쬐는 양은 이틀에 한 번꼴로 15~30분 정도면 된다.

햇볕을 쬐는 양이 부족하다고 느끼면 음식으로도 흡수할 수 있다. 연어, 고등어의 기름에는 비타민 D가 풍부하다. 한국영양학회에서 우리나라 성인에게 권장하는 하루에 필요한 비타민 D의 양은 200~400IU이지만, 미국에서는 50세 이상의 성인들에서 800~1,000IU의 비타민 D 섭취를 권장하고 있다. 식품으로 보자면, 대구간유 15mL에는 1,400IU 정도의 비타민 D가 함유되어 있으며, 우유나 두유 1컵에는 40~200IU, 연어와 고등어 100g에는 350IU의 비타민 D가 함유되어 있다.

건강한 골밀도를 위해서는 칼슘과 비타민 D가 풍부한 식품을 매일 2회 이상 섭취해주는 것이 좋다. 칼슘과 비타민 D가 풍부하고 먹기 편한 음식은 우유, 요구르트, 어류, 해조류 등이 있다. 음식은 싱겁게 먹고 과다한 단백질이나 섬유소의 섭취는 피한다. 녹황색 채소, 과일, 콩, 두부 등의 섭취를 충분히 하고 흡연자라면 당연히 금연을 해야 하고, 술은 1~2잔 정도로 줄이고, 탄산음료와 커피 섭취를 줄여야 한다.

Q 건강한 뼈를 유지하기 위해 유용한 음식과 햇빛 쬐기: 우유에는 칼슘과 비타민 D가 많이 함유되어 있으며, 연어에는 비타민 D가 많이 함유되어 있다. 비타민 D의 대부분은 햇빛에서 오는 자외선을 이용하여 피부에서 합성된다.

Q: 골다공증으로 진단을 받았습니다. 산책을 열심히 하면 골밀도가 많이 좋아질 수 있을까요?

A: 산책을 하지 않는 것보다는 분명 뼈의 건강에 도움은 되지만, 골밀도를 개선하기 위해선 산책만으로는 부족합니다. 줄넘기, 계단 오르기 같은 좀 더 힘이 들어가는 운동을 하셔야 합니다.

육체적 활동과 골밀도 사이에는 아주 밀접한 관계가 있다. 건강한 뼈 강도를 유지하기 위해서는 운동이 매우 중요한 역할을 담당하게 된다.

심하게 다쳐 병원에서 6~7개월간 침대에 누워 안정을 취하게 되면 뼈 무게의 1/3이 소실된다. 우주 비행사가 중력이 없는 우주에서 생활하는 경우 1개월에 1.5~3% 정도씩 뼈의 양이 감소한다. 또한, 프로테니스 선수들의 팔의 골밀도를 비교해보면 라켓을 사용하는 팔이 라켓을 사용하지 않는 팔에 비해서 32% 정도 골밀도가 높게 측정된다.

뼈의 강도를 높이기 위해서는 뼈에 일정 부하 이상의 자극을 주어야 한다. 뼈에 부하를 주는 가장 기본적인 것은 체중이다. 체중이 많이 나가면 당연히 뼈에 많은 힘이 실리게 되어 뼈는 튼튼해진다. 실제로 체구가 왜소하고 마른 사람들에서 골다공증이 잘 발생하게 된다. 특히, 왜소한 체구에 운동까지 싫어하는 폐경이 지난 여성들에게 골다공증 발병 위험성은 매우 높아진다. 이런 분들이 캄캄한 길을 걷다가 미끄러져 엉덩방아를 찧거나 손으로 땅을 짚게 되면서 척추에 압박골절이 발생하고 팔의 뼈가 부러지는 것이다.

물론 체중이 많은 것이 골밀도에 유리하다고 해서 비만을 만들어서는 안 된다. 벼룩 한 마리를 잡기 위해서 초가삼간을 태우는 식이기 때문이다. 비만이 몸에 만드는 대사 증후군, 당뇨병, 관절염, 디스크 등 여러 가지의 악영향은 골다공증을 훨씬 더 초월한다. 본인의 키에 걸맞은 적당한 몸무게를 유지하는 것은 중요하다. 체형으로서는 날씬함이 현대에서의 미의 기준이 되면서 다이어트 열풍이 불었고 지나치게 마른 사람들이 많아졌다. 너무 마른 체형보다 적절한 몸무게를 유지하는 것이 본인의 뼈 건강에도 좋음은 물론이고, 미용적으로 보기에도 더 아름다운 것 같다.

몸무게가 뼈에 자극을 주어 만들어지는 뼈의 강도는 한계가 있다. 테니스 선수에서 양쪽 팔에 골밀도 차이가 나는 것에서 알 수 있듯이, 힘이 걸리는 운동은 뼈의 강도를 좋게 만들어준다.

산책, 수영 같은 유산소 운동이 몸에 좋은 것이야 두말할 필요도 없지만, 노화로 인한 골소실을 줄이는데 있어서는 부족하다. 계단 오르기, 줄넘기, 조깅, 등산 등 좀 더 힘이 들고 저항이 걸리는 운동을 해야 건강한 뼈의 강도를 유지할 수 있다. 30대에 최대 골량이 형성되고 50대 이후에 골량의 소실이 발생하게 된다. 저항성 운동은 골소실의 속도를 현저하게 떨어뜨려 골강도의 유지에 도움이 된다. 운동은 최소한 1주일에 3일 이상 30분 이상을 시행한다. 관절염 등의 특별한 문제가 없다면, 운동은 많이 할수록 뼈나 온몸의 건강에 유익하다. 폐경기 여성이 칼슘을 충분히 복용하면서 조깅, 계단 오르기, 산책의 운동을 9개월만 시행하게 되면 척추 골밀도가 5% 정도 증가하게 된다.

Q: 스테로이드 약을 오래 복용하면 골다공증의 위험이 높아지나요?

A: 스테로이드 약을 3~6개월 이상 복용하면 골절의 위험성이 높아지기 시작합니다. 게다가 골밀도가 동일해도 골의 질이 떨어져 스테로이드 약을 복용하지 않는 사람보다 골절 위험이 더 증가하게 됩니다.

스테로이드 약제는 골형성을 억제하고 골의 흡수를 증가시키기 때문에 뼈의 강도에 좋지 않은 영향을 주게 된다. 스테로이드에 의한 골다공증은 노화나 폐경에 의해서 발생하는 골다공증을 제외한 이차성 골다공증의 가장 큰 원인이다. 천식, 류머티스 관절염 등 여러 가지 원인으로 해서 복용하게 되는 스테로이드 약물로 인해서 골다공증이 발생하는 것이다.

단기간의 스테로이드 복용은 뼈의 건강에 큰 영향을 주지 않지만 과한 경우에 부작용이 발생하게 된다. 하루 5mg 정도(1알 정도)의 스테로이드를 3~6개월 정도 복용하게 되면, 골의 강도가 떨어지고 골절 위험성이 증가하게 된다. 골절의 위험성은 스테로이드 용량과 복용 기간에 비례하여 증가한다. 1년 동안 지속적으로 스테로이드 치료를 받은 천식환자들 10명 중 1명에게서 골절이 발생한다는 보고가 있다.

천식을 비롯한 여러 염증성 질환으로 인해 스테로이드를 장기간 어쩔 수 없이 써야 할 경우가 많다. 이런 경우에는 위에서 설명히였던 다른 인자들에 신경을 많이 써야 한다. 금연, 금주는 기본이고 운동도 꾸준히 해주고, 충분한 칼슘과 비타민 D 섭취를 함으로 골다공증을 최대힌 예빙해야 하겠디.

Q: 65세이신 어머니가 계단에서 엉덩방아를 찧으면서 요추에 압박골절
이 발생하여 심한 통증을 호소합니다. 치료를 어떻게 해야 할까요?

A: 압박골절이 발생한 초기에 통증은 매우 심합니다. 일단, 강한 진통제
로 통증을 가라앉히면서 2~3일 정도 침상에서 안정을 취합니다. 그 이
후에는 통증이 허락하는 범위 내에서 일상생활의 활동을 조금씩 시작
하셔야 합니다. 통증은 보통 2~3달이 지나면 많이 감소하게 됩니다.

척추의 압박골절은 골다공증으로 발생하는 대표질환으로서, 80세
이상의 여성들에서는 2명 중 1명에게 발생할 정도로 흔하다. 평생 동
안 여자들은 2명 중 1명에서 남자들은 10명 중 2~3명에서 척추의 압
박골절을 경험하게 된다.

골다공증으로 인한 척추의 압박골절은 넘어지면서 척추에 충격을
받아 순간적으로 발생할 수 있고 서서히 수주에 걸쳐서 발생할 수도
있다. 보통 진행하지 않고 서서히 발생하는 압박골절은 2~3주가 지나
면 통증이 사라지게 된다. 그러나 넘어지거나 무거운 물건을 들다가
순간적으로 발생한 압박골절의 경우에는, 돌아눕는 것조차 힘들 정
도로 심한 통증이 수개월 동안 지속될 수도 있다.

순간적인 낙상이나 외상으로 인해서 발생한 척추의 압박골절은 갑
자기 발생하는 극심한 통증으로 바로 병원을 찾게 되어 치료를 받게
된다. 그러나 서서히 발생하는 압박골절은 통증이 아주 극심하지 않
아 근육통과 혼동하여 압박골절임을 알지 못하고 그냥 지내다가, 우
연히 엑스레이를 촬영해보고 발견하게 되는 경우도 흔하다. 골다공
증성 압박골절이 사람들 중 3명 중 1명 정도가 병원에 와서 진단을
받고 치료를 받게 된다. 엑스레이상에서 척추의 압박골절 소견이 보

이지만, 증상이 명확하지 않은 경우가 10명 중 3~5명에 달한다.

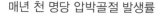

매년 천 명당 압박골절 발생률

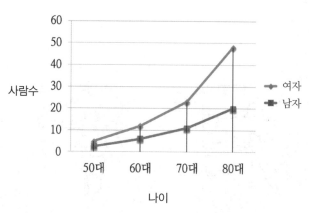

심한 통증이 발생한 급성 압박골절 환자의 대부분은 비수술적인 치료에 잘 반응한다. 골다공증성 척추 압박골절로 심한 통증이 발생했을 경우, 제일 첫 단계의 치료는 진통제를 복용하여 통증을 가라앉히는 것이다. 심한 사람은 자세 변경을 못할 정도로 매우 심하기 때문에 마약성 진통제를 흔하게 사용하게 된다. 마약성 진통제는 보통 변비를 만들게 된다. 변비로 인해 배변 시 힘을 주면서 복강의 압력이 올라가게 되면 골절된 척추의 통증이 악화되기 때문에, 마약성 진통제의 복용과 함께 변비약을 같이 복용하는 것이 보통이다.

침상안정은 2~3일만 한다. 침대에 누워 있는 기간이 길어지면 골다공증은 더 심해지고 척추주위이 근육을 비롯한 온몸이 근육에 위축이 발생하게 되어 전신적인 건강이 더 나빠지게 된다.

심한 통증을 동반한 척추 압박골절의 급성기 약 2달 동안은 허리에 힘을 주어 움직이는 저항성 운동은 피해야 한다. 특히, 허리를 앞으로 굽히는 운동은 조심해야 한다. 압박골절은 쪼그려 앉기, 등허리를 앞으로 구부리는 자세에서 척추에 스트레스가 가면서 발생하기 때문이다.

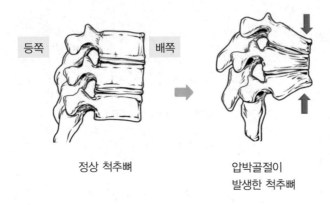

등쪽   배쪽

정상 척추뼈

압박골절이
발생한 척추뼈

Q 척추의 압박골절은 오른쪽 그림처럼 허리를 앞으로 굽히는 동작에서 잘 발생하게 된다. 따라서 골다공증성 압박골절이 발생했을 경우 허리를 앞으로 구부리는 동작이나 운동은 피해야 한다.

Q: 골다공증으로 약을 처방받으려고 합니다. 매일 먹는 약부터 일주일에 한 번, 한 달에 한 번 먹는 약, 3개월에 한번 주사, 1년에 한 번 주사 맞는 약까지 다양한데, 어떤 약을 선택하는 것이 좋을까요?

A: 보통 말하는 골다공증 약은 비스포스포네이트제라는 골흡수 억제제를 말하는 것으로서 효과 측면에서 보자면 다 비슷합니다. 그러나 이 성분은 입을 통해서 복용했을 경우 위장장애를 일으킬 확률이 높습니다. 위장이 좋지 않은 분은 주사약이 더 좋을 수 있습니다.

통증에 대한 치료와 함께 시행되어야 할 중요한 치료는 뼈의 강도를 다시 증가시키는 것이다. 건강한 뼈를 만들기 위해 해야 하는 치료는 약물치료와 운동치료이다.

골밀도를 좋게 만드는 약은 크게 골흡수를 억제하는 약과 골형성을 촉진시키는 약으로 나누어진다. 골형성을 촉진시키는 약제는 효과상의 문제로 국내에서는 거의 사용되지 않는다. 주로 사용되는 약은 골흡수를 억제하는 비스포스포네이트 약물이다. 요즘에는 이 비스포스포네이트 약물에 칼슘과 비타민 D가 섞여 있는 약제를 많이 이용한다. 또한, 폐경기 여성들의 경우에는 에스트로겐의 호르몬 치료가 골흡수를 억제하기 위해 사용되고 있다.

현재 우리나라에서 골다공증 약으로 가장 많이 쓰이는 비스포스포네이트제는 매일 먹거나 일주일에 한 번, 한 달에 한 번 먹는 약이 있으며, 주사약으로 3개월에 한 번, 6개월에 한 번, 1년에 한 번 맞는 약이 있다. 매일 알약으로 먹든 1년에 한 번 주사를 맞든 드는 비용은 비슷하며 효과도 비슷하다. 그러나 비스포스포네이트 약물은 경구로 복용하였을 경우, 위장관 장애를 일으킬 위험성이 높은 약물이다. 그래서 복용할 때에도 물을 많이 마셔야 하며, 복용한 후에는 최소한 30분 이상은 앉거나 서 있어야 하며 누워서는 안 된다.

보통 경구로 매일 또는 일주일에 한 번 복용하는 사람들 10명 중 2~3명 정도에서 위염, 위궤양 등의 문제가 발생하게 된다. 따라서 위장에 위염, 위궤양 등으로 문제가 있는 사람들은 특별한 예외사항이 아니라면 주사로 맞는 약을 맞는 것이 더 좋다. 경미한 위장장애가 있으나 주사가 너무 싫은 사람들은 일단 한 달에 한 번 복용하는 약으로 바꾸어서 복용하는 것도 괜찮은 방법이다.

그럼 주사약은 아무런 부작용이 없을까? 주사약은 3개월, 6개월, 또는 1년에 한 번만 시행하면 되기 때문에 자주 투약하지 않아도 되는 장점이 있다. 그러나 정맥으로 주사를 맞고 난 후, 열이 나거나 근육통 등 몸살에 걸렸을 때의 증상이 나타날 수 있다. 보통 주사 10명 중 1~3명에서 발생하게 되는데, 1년에 한 번 맞는 주사약이 상대적으로 그런 반응이 잘 나타난다. 특히, 체중이 적게 나가는 왜소한 할머니들의 경우에 그런 반응이 더 잘 나타나는 것 같다.

Q: 골다공증 약은 골밀도가 정상이 될 때까지 계속 먹어야 하는 건가요? 아니면 평생 먹어야 하는 건가요?

A: 50대가 지나고 노화가 진행되면서 정상적으로 골밀도는 감소하게 됩니다. 아무리 골다공증 약을 오래 복용해도 고연령층은 정상의 골밀도로 회복되는 것은 불가능합니다. 골다공증 약도 심각한 합병증을 만들 수 있기 때문에 보통 3~5년 정도 복용하여 골밀도가 −2.0보다 커지면 중단하고 경과관찰을 하는 것이 좋습니다.

우리나라에서 골다공증 환자 10명 중 8명 이상에서 사용되고 있는 골흡수 억제제인 비스포스포네이트 약물도 부작용이 있다. 우리 몸의 뼈는 끊임없이 미세하게 부서지고, 다시 새로운 골조직이 만들어지면서 건강한 뼈를 유지하게 된다. 골흡수를 억제하는 비스포스포네이트 약물을 오래 복용하게 되면, 미세골절이 새로운 골조직으로 대체되는 과정에 문제가 생기면서, 골의 괴사가 되는 심각한 합병증이 발생할 수 있다. 골의 괴사가 가장 많이 발생하는 곳은 턱뼈이다. 3년 이상 골다공증 약을 복용한 경우에는 발치, 임플란트 등 구강 내 시술, 수술 시에 각별히 조심해야 한다. 꼭 미리 치과의사와 상의하여 골다공증 약의 중지를 고려해보아야 한다.

골다공증 약을 오래 복용했을 경우 발생할 수 있는 또 하나의 심각한 합병증은 대퇴골의 골절이다. 이것도 역시 턱뼈가 괴사되는 것 같은 비슷한 원리에 의해서 발생한다. 보통 수년간 약을 복용한 사람들 중에서 매년 1,000명당 1명꼴로 발생하는 것으로 알려져 있다.

외래에서 골다공증 환자분들에게 약을 처방하게 되면, 많은 분들이 이 약을 도대체 언제까지 복용해야 하는지 묻는다. 이것에 대해서 명확한 기준은 없다. 보통 대퇴골두의 골밀도 T점수가 −2.0 이상이면 중단을 고려해볼 수 있다. 나이가 많을수록 −2.0의 골밀도를 회복하기가 어렵기 때문에 항상 나이에 맞는 골밀도를 꼭 고려하는 것은 중요하다. 예를 들어, 골밀도 T점수가 −3.5인 80세 할머니는 아무리 약을 오래 먹어도 −2.0 이상 회복하기가 어렵다. 정확한 기준은 아니지만, 이전에 고관절이나 척추의 골절이 없는 사람의 경우 T점수가 −2.5 이상이 되면, 3~5년간 골다공증 약을 사용하고 중단하는 것을 고려해볼 수 있다.

Q&A

Q: 척추의 압박골절로 심한 통증이 있습니다. 척추에 골시멘트를 넣는 시술을 해야 할까요?

A: 압박골절로 심한 급성기 통증이 발생한 환자들의 대부분은 비수술적 치료에 잘 반응합니다. 그러나 2주 이상 증상이 지속되거나 여러 군데에 압박골절이 발생하여 척추 변형이 발생하는 경우에 골시멘트 시술을 시행해야 합니다.

골다공증성 척추 압박골절이 발생했을 경우 환자들 대부분은 시술 없는 보존적 치료(약물과 침상안정, 재활치료)에 잘 반응한다. 그러나 골절이 발생하고 2주가 지나도 통증이 호전되지 않고 지속되는 경우, 4일 이상 침대에 누워만 있을 정도로 통증이 심할 경우, 다발성 골절이 발생하여 척추의 모양에 변형이 발생하는 경우에는 압박골절이 발생한 척추에 골시멘트를 넣어서 굳혀주는 척추성형술을 고려해야 한다.

척추성형술은 굵은 바늘을 이용하여 시술하는 것으로 15~30분 정도면 시술이 끝나게 된다. 척추뼈 안으로 주입한 시멘트가 즉석에서 굳어 뼈보다 강하게 고절부위를 고정하게 된다. 많은 사람들이 척추에 압박골절이 발생했을 때 척추가 힘이 없어져 불안정하여 앞뒤로 쉽게 꺾이지 않을까 하는 걱정을 하게 된다. 그래서 사람들은 불안정성을 없애주기 위해서 시멘트를 삽입하는 척추성형술을 해야 한다고 생각을 하게 된다. 그렇지만 골다공증성 척추 압박골절은 척추 전반의 안정성에는 큰 영향을 주지 못하므로 그런 걱정은 하지 않아도 된다. 물론 여러 부위에 압박골절이 발생하면 등이 앞으로 굽는 척추변형이 발생할 수는 있다. 척추성형술을 받는 가장 큰 이유는 심한 통증이 복용하는 약물로 해결이 안 되기 때문이다.

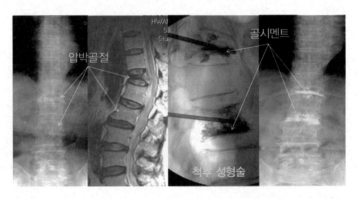

Q 흉추 12번과 요추 2번에 발생한 압박골절로 척추성형술을 시행한 75세 여자 환자.

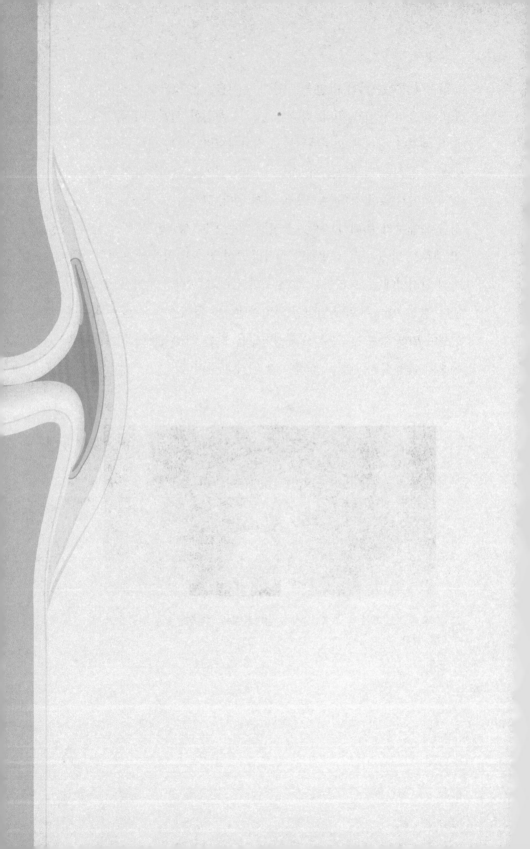

PART 2

목

01
뒷목과 어깨의 근육통(근막통 증후군)

대학원에서 강의를 새로 맡은 후에 낮에 환자들을 진료하고 진료실에 혼자 남아 강의록을 만들 때가 많아졌다. 한 번 의자에 앉아 컴퓨터 작업을 하다 보면 1시간 이상은 움직임 없이 진료실 책상에 앉아서 내리 작업을 할 때가 많다. 그러다 몇 주 후 뒷목과 양어깨에 뻐근한 통증이 발생하기 시작하였다. 편하게 쉬고 나면 없어지는 듯하다가 다시 진료실에서 컴퓨터 작업을 하게 되면 다시 뒷목과 어깨가 뻐근하게 아파 왔다.

Q: 컴퓨터를 주로 사용하는 사무직에 종사하고 있습니다. 수년 전부터 뒷목과 양어깨가 뻣뻣하고 자주 뻐근한 통증이 발생합니다. 목디스크일까 봐 걱정됩니다. 목디스크에 걸렸을 확률이 큰가요?

A: 목과 어깨 통증의 가장 흔한 원인은 근육통입니다. 목디스크는 100명 중 1명 정도로 발생하는 흔하지 않은 질환입니다. 게다가 목 뒤에만 통증이 있다면 목디스크가 아닌 경우가 대부분입니다.

학창시절 또는 직장생활을 하면서 목과 어깨가 결리는 듯한 통증을 한 번도 경험해보지 못한 사람은 아마 없을 것이다. 10명 중 8~9명은 일생 중 적어도 한 번 이상 목과 어깨에 근육통으로 고생해본 경험이 있으며, 미국에서는 10명 중 5명 정도가 현재 근육통이 있다고 보고된다. 또한, 목의 통증만 놓고 보자면 사람들 3명 중 1명은 뒷목의 통증을 적어도 한 번 이상 경험하게 되며, 사람들 10명 중 1~2명은 현재 목 통증을 가지고 있을 정도로 목의 통증은 흔하다.

내 외래 진료실을 찾는 사람들이 가장 많이 호소하는 증상은 허리, 목, 어깨의 통증이다. 이런 사람들 중 대부분은 다행히도 근육통이 원인이다.

Q 목 통증은 매우 흔하게 발생한다. 대부분의 원인은 잘못된 자세나 과사용으로 인한 근육통이다.

잘못된 자세나 과사용으로 인해 처음에는 일과성인 근육통이 발생하게 되고, 심해지면 근막통 증후군으로 발전하게 된다. 근막통 증후군의 통증은 심할 경우 디스크로 인한 통증보다 더 고통을 줄 수도 있다. 일반적으로 흔히들 근육이 뭉쳐서 아프다고 표현하는 이 질환을 의학적으로는 근막통 증후군이라고 부른다.

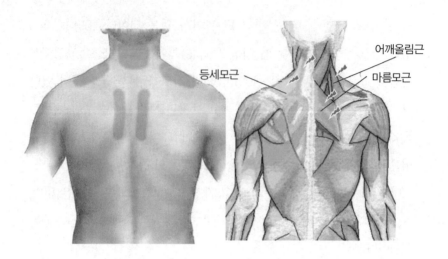

어깨올림근

등세모근

마름모근

Q 근육통(근막통)으로 흔하게 통증이 오는 목과 어깨 부위(옅은 빨간색)

목디스크는 50대에 가장 많이 발생하며 매해 발생률은 100명당 1명 정도로 꽤 낮은 편이다. 목 뒤에 통증이 발생한 경우 많은 사람들이 목디스크가 아닐까 하는 걱정을 하게 된다. 그러나 다행히도 대부분은 목디스크가 아닐 확률이 높다. 어깨나 팔로 뻗치는 듯한 통증(의학적으로는 방사통이라고 한다)이 없다면 목디스크 확률은 훨씬 더 낮아진다. 또한, 목이나 어깨 근육이 단단하게 뭉쳐서 근막통 증후군이 발병했을 경우에도 연관통이라고 하여 어깨나 팔에 통증이 발생할 수 있다.

Q: 어깨와 목 뒤에 항상 조금만 일해도 뻐근한 통증이 발생합니다. 통증의 원인은 무엇입니까?

A: 습관적으로 반복되는 안 좋은 자세와 근육의 과사용 및 운동 부족이 통증의 원인입니다. 특히나 현대인은 컴퓨터와 스마트폰을 많이 사용하면서 좋지 않은 자세를 많이 취합니다.

　어깨, 목의 통증으로 외래진료를 찾아오는 사람들 10명 중 7~9명은 대부분 근육에서 오는 통증이다.

　사람의 목뼈는 정상적으로 부드러운 C자 커브 형태를 보인다. 좋지 않은 자세가 자주 반복되면 뒷목과 어깨 근육이 스트레스를 받게 되어 현미경적으로 관찰되는 근육의 미세파열이 발생하게 된다. 미세파열이 섬유조직으로 재생되면서 목과 어깨 근육의 유연성이 떨어지고 경직되어 목의 정상적인 C자 형태가 일자로 변하게 된다. 처음에는 불편감과 일시적인 근육통으로 증상이 시작되지만 좋지 않은 자세가 지속되고 근육의 스트레칭 운동이 제대로 이루어지지 않으면, 근육의 미세파열과 섬유화가 반복되면서 근육이 단단하게 뭉치게 된다. 손으로 만져보았을 때 단단한 근육의 띠를 형성하며 그 뭉친 부분을 눌렀을 때 통증이 발생하게 되는 근막통 증후군이라는 병으로 발전하게 된다.

　근막통 증후군 질환 자체는 심각한 병은 아니지만, 통증이 심할 때는 목디스크로 오는 통증보다 더 심할 수 있다. 오랜 시간 동안 만들어진 질환이다 보니 치료도 쉽지 않고 꽤 긴 시간이 소요된다. 의사의 치료 지시를 잘 이행하고 유연성 운동을 부지런히 해야 한다. 또한, 잘못된 자세를 취하던 본인의 생활습관을 고쳐야 완치가 될 수 있다.

무증상이어도 정상적인 C자 형의 목 모양이 아닌 사람들은 매우 흔하다. 그러나 목과 어깨가 아파서 오는 사람들 중에 정상적인 목의 모양을 가진 사람은 많지 않다. 목과 어깨의 근육과 근막의 통증으로 오는 사람들의 목의 모양은 일자목과 거북목으로 크게 나누어진다. 일자목과 거북목에 대한 내용은 뒷부분에서 자세하게 다룰 것이다.

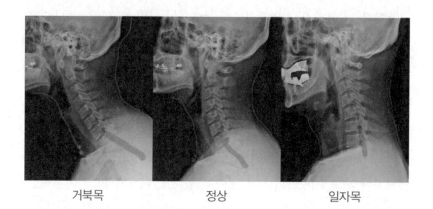

| 거북목 | 정상 | 일자목 |

🔍 정상적인 목은 부드러운 C자 모양의 커브를 이룬다. 좋지 않은 자세가 반복되어 유연성이 저하되고 근육의 단축과 경직이 발생하게 되면, 거북목이나 일자목이 발생하면서 목과 어깨에 통증을 유발하게 된다.

Q: 뒷목의 통증과 함께 위팔의 바깥쪽으로 콕콕 찌르는 통증이 발생했습니다. 목디스크가 확실하겠죠?

A: 목디스크일 수도 있지만, 근육이 뭉쳐서 아픈 근막통 증후군의 경우에도 근육이 뭉친 지점뿐만 아니고 팔로도 연관 통증이 흔하게 발생합니다.

레지던트 수련을 받고 있을 때 난 근막통 증후군의 진수를 맛본 적이 있다. 어떤 질환이 나에게 발생하여 통증이 있다는 것은 유쾌한 일은 아니지만, 내가 흔하게 만나고 치료하는 질환이라, 직접 경험한다는 그 직업적 사명감에 대한 기쁨은 매우 컸다.

레지던트 시절은 의사 인생에서는 가장 힘든 시간이다. 도제에 의한 상명하복이 심한 의료계에서 낮에는 교수님들을 따라다니고, 눈칫밥을 먹어가며 열심히 배우고 일하며, 밤에는 병원 컴퓨터 앞에 앉아 환자 차트정리 등 여러 가지 전산 작업을 수행하고, 전공에 대한 학술발표준비와 연구에 대한 여러 가지 정리를 하다 보면, 밤이 깊어가는 줄 모르고 일할 때가 많다.

연구와 발표준비로 밤에 컴퓨터를 사용하는 일이 특히 많았던 때가 있었다. 얼마 가지 않아 나의 왼쪽 팔 바깥쪽으로 콕콕 찌르는 듯한 날카로운 통증이 하루 종일 지속적으로 발생하였고, 일에 지장을 줄 정도였다. 특별히 다친 기억이 없었기 때문에 통증이 있는 팔에 문제가 있을 리는 없었다. 내 의학적 지식으로 이것은 목디스크에 의해서 팔로 방사되는 통증일 확률이 가장 클 것이라 생각했다. 목디스크가 아닐까 하는 걱정 속에서 목 MRI를 찍었다. 결과는 완전 정상이었다. 목디스크가 아니라는 것에 일단 안심을 하였다. 다른 원인을 찾기 시작하였고 어깨 세모근에 단단하게 뭉쳐 있는 근육 띠를 발견하였다. 그리고 이 뭉친 부위에 레지던트 동료가 간단한 통증유발점 주사시술을 시행해주었다. 뒷날 거짓말처럼 내 팔을 괴롭히던 통증은 사라졌다. 재활의학 교과서에서만 보던 근막통 증후군에 의한 연관통을 내가 직접 겪고 얼마나 기분이 좋았는지 모른다. 내가 직접 앓아보면 그 병을 가진 환자들을 더 잘 이해할 수 있으며, 그 통증에 공감할 수 있다. 그리고 병의 치료에 자신감이 생긴다.

작년 가을쯤 내가 겪었던 것과 비슷한 통증으로 진료실을 찾아온 사람이 있었다. 50대 초반의 운전을 하시는 남자 분이었는데, 2년 전부터 다친 적이 없는데도 팔 바깥쪽으로 쑤시는 통증이 발생하였다. 병원과 한의원 등 여러 곳을 다니면서 목디스크라고 하여 치료를 받았으나, 통증은 전혀 나아지지 않았고 환자는 고통스러워했다. 이전에 다녔던 한 병원에서 찍었던 목 MRI를 보니 디스크가 약간 튀어나와 있었지만, 누구나 있을 수 있는 흔한 소견으로 이 디스크 돌출 소견이 증상을 만들 것 같지는 않았다. 난 다른 원인을 주의 깊게 찾기 시작하였고 어깨 세모근에 단단히 뭉쳐 있는 근육 띠를 발견하였다. 뭉친 근육을 눌렀을 때 환자는 통증을 호소하였다. 근막통 증후군으로 진단하고 통증유발점 주사를 하였으며, 어깨 근육에 스트레칭 운동을 시켜주었다. 1주일 후 2년간 지겹도록 환자를 괴롭히던 팔의 통증이 대부분 사라졌다.

팔로 방사되는 양상의 통증이 발생하였을 때 나를 포함하여 의사들 대부분은 분명 목디스크를 그 통증의 원인 질환 중 하나로 떠올렸을 것이다. 그러나 근육이 뭉친 경우에도 뭉친 그 부위와 연관되어 그 부위 외에도 팔에도 통증이 발생할 수 있다. 뭉친 근육에 의한 통증은 뭉친 부위를 중심으로 해서 척추 쪽으로도 팔 쪽으로도 발생할 수 있다. 목 뒤의 근육이 뭉친 경우에는 두통을 유발할 수도 있다. 이 경우에 목 뒤의 뭉친 근육을 풀어주면 두통이 해결되는 경우가 많다.

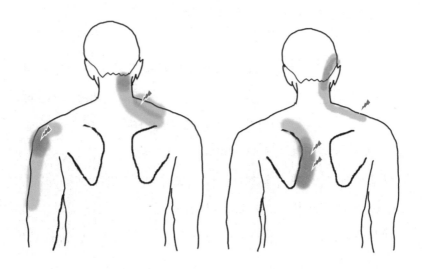

🔍 근육이 뭉치게 되면 뭉친 부위(⚡)뿐 아니라 연관통(옅은 빨강색)이 발생하여 팔, 뒷목, 머리에도 통증이 발생할 수 있다.

Q: 근막통 증후군을 쉽게 확인해볼 수 있는 방법이 있나요?

A: 반대쪽의 안 아픈 쪽과 비교하면서 만져보았을 때 근육이 뭉친 부위가 있고, 그 부위를 눌렀을 때 통증이 발생하는 경우, 또한 10초 이상을 꾹 누르고 있었을 때 누른 부위의 옆쪽으로도 통증이 발생하면, 근막통 증후군일 확률이 매우 높습니다.

근막통 증후군은 보통 사람들도 어렵지 않게 찾아낼 수 있다. 사람들 대부분이 살면서 부모님이나 옆 친구의 어깨를 가볍게 마사지해준 적이 있을 것이다. 마사지를 해줄 때 단단하게 근육이 뭉쳐 있음을 느껴 본 사람이 적지 않을 것이다.

어깨와 목 뒤의 근육을 반대쪽과 비교해가면서 만져본다. 근육이 단단히 뭉친 부위가 느껴지고 그 부위를 세게 누르거나 잡았을 때 반대쪽과 비교해서 더 심한 통증이 느껴지는 경우 근막통 증후군일

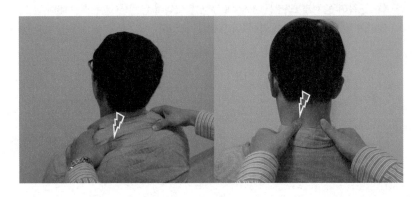

Q 근막통 증후군의 간단한 확인 방법: 안 아픈 반대쪽과 같은 부위를 눌러서 근육이 뭉친 부위가 있는 지 확인을 해본다. 근육이 뭉친 부위가 있고 뭉친 부위를 눌렀을 때 반대쪽과 다른 심한 통증이 발생하면 근막통 증후군일 확률이 높다.

확률이 매우 높다. 뭉친 근육을 10초 이상 세게 쥐고 있었을 경우에 그 주위로 통증(연관통)이 발생한다면 가능성은 더 높아진다. 생각보다 간단한 방법으로 근막통 증후군의 여부를 확인해볼 수 있다.

Q&A

Q: 목과 어깨에 발생한 근육통(근막통 증후군)의 치료는 어떻게 해야 하나요?

A: 근막통 증후군은 근육이 스트레스를 받아 단단하게 뭉치는 질환입니다. 제일 중요한 치료는 스트레스를 준 근본 원인을 찾아서 교정해주고, 재활운동을 통해 유연성이 있는 건강한 근육으로 회복시켜 주는 것입니다.

주로 고개를 숙이고 일하게 되는 치과의사, 컴퓨터를 많이 사용하는 사무직, 취업준비로 책상에서 하루의 전부를 보내는 취업준비생, 건설현장에서 무거운 물건을 많이 들고 목과 어깨를 많이 쓰는 노무직, 식당주방에서 일하는 사람들까지 뒷목과 어깨의 근육통은 매우 흔하게 발생하게 된다. 심지어 지금 집필 작업을 하고 있는 내 목과 어깨도 뻐근한 통증이 느껴진다.

목과 어깨의 근육통은 안 좋은 자세와 목 어깨 근육의 과사용, 유연성 운동의 부족으로 인해서 발생한다. 바로 이 세 가지가 근본원인으로서 이 세 가지를 바로잡아주는 것이 치료의 핵심이다. 근막통 증후군은 한순간에 발생하지 않는다. 근육에 스트레스를 주는 요인이 지속적으로 수일에서 수개월 동안 영향을 주면서 점전 악화된다. 그러니 순식간에 낫는다는 것은 불가능하다. 증상이 심한 사람이 병원에 왔을 때 통증유발점 주사라는 시술을 하면 확연하게 증상은 많이 호전될 수 있다. 그러나 그것은 일단 증상만 가라앉혔을 뿐이지, 경직되고 단단하게 뭉친 근육이 유연성과 근력이 적절한 건강한 근육으로 회복되었다는 것을 의미하는 것은 아니다.

　근본적인 치료와 향후 예방을 위해서 제일 먼저 좋지 않은 자세를 올바른 자세로 고쳐야 한다. 그리고 근육을 과사용하고 있었다면 사용을 적절하게 줄여야 한다. 그러나 본업이 있는 이상 사용을 줄이기는 현실적으로 쉽지 않다. 통증을 만든 그 원인은 알겠는데 그 원인을 완전히 제거하기란 쉽지 않다. 컴퓨터로 주로 일하는 사람이 컴퓨터를 안 쓸 수는 없는 일이기 때문이다. 진료실에서 환자분들에게 항상 설명하면서도, 현실적으로 불가능한 것을 말하고 있다는 생각에 머쓱해질 때가 많다. 그리고 솔직하게 환자분들에게 말하고 보완책을 제시한다. 본업 상 과사용을 완전히 줄일 수 없다면, 일하는 중간마다 신경을 써서 목과 어깨에 스트레칭 운동을 잘 시행해주어야 한다. 30분 정도마다 몇 분씩이라도 스트레칭 운동을 하면 제일 좋겠지만 쉽지 않음을 잘 알고 있다. 진료실에서 집중해서 진료를 한 타임보고 나면 목과 어깨가 아프긴 나도 마찬가지이지만, 매 30분~1시간마다 중간에 스트레칭 운동을 한다는 것은 그리 쉬운 일이 아니다. 여하튼 1시간에 5분씩이라도 자리에서 일어나서 목, 어깨, 허리를 간단하게 풀어주자.

Q: 근육통, 근막통 증후군에 약, 물리치료, 주사치료, 충격파치료, 증식 치료 등이 도움될 수 있을까요?

A: 통증유발점 주사치료와 근육 내 전기자극술은 의학적으로 그 치료 효과가 잘 증명되어있는 좋은 치료입니다. 열전기를 이용한 물리치료 는 근육을 이완시켜주고 혈액순환에 원활하게 합니다. 충격파와 증식 치료는 근육통에서는 근거가 근거가 확실하지 않아 추천하지 않습니 다. 먹는 약은 통증이 심한 경우 약간의 도움이 될 수 있지만, 효과가 없는 경우도 흔합니다.

　근육통과 근막통 증후군의 근본적인 치료는 잘못된 자세 교정과 재활운동치료이다. 그러나 통증이 순간적으로 단시간에 발생한 것이 아니기에 자세의 교정과 재활운동치료로 빠른 통증의 호전을 보기는 어렵다.

　통증유발점 주사치료나 근육 내 전기자극술은 근막통 증후군에 효과가 좋다. 10명 중 8~9명은 주사치료 후 1~2일 후 확연한 통증의 감소를 경험하게 된다. 이 주사치료는 특별한 약물이 사용되지 않는 다는 것이 장점이다. 시술 시 통증의 감소를 위해 약간의 국소마취제 성분의 약을 사용할 수도 있지만, 약물치료 없이 통증유발점을 자극 하고 물리적으로 파괴해주는 것만으로도 매우 큰 효과가 있다. 주사 치료 시 바늘이 근육이 뭉친 통증유발점에 제대로 삽입되면 근육이 톡톡 튀는 현상을 관찰할 수 있다. 부작용이 거의 없으며 특별한 약 이 쓰이지 않으니 시술하는 의사나 치료받는 환자나 부담이 덜하다.

　나도 외래 진료를 보면 3~4시간 연속으로 볼 때가 많다 보니 목, 허 리, 어깨에 근육통이 빈번하게 발생한다. 통증이 심한 경우에 옆의 동료에게 항상 통증유발점 주사치료와 근육 내 전기자극술을 시행 받는다. 약물이 필요 없으니 언제라도 편하게 받을 수 있는 시술이다. 물론 나도 동료들이 근육통이 생겼을 때 시술을 해주곤 한다. 내 몸은 이 시술에 항상 많은 효과를 본다.

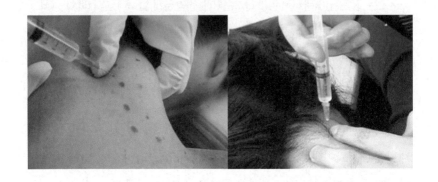

Q 근막통 증후군에서의 통증유발점 주사치료: 얇은 바늘을 이용하여 간단하게 할 수 있는 시술이다. 약물을 쓰지 않고도 할 수 있으나, 보통은 시술시 통증을 줄이기 위해 국소마취제를 사용한다. 통증유발점에 바늘이 삽입되면 근육이 톡톡 튀는 현상이 관찰된다. 왼쪽 사진은 등세모근에 시술하는 모습 오른쪽 사진은 목뒤근육에 시술을 하고 있는 모습.

먹는 약으로 보통 소염제와 근육이완제를 처방받게 되는 데 효과가 있는 경우도 있지만, 대부분은 통증에 큰 효과가 없다.

충격파 치료와 증식치료는 인대나 힘줄에 문제가 있을 경우에 주로 사용하는 치료이다. 근육통과 근막통 증후군은 근육과 근막에 문제가 발생한 경우이므로 원래의 그 기전과는 잘 맞지 않으며, 효과에 대한 근거도 명확하지 않다. 세계 충격파 학회에서도 충격파를 온전하게 적용할 수 있는 치료로 권고하지 않고 있으며, 실험적으로 사용해볼 수 있는 정도로만 권고하고 있다.

02
일자목

"삼 일 전에 제 차가 교차로에서 신호대기로 서 있는데 뒤차가 내 차를 추돌했습니다. 그 이후로 목과 어깨 주위에 통증이 발생하였고 목을 돌리는 것도 불편해졌습니다. 엑스레이를 찍어보니 목이 일자로 서 있다는 얘기를 들었습니다."

Q&A

Q: 일자목은 왜 발생하게 되나요?

A: 교통사고 같은 외상에 의해서 목 염좌가 발생한 경우, 또는 잘못된 자세나 과사용으로 인하여 목과 어깨 주위 근육의 유연성이 떨어지고 경직되면, 우리의 목은 정상적인 C자 형태에서 일자로 변형되게 됩니다.

목과 어깨의 통증으로 진료실을 찾아온 환자들의 목 엑스레이 사진들을 보면 목 형태 중 가장 흔한 것은 목이 일자로 서 있는 일자목이다.

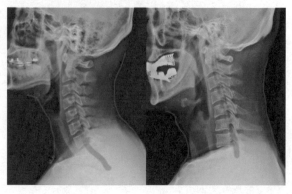

정상   일자목

🔍 정상적인 목은 부드러운 C자 모양의 커브를 이룬다. 좋지 않은 자세가 반복되어 목주위 근육에 유연성이 저하되고 근육의 단축과 경직이 발생하게 되면 일자목이 발생하면서 목과 어깨에 통증을 유발하게 된다.

    사람의 몸을 옆에서 보았을 때 목과 허리 척추는 'C'자 형태로 앞쪽으로 휘어져(전만) 있고, 가슴 척추는 그 반대로 뒤쪽으로 휘어져(후만) 있다. 척추가 직선이 아니고 곡선을 이루는 것은 다 이유가 있다. 척추가 일직선이면 충격흡수에 문제가 생겨 척추뼈의 골절이 쉽게 발생하게 되고, 척추 사이에 있는 디스크는 스트레스가 가중되어 디스크가 찢어지거나 탈출하는 등의 질환들이 훨씬 더 흔하게 발생하게 된다.

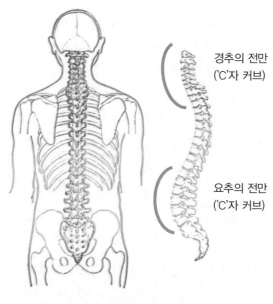

경추의 전만
('C'자 커브)

요추의 전만
('C'자 커브)

사람의 정상적인 척추 모양

🔍 사람의 척추는 정상적으로 부드러운 S 자형 모양을 가지고 있다. 경추는 20~40도, 요추부는 30~50도 정도 전만을 이루는 것이 생역학적으로 가장 정상적이며 척추의 건강을 위해서 가장 좋다.

목 주위 근육이 스트레스를 받아 경직되면 목뼈들은 부드러운 C자 형태에서 일자 형태로 변형된다. 사람들 대부분이 목과 어깨에 통증을 호소하는 경우는 근육의 경직으로 인한 근육통 또는 근막통 증후군이 대부분이다. 큰 병은 아니지만, 일자목을 치료하지 않고 방치하게 되면 단순한 근육통을 뛰어넘어 목디스크 등의 질환으로 발전할 위험성이 높아진다. 또한, 목이 퇴행성 변화도 촉진시키게 되는데, 매우 심한 경우에는 척수를 눌러 척수병증을 일으켜 팔다리의 마비와 통증이 발생할 수도 있다.

Q: 어제 후방 추돌사고가 있었습니다. 당시에는 너무 놀라서 아픈 것을 잘 몰랐는데, 오늘 자고 일어나서부터 목과 어깨에 통증이 심하고 목을 돌리는 것도 마음대로 되지 않습니다. 왜 그럴까요?

A: 교통사고 후 발생하는 목과 어깨의 통증은 경추염좌에 의한 것입니다. 의학적 용어로 채찍질 손상(편타 손상)이라고 일컬어집니다. 이 경우 근육, 힘줄, 인대, 디스크, 뼈, 경추 후관절까지 복합적으로 손상을 받게 됩니다. 검사상 특별한 문제가 발견되지 않을 경우가 많으며, 단순히 근육통으로 인한 것보다 증상이 심하고 증상이 오랫동안 지속되는 경우도 있습니다.

 심각한 교통사고가 아닌 경우 교통사고 후 가장 많이 호소하는 증상은 목과 어깨 통증이다. 후방 추돌사고가 발생했을 때 뒷목을 잡고 차에서 내리는 것은 후방 추돌사고의 상징처럼 알려져 있다. 교통사고를 당한 3명 중 1명은 24시간 안에 목과 어깨의 통증을 경험한다. 후방 추돌사고가 발생하게 되면 앞차에 타고 있던 사람은 0.3초 사이에 목이 갑작스럽게 과신전되었다가 과굴곡되는 스트레스를 받게 된다.

Q (편타성손상, 경추염좌): 뒤에서 차로 추돌당하게 되면 0.3초 내의 짧은 시간에 목은 과신전 과굴곡된다. 평상시 경추를 안정화시키는 근육들의 조절작용이 제대로 작동하지 못하게 되면서 목 부위의 근육, 힘줄, 뼈, 인대, 디스크, 경추 후관절에 손상이 발생하게 된다.

우리가 목을 움직일 때는 목의 인대, 디스크, 힘줄 등에 무리가 가지 않도록 목 주위에 있는 근육들이 조화롭게 힘을 내 적절한 빠르기로 안정되게 움직인다. 그러나 교통사고의 경우 너무 빠른 시간에 목의 과신전, 과굴곡 움직임이 발생하게 되어 척추를 안정화시키는 근육 조절이 제때에 이루어지지 않게 된다. 이로 인해 우리 목 주위에 근육, 힘줄, 인대, 경추 후관절, 디스크, 뼈가 손상을 받게 되면서 채찍질 손상(편타성 손상)이 발생하게 된다. 일반적으로 병원에 가면 경추염좌라 진단받게 된다. 근육뿐만 아니라 힘줄, 인대, 관절, 디스크에 손상을 입어 일반 근육통보다 통증이 심한 경우가 많으며, 증상의 회복에 상당한 시간이 걸리기도 한다.

교통사고로 인한 채찍질 손상(경추염좌)를 입을 경우 목 주위의 근육은 손상된 조직을 보호하기 위해 힘이 꽉 들어오면서 경직되는 증상을 보이고, 이것은 통증과 함께 목의 형태를 일자목으로 변형시킨다.

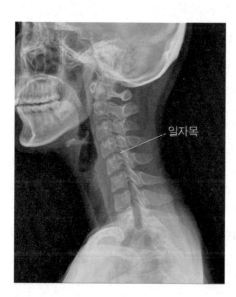

일자목

Q 하루 전 후방 추돌로 목과 어깨의 통증이 발생한 35세 어자 환자의 목 사진.

Q: 후방 추돌사고로 인한 일자목과 경추염좌로 두 달째 치료를 받고 있는데 호전이 잘 안 되고 통증이 심합니다. MRI에는 특별한 이상소견은 없다고 하는데 뭐가 문제인 거죠?

A: 교통사고 시 발생하는 채찍질 손상(경추염좌)은 근육뿐만 아니라 힘줄, 인대, 디스크, 경추 뒤 관절까지 복합적으로 손상을 받게 됩니다. MRI상 특별한 이상이 없는 경우에도 통증과 증상이 심한 경우가 많습니다.

교통사고로 인해 경추염좌가 발생한 환자 10명 중 1명은 매우 심한 통증을 호소하여 일상생활에도 장애가 발생한다. 대부분의 경추염좌 환자들은 2~3개월 후면 회복이 되지만 10명 중 3~4명은 만성화된다. 10명 중 2명 정도는 2년 후에도 통증을 호소하게 된다.

교통사고로 병원을 찾는 사람들은 정말로 아픈 사람과 특별한 증상이 없지만, 보상을 노리는 두 부류로 나뉜다. 우리나라 자동차 보험 제도에 허술함이 있어 교통사고 후 보상금을 노리고 병원을 찾는 사람이 적지 않다. 진료실에서 특별한 문제가 없는데도 입원을 당연한 것으로 여기며 찾아오는 가짜 환자들을 보면 속에서 화가 치밀어오르곤 한다. 난 가짜 환자들에게는 입원할 필요가 전혀 없다고 단호하게 이야기해준다. 그러면 환자들은 불만스러운 얼굴을 하며 오히려 적반하장 식의 반응을 보일 때도 있다. 그리곤 입원을 시켜 줄 다른 병원을 찾아간다.

3년 전 필자가 술을 마셔 조수석에 앉고 운전대를 집사람에게 맡긴 적이 있었다. 토요일 저녁이라 차는 꽉 막혔고 피곤했던 아내가 잠시 졸았다. 정지해있던 우리 차의 브레이크 페달이 놓이면서 차는 슬금슬금 앞으로 가더니 1~2m 앞에 있던 차량과 부딪히고 말았다. 시속 5~10km 정도 되었을 거라고 추정한다. 차에 아무런 표시도 나지 않을 정도로 경미하게 부딪혔는데, 앞차의 기사는 목을 부여잡고 나와서 명함을 받고 어디론가 가버리더니 수일 동안 병원에 입원해버렸다. 근골격계 질환을 전문적으로 보는 의사로서 어이가 없었다. 그 기사는 결국 보험회사와 협의하여 보상금을 받아 갔고 내 차의 보험할증은 올라갔다. 적어도 우리 부모님을 비롯한 가족들은 타인의 전적인 과실로 우리 차에 손상이 있어도 경미하면 그냥 없었던 일로 하고 상대 운전자를 보내준다. 타인들이 우리에게도 그렇게 할 것을 바라고 그러는 건 아니지만, 눈에 뻔히 보이는데도 돈 몇 푼 벌고자 퉁명스럽게 거짓말을 하는 사회의 단면에 쓸쓸함을 많이 느낀다.

이런 이야기를 하는 이유는 이런 가짜 환자들 때문에 정말로 통증이 심한 진짜 환자들에게 불이익이 돌아가기 때문이다. 교통사고의 정도에 따라 증상은 경미한 경우부터 심한 경우까지 천차만별이지만, 심한 후방 추돌사고가 발생하면 눈에 보이는 출혈이나 골절이 없어 MRI 등의 검사에는 특별한 소견을 보이지 않지만, 운전자의 목과 어깨는 많은 미세손상을 받게 된다. 경추염좌가 제대로 발생했을 때의 극심한 통증은 환자들을 매우 고통스럽게 만든다. 목과 어깨의 극심한 통증으로 목과 상체를 잘 움직이지 못하게 되며, 심한 경우에는 가만히 누워 쉴 때도 전신에 통증을 느끼게 된다. 팔이 저리고 근력이 떨어지는 증상이 발생할 수도 있으며 두통도 흔하게 동반된다.

이런 경우 MRI, X-ray, 신경검사 등 각종 검사에서 정상 소견을 보이는 경우가 많다. 환자 본인은 고개를 돌리지 못할 정도로 통증이 심한데 검사상으로는 아무런 문제가 없는 것이다. 이전에 발목을 삐어본 적이 있는 사람은 이 증상을 쉽게 이해할 수도 있다. 발목에 있는 작은 인대 하나만 삐어도 1~2주간 발목을 움직일 때마다 심한 통증이 발생하게 된다. 교통사고로 인한 경추염좌 시에는 목에 있는 많은 인대, 힘줄이 손상을 당하게 된다. 발목에 있는 하나의 인대만 슬쩍 삐어도 통증이 심하고 운동제한이 심한 걸 봤을 때, 목에 여러 인대와 힘줄이 손상당했을 때 목 움직임이 제한되고 통증이 심한 것은 당연하다.

가짜 환자가 너무 많기 때문에 심한 통증을 가진 진짜 환자들이 각종 검사에서 정상소견을 보인다는 이유로 역으로 꾀병으로 오해를 받을 때가 많다. 통증은 아직도 심한데도 불구하고 치료나 보상이 제대로 이루어지지 않는 경우도 심심치 않게 보게 된다.

Q: 교통사고로 인한 경추염좌(채찍질 손상) 시 치료는 어떻게 해야 하나요?

A: 일단 초기 2~3일은 필요할 시 소염진통제, 근이완제 등을 복용하고 목 보조기를 착용 후 안정을 취합니다. 이후에는 재활운동과 물리치료를 통해서 목과 어깨의 경직된 근육을 정상상태로 돌리는 치료를 시행해야 합니다. 염좌가 심한 경우는 통증이 수년 이상 지속되기도 하지만 대부분은 2~3개월 안에 회복이 됩니다.

처음 급성 손상 시에는 과도한 염증반응이 많이 일어나게 되어 통증이 심해진다. 적절한 염증반응은 손상된 조직의 치유에 도움이 되지만, 적절하지 않은 과도한 염증반응은 근육, 인대, 힘줄 등 조직의 손상을 더 가속화 시킨다. 따라서 수상 초기에 필요할 경우 소염제와 진통제 근이완제 등을 복용하면서 목에 연성 보조기를 착용한다. 통증이 심한 경우 수액제에 근이완제와 진통소염제 등을 섞어 정맥으로 주사를 맞기도 한다. 목 보조기는 처음 3일 정도만 착용해야 한다. 더 길게 착용하는 것은 오히려 목과 어깨 근육의 근위약과 뻣뻣함을 조장하게 되고 미세 손상된 조직의 회복에 방해가 된다.

우리 몸은 전부 근육으로 덮여 있다. 그리고 일상생활 중에 알게 모르게 우리는 항상 근육을 사용하게 된다. 몸에 병이 있거나 외상을 입어 일상생활 수준의 근육 활동도 하지 않고 쉬게 될 경우 우리의 근육은 급속도로 그 기능을 잃게 된다. 침상에만 누워서 쉴 경우 일주일에 10~20% 정도 근육의 힘이 약해지게 되며 1달쯤 되었을 때는 40~50% 정도 근력이 감소하게 된다. 또한, 근육량은 하루에 3%씩 감소하게 된다. 잃었던 근력과 근육량을 회복하는데 소요되는 시간은 잃었던 시간의 두 배 이상 걸리게 된다. 주위에 보면 목 통증을 비롯하여 허리 통증이 있을 때 보조기를 습관적으로 착용하는 사람들이 많다. 골절과 같은 특별한 구조적 이상이 있지 않은 경우 장시간 착용하는 보조기들은 몸에 해를 끼치게 됨을 명심해야 한다.

급성의 심한 통증이 어느 정도 조절되었다면 이제 목과 어깨의 경직된 근육을 풀어주는 재활치료를 본격적으로 시행해주어야 한다. 근육, 인대 등 연부조직의 이완을 위해 열전기치료를 보통은 같이 시행한다.

통증이 심한 경우 통증유발점 주사, 근육 내 전기자극술, 경추 후관절 스테로이드 주입술 등 여러 주사치료를 시행할 수 있다. 환자들 대부분은 2~3개월 이내에 회복되지만, 충격이 큰 교통사고를 당한 사람들은 목, 어깨 등의 다발성 통증으로 1년 이상 고통을 겪는 사람들도 있다. 없었던 통증이 갑자기 발생하였고 치료에 잘 반응하지 않아 생각만큼 몸이 빨리 회복되지 않아 통증뿐만 아니라, 정서와 기분에도 큰 영향을 끼쳐 우울증에 빠지기도 한다.

03
거북목 증후군

"컴퓨터와 스마트폰을 많이 사용하는 직장인입니다. 하루에 5~6시간 이상은 컴퓨터로 일하고, 출퇴근하는 지하철 안에서, 그리고 자기 전에는 항상 스마트폰을 자주 애용합니다. 수개월 전부터 양어깨와 뒷목이 항상 뻐근한 통증이 발생하였습니다. 처음에는 컴퓨터를 가지고 20~30분만 일하면 목 뒤와 어깨가 뻣뻣해지고 목 뒤로 통증이 발생하였습니다. 자고 일어나면 좋아지곤 했는데 요즘은 일하지 않을 때도 지속적으로 통증이 있습니다."

Q&A

Q: 거북목 증후군이란 어떤 질환입니까?

A: 컴퓨터를 많이 사용하는 현대에 많이 발생하는 질환으로서, 장시간 컴퓨터를 안 좋은 자세로 하게 되었을 때 목의 모양이 거북의 목처럼 앞쪽으로 굽게 되면서, 양어깨와 뒷목의 근육에 스트레스가 가해지고 근육통 및 근막통 증후군이 발생하는 질환을 말합니다.

현대인들에게 컴퓨터와 스마트폰은 없어서는 안 될 일상생활과 사무의 필수품이다. 생활의 편리함과 시간을 보내는 데에 더없이 좋은

놀 거리를 가져다준 것은 부인할 수 없는 사실이지만, 우리 몸의 신체적, 정신적 건강에는 좋지 않은 영향을 많이 주고 있다.

이 책에서는 신체적 건강을 언급하게 하겠지만, 나 개인적으로 정신적 건강에 주는 악영향이 훨씬 크다고 생각한다. 컴퓨터와 스마트폰 게임에 중독된 사람은 주위에서 매우 흔하게 볼 수 있다. 중독에도 경중의 차이는 있지만, 게임 중독된 아버지가 두 살배기 아들을 방치하여 죽게 만들고, 게임 중독된 엄마가 PC방에서 아기를 낳다 죽이기도 하며, 게임 중독된 아들이 친엄마를 잔인하게 살해하는 영화에서도 보기 힘든 끔찍한 일들이 우리나라에서 벌어지고 있다. 컴퓨터나 스마트폰을 이용한 중독이 심해졌을 경우 일어날 수 있는 극단적인 예시가 아닌가 생각된다. 우리나라 직장인들 3명 중 1명은 스마트폰 중독이며, 청소년 5명 중 1명은 스마트폰 중독이라는 뉴스를 본 적이 있다. 굳이 뉴스의 통계치를 듣지 않아도 나를 포함해서 스마트폰에 중독되거나 중독의 가능성이 있는 사람은 매우 많다. 우리 집만 해도 자기 전에 침대에 누워 캄캄한 방에서 서로의 스마트폰을 20~30분간은 보는 행태가 있었다. 거북목 증후군, 수면장애 등의 신체적 장애들은 차치하고 스마트폰이 주는 정신적 폐해는 훨씬 더 크다. 스마트폰이 일상화되고 삶의 많은 시간을 빼앗으면서 가족들과 사람들 간의 대화 시간이 줄어들게 되고, 중독성이 심해질수록 우울, 대인기피, 불안, 강박 등의 증상이 나타날 위험성이 커진다. 나와 우리 가족은 스마트폰에 중독되어 빼앗긴 시간을 많이 되찾아 왔다. 스마트폰 사용 시간을 줄이고 나서 아이들과 집사람과 대화하고 같이 어울리는 시간이 늘었다. 그만큼 가족 안에서의 행복은 더 커졌다. 스마트폰의 편의성과 흥미로운 많은 정보들은 수시로 나를 유혹하지만, 스마트폰의 사용을 적절하게 하는 것이 신체적, 정신적 건강을 위해서 좋다.

Q 목과 어깨 통증의 많은 원인은 잘못된 자세에 있다. 컴퓨터나 스마트폰을 사용하면서 취하게 되는 안 좋은 자세들은 목과 어깨의 근육에 스트레스를 주고 통증을 유발하게 된다.

의사인 나도 모든 의료과정이 전산화되고 의무기록(의료 차트)의 중요성이 강조되면서 하루에 많은 시간을 컴퓨터와 함께한다. 그리고 쉬는 시간이 생겼을 때는 습관적으로 나도 모르게 스마트폰을 사용하여 뉴스 등 정보의 바다를 탐색하게 된다. 컴퓨터를 이용하여 1~2시간 이상 일을 하게 되면 어깨, 목, 허리에 대번에 불편한 신호가 온다. 큰 통증은 아니지만 뻑뻑한 느낌과 함께 느껴지는 범위가 넓은 둔한 통증은 흔하게 발생한다. 자기 전에 누운 자세로 스마트폰을 들고 20~30분 이상 화면을 보고 있으면 양어깨와 목에 뻐근한 통증이 발생하기 시작한다. 이런 불편한 신호가 있을 때는 스트레칭을 잠시 해주거나 유발원인인 스마트폰을 내팽개쳐야 하지만, 흥미로운 글을 읽거나 할 때는 미련을 버리지 못하고 자세를 바꾸어서 스마트폰을 손에서 놓지 못한 때도 있다. 여하튼 심해지는 목과 어깨의 통증으로 곧 스마트폰을 내려놓고 잠자리에 들곤 한다. 나의 경우 중독까지는 아니지만 분명 요주의인 상태는 맞다. 그래서 스마트폰 중독에 빠지지 않기 위해 매일매일 부단히 노력하고 있다.

컴퓨터와 스마트폰 사용 시에 옳지 못한 자세는 우리 양쪽 어깨와 목의 근육들에 스트레스를 주게 된다. 사용 시간이 길어질수록, 스트레칭 운동의 횟수가 줄어들수록, 자세가 좋지 않을수록, 우리 몸의 근육들은 스트레스를 더 많이 받게 되고 이것은 통증으로 이어진다.

목과 어깨의 뻣뻣함과 뻐근한 통증과 함께 근육이 뭉침으로 인한 연관통으로 팔과 손이 저리거나 쑤시는 통증이 발생할 수도 있다. 또한, 목과 어깨의 뭉친 근육은 두통을 유발시키는 흔한 원인 중 하나이다. 근육에 스트레스를 주는 안 좋은 자세와 더불어 영상장비에서 나오는 전자파도 우리 눈과 근골격계에 좋지 않은 영향을 준다. 영상장비를 사용하면서 발생하는 여러 통증들을 더 큰 범주로는 영상단말기 증후군(Visual display terminal syndrome)이라고 부르게 된다. 거북목 증후군도 영상단말기 증후군에 포함되는 증상 중 하나이다. 거북목처럼 목이 굽어지면서 앞으로 쳐지는 형태를 띠고 양어깨와 목에 통증이 발생하는 경우를 거북목 증후군이라고 부른다.

목을 앞으로 빼고 일을 할 경우에 목 뒤의 근육에는 더 많은 힘이 걸리게 되며, 쉽게 피로해지고 스트레스를 많이 받게 된다. 목이 1cm 앞으로 나올 때마다 보통 2~3kg에 해당하는 하중이 목과 어깨에 걸리게 되며 최대 15kg까지 하중이 걸리게 된다. 근육은 지속적으로 미세손상을 받게 되고 섬유화되어 경직되고 통증을 유발하게 된다. 그리고 이런 자세가 지속되는 경우 정상적인 목 척추의 구조가 흐트러지면서, 경추 사이에 있는 디스크에도 과부하가 걸리게 되어 목디스크에 걸릴 위험성을 높이게 된다.

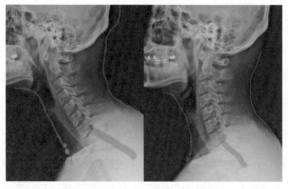

거북목 　　　　　　　　　 정상

Q 거북목 증후군: 정상적인 목은 부드러운 C자 모양의 커브를 이룬다. 컴퓨터와 스마트폰 등을 좋지 않은 자세로 오래 사용하게 되면 근육의 유연성이 저하되고, 단축과 경직이 발생하게 되면 거북목 형태를 만들게 되고 근육과 힘줄에 무리를 주어 목과 어깨에 통증을 유발하게 된다.

Q&A

Q: 거북목 증후군의 치료는 어떻게 해야 하나요?
A: 일상생활이나 일을 할 때 좋은 자세를 가지는 것과 중간마다 자주 스트레칭 운동을 해주는 것이 가장 중요합니다. 통증이 심할 경우 근막통 증후군에 준하여 유발점 주사 등을 시행하여 통증을 조절해줄 수 있습니다.

거북목 증후군의 근본 원인은 컴퓨터와 스마트폰을 사용할 때 취하는 잘못된 자세이다. 잘못된 자세를 교정해주는 것이 치료에서 가장 중요하다. 컴퓨터를 사용하지 않으면 제일 좋겠지만, 업무상 오래 사용할 수밖에 없다면 컴퓨터를 사용할 때는 밑에 그림에서처럼 목을 앞으로 빼는 자세는 최대한 피한다. 그렇다고 목과 등을 너무 일자로 뻣뻣하게 세우게 되면, 그것 또한 목과 등의 근육들을 과긴장하게 만들어 불편감을 유발하게 되므로 부드러운 편한 자세를 취하는 것이 좋다. 모니터의 높이는 눈이 모니터 상부 2/3지점에 위치하게 두는 것이 제일 좋다. 또한, 팔걸이가 있어 팔의 무게를 지지해줄 수 있는 의자가 좋다. 팔걸이가 너무 낮으면 다시 목과 어깨가 앞으로 굽어지는 자세를 취하게 되므로 적절한 높이의 팔걸이를 골라야 한다. 의자의 높이는 양 발바닥이 편하게 바닥에 닿을 수 있게 하며, 이때 무릎은 고관절보다 약간 높게 올라가 있는 것이 근육의 긴장을 줄이는 데에 도움이 된다.

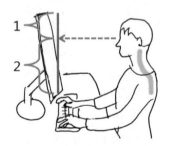

안좋은 자세(거북목)   좋은 자세

Q 컴퓨터를 많이 사용하는 현대인들은 거북목이 매우 흔하다. 모니터의 높이를 너무 낮게 하지 말고 시선이 모니터의 상부 1/3에 오도록 높이를 조절하고 일할 때는 항상 턱을 목쪽으로 당기는 느낌으로 일을 한다. 또한 한 자세로 오래 있는 것은 매우 좋지 않으므로 적어도 20~30분에 한 번씩 목, 어깨, 허리의 스트레칭을 해준다.

자세가 아무리 좋아도 한 자세로 컴퓨터를 오래 사용하면 목과 근육이 뻐근해지고 눈이 피로해진다. 우리 몸의 근골격계의 모든 구조물은 한 자세로 오래 있게 되면 스트레스를 받게 된다.

컴퓨터 작업을 하다가도 30분에 2~3분씩 잠깐이라도 어깨와 목의 스트레칭을 시행해주는 것이 좋다. 그러나 집중해서 일하고 있을 때 30분마다 스트레칭 하는 것은 매우 힘든 일이다. 나도 목과 어깨의 불편감이 어느 정도 이상으로 있을 때만 실행하지, 그렇지 않은 경우에는 스트레칭의 필요성이 강하게 느껴지지 않기 때문에 잘하지 못한다. 적어도 1시간에 5분 정도씩은 스트레칭을 꼭 해주는 것이 좋다.

거북목이 형태를 띤 사람들은 목의 아랫부분은 앞으로 구부러져 있고 윗부분은 뒤로 과도하게 펴져있는 형태를 보인다. 따라서 여러 방향으로 목의 스트레칭 운동을 하되 거북목에 맞는 스트레칭 운동

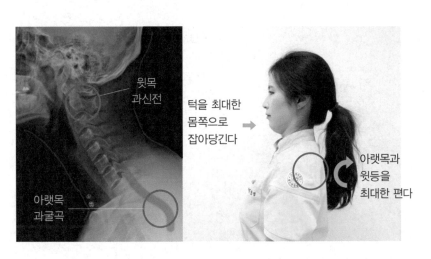

Q 거북목 증후군: 과신전된 윗목을 앞으로 굴곡시켜주는 운동과 앞으로 과굴곡된 아랫목을 뒤로 신전시켜주는 스트레칭을 자주 시행해준다. 스트레칭 운동 시 중요한 것은 한 동작을 15초~30초 정도 유지시켜주는 것이다. 반동을 이용해서 움직여주면 안 된다.

을 특히 잘해주어야 한다. 앞으로 굽어 있는 목의 아랫부분은 펴는 스트레칭을, 뒤로 과도하게 펴져 있는 목의 윗부분은 아래로 굽히는 스트레칭을 중점적으로 시행해준다.

앞서 말한 의학적 지식을 알고 있는 의사인 나도 매년 빠짐없이 작든 크든 목과 어깨의 통증을 경험한다. 현재 컴퓨터를 이용해서 책을 쓰고 있는 지금 이 순간도 목 뒤에 묵직한 통증이 발생하고 있다. 목과 어깨의 근육통은 매우 흔하게 발생하기 때문에 관리를 잘해주는 것이 필수적이다. 위의 스트레칭은 거북목 증후군에 있어서 더 중요한 스트레칭이다. 항상 뒷목과 어깨가 뻐근하고 불편할 때는 30분~1시간마다 가벼운 스트레칭을 해보자. 좀 귀찮긴 해도 5분만 시간을 투자하면 바로 목과 어깨의 시원함을 느낄 수 있다.

🔍 스트레칭하려는 쪽의 팔은 열중쉬어자세를 취하고 반대쪽 팔을 이용하여 목을 지그시 20초간 당겨준다. 이때 시선은 스트레칭시키는 반대쪽 다리의 새끼발가락을 쳐다본다.

Q 스트레칭하려는 쪽의 팔은 열중쉬어자 세를 취하고 반대쪽 팔을 이용하여 어깨방 향으로 목을 지그시 20초간 당겨준다. 이 때 시선은 스트레칭시키는 반대쪽 다리의 새끼발가락을 쳐다본다.

Q 목을 앞으로 숙이면서 양손을 마주 잡 고 앞으로 쭉 내민다. 20초 정도 이 자세 를 유지시켜준다.

Q 목을 뒤로 젖히고 양손의 엄지손가락 을 이용해서 턱을 위로 10초 정도 지그시 올려준다.

04
목디스크

"공무원 시험 준비를 2년 정도 한 32세 남자입니다. 처음엔 목과 어깨에 뻐근한 통증이 발생하더니, 얼마 전부터는 왼쪽 팔의 바깥쪽으로 저릿한 통증이 생겼습니다. 목을 왼쪽으로 구부리거나 뒤로 젖히면 팔에 저릿한 통증이 더 심해집니다."

Q&A

Q: 목디스크는 어떤 질환이며 증상은 어떤가요?

A: 보통은 목과 어깨에 통증이 먼저 발생하게 되고, 점차 팔로 방사되는 저릿하거나 쑤시는 통증이 나타나게 됩니다. 목디스크가 심한 경우에는 팔의 특정 부위에 감각이 저하될 수 있으며, 팔이나 손가락의 힘이 떨어질 수도 있습니다.

일반적으로 사람들이 말하는 목디스크라는 것은 의학적 용어로는 경추(목 부분의 척추를 일컫는 말) 추간판탈출, 혹은 이로 인한 경추 신경근병증이라고 한다. 경추 디스크(추간판)가 탈출하거나 경추에 퇴행성 변화가 심하게 발생할 경우 경추신경의 시작부위(뿌리)에 문제를 일으키게 된다. 문제가 발생한 척추신경이 분지하는 목, 어깨,

팔 부위에 통증이 발생하는 것이 사람들이 말하는 목디스크라는 것이다. 이 책에서는 쉬운 이해를 위해 경추 신경근병증이라 하지 않고 목디스크라는 용어를 사용하도록 하겠다.

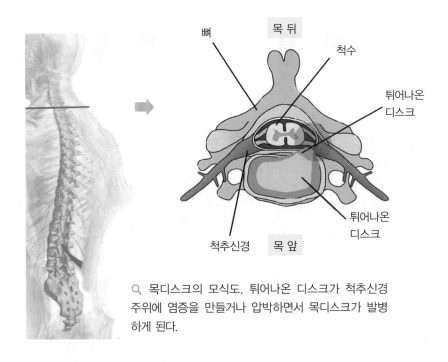

뼈　목 뒤　척수　튀어나온 디스크　튀어나온 디스크　척추신경　목 앞

Q 목디스크의 모식도. 튀어나온 디스크가 척추신경 주위에 염증을 만들거나 압박하면서 목디스크가 발병하게 된다.

목디스크로 인한 대표적인 증상은 어깨와 팔로 방사되는 통증(뻗치는 듯한 느낌의 통증)이다. 신경통에 의한 증상으로 환자들은 저리다, 쑤신다, 화끈거린다, 찌릿찌릿하다, 콕콕 쑤시는 것 같다, 아프다 등 다양하게 그 통증을 표현한다. 디스크가 발병한 위치에 따라 증상이 틀리게 나타나며, 경추 5, 6번 척추신경에서 문제가 발생하면 주로 목과 어깨에 통증이 발생하고, 경추 7, 8번 척추신경(목뼈는 7번까지 있지만, 신경은 8번까지 있다)에서 문제가 발생하면 팔로 방사되는 통증이 발생하게 된다. 목디스크에서 경추 7번 척추신경이 문제일 경우가 가장 흔하며, 그다음으로 6번, 8번 순으로 잘 발생한다.

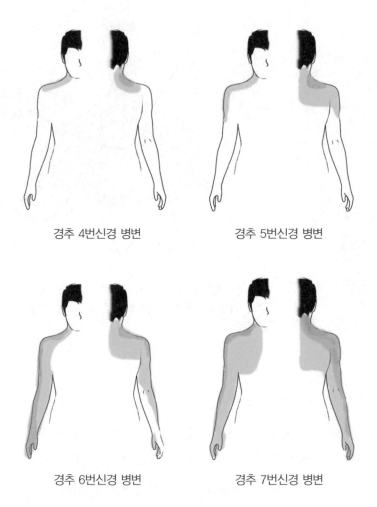

경추 4번신경 병변   경추 5번신경 병변

경추 6번신경 병변   경추 7번신경 병변

🔍 목디스크의 통증 양상은 문제가 발생한 경추 척수신경에 따라 다르게 나타난다. 위의 그림은 경추 척수신경에 따른 통증 양상을 나타내준다. 그림과 항상 똑같이 통증이 나타나지는 않는다.

Q: 30대 중반인 친구가 요즘 목이 아프다고 하면서 목디스크가 아닌지 걱정스러워 하는데, 목디스크가 실제로 그렇게 흔한 질병인가요?

A: 목디스크(추간판탈출증)는 인구 1,000명당 1~2명 정도에서 발생하는 질환으로, 목과 어깨 통증이 있을 경우 디스크가 원인일 경우는 5% 정도로 낮습니다.

목과 어깨에 뻐근한 통증은 아주 흔하게 발생하는 증상이지만 목디스크는 생각보다 흔하지 않다. 따라서 목디스크에 대한 기본적인 의학 상식이 없으면 목이나 어깨가 아플 경우 혹시 내가 디스크가 아닐까 하는 걱정을 할 수 있다. 목은 워낙에 통증이 자주 발생하는 부위이다. 일생 중 10명 중 9명 이상, 즉 거의 모든 사람들은 살면서 적어도 한 번 이상 목과 어깨에 경미하든 심하든 간에 통증을 경험한다. 나 역시 중학교 때부터 책상에 있는 시간이 많았고, 피로에 빠져 지냈던 인턴, 레지던트 때는 밤에 수면부족 상태에서 일하면서 경험했던 목과 어깨의 통증은 셀 수 없을 정도로 많았다. 많은 통증을 겪었지만, MRI를 촬영해서 본 내 목은 디스크 하나 돌출되지 않고 건강했다. 대부분의 목 통증은 근육통에 의해서 발생하게 된다.

목디스크는 생각보다 흔하지 않은 질환으로서 인구 1,000명당 1~2명에서 발병하게 되며, 목과 어깨 통증이 있을 경우 목디스크가 원인일 경우는 5%가 안 될 정도로 그 확률이 낮다. 50대 초반에 가장 많이 발생하지만, 최근에는 컴퓨터와 스마트폰이 일상화되면서 젊은 사람들에서도 그 빈도가 증가하고 있는 추세이다.

건강보험공단 통계에 따르면 2009년 대략 220만 명 정도 됐던 디스크 진료 인원이 2013년에는 270만 명으로 20% 정도 크게 증가하였다. 2009년~2013년 5년 동안 허리디스크는 대략 18% 증가하였으나, 목디스크는 30% 정도 증가하여 목디스크의 증가율이 더 많았다. 특히, 스마트폰의 판매량이 큰 폭으로 증가했던 2011년에 디스크 진료 인원이 가장 많이 증가하였다. 스마트폰과 컴퓨터를 많이 사용하는 현대인들은 많은 전자파에 매일 노출되며 좋지 않은 자세가 습관화된 경우가 많다. 좋지 않은 자세가 지속되면 척추와 주위 연부조직에 스트레스가 가고, 처음에는 근육통부터 시작하여 심한 경우 목디스크로 발전할 위험성이 높아진다.

Q & A

Q: 목디스크가 발생하게 되는 원인은 무엇입니까?

A: 잘못된 자세나 목과 어깨의 과사용 및 피로로 인해 목디스크는 발병하게 됩니다. 순수하게 목디스크(추간판)가 탈출되면서 신경에 문제를 일으켜 발병하는 경우와 목의 퇴행성 변화로 인대, 뼈, 연골 등의 조직이 커지면서 신경에 문제를 일으키는 두 가지 경우로 나눌 수 있습니다.

목디스크의 근본 원인은 목에 걸리는 스트레스다. 앞의 근막통 증후군, 일자목, 거북목에서 언급했던 원인들 모두가 목디스크의 근본 원인이 된다. 잘못된 자세와 목과 어깨의 과한 사용이 처음 목 주위에 근육통을 먼저 만들게 되고, 근본 원인을 교정하지 못하고 목과 어깨가 계속 스트레스를 받게 되면 어느 순간 디스크(추간판)가 버티지 못하고 터져 나오게 되면서, 강한 염증을 만들거나 신경을 누르게 되면서 목디스크가 발병하게 된다. 터져 나온 디스크는 부드러울 수도 있고 딱딱할 수도 있다.

터져 나온 디스크가 부드러운 경우는 시간이 지나면서 저절로 흡수되어 없어질 확률이 높고 치료의 결과가 좋은 편이다. 그러나 돌출된 디스크가 딱딱한 경우는 대부분 만성 퇴행성 변화로 인해 발생한 것으로, 뼈와 같이 단단한 형태를 띠게 되어 저절로 흡수될 확률이 거의 없다.

허리디스크의 경우 부드러운 디스크가 튀어나오면서 증상을 만드는 경우가 대부분이지만, 목디스크의 경우는 4명 중 1명 정도만 부드러운 디스크의 돌출로 인해서 디스크 질환이 발병하게 된다. 대부분의 목디스크 환자들은 퇴행성 변화로 인하여 만들어진 디스크, 인대, 연골의 딱딱한 조직에 의해서 경추 척추신경이 눌려 증상이 나타나게 된다.

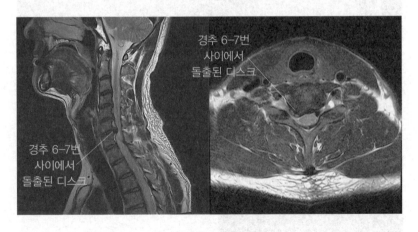

경추 6-7번
사이에서
돌출된 디스크

경추 6-7번
사이에서
돌출된 디스크

Q 우측 팔로 방사되는 저린 통증으로 내원한 52세 남자의 목 MRI 사진. 치과의사였던 환자는 직업적으로 목과 어깨에 스트레스를 주는 일을 많이 하였다.

디스크가 터져 나오지 않더라도 목의 경우에는 경추의 퇴행성 변화로 인해서 신경이 눌리게 되면서 목디스크가 발병할 확률이 허리에 비해서 훨씬 높다. 잘못된 자세를 오랜 기간 동안 유지하거나 목과 어깨를 과사용 하면서 일하는 경우, 목은 퇴행성 변화를 겪으면서 인대가 두꺼워지고 뼈가 더 자라나게 되는데, 이 경우 인대, 뼈 등 커진 구조물들이 경추신경을 누르면서 목디스크가 발병하게 되는 것이다.

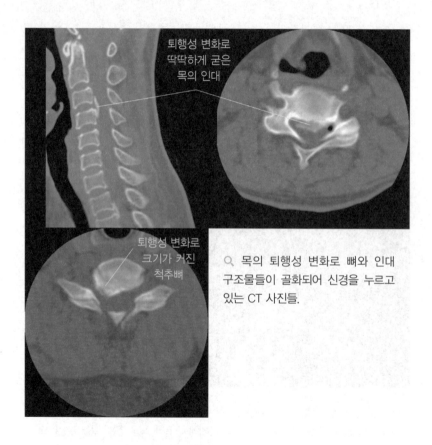

퇴행성 변화로
딱딱하게 굳은
목의 인대

퇴행성 변화로
크기가 커진
척추뼈

🔍 목의 퇴행성 변화로 뼈와 인대 구조물들이 골화되어 신경을 누르고 있는 CT 사진들.

Q: 최근 들어 목이 아파서 MRI를 찍었습니다. 목디스크가 나와 있다고 하는데, 제가 목디스크라는 병인가요?

A: MRI에서 디스크가 튀어나온 소견이 있다고 목디스크로 진단하면 안 됩니다. 정상적인 퇴행과정에서 목디스크가 돌출된 MRI 소견은 매우 흔합니다.

위에 언급한 것처럼 목과 어깨의 통증은 매우 흔한 증상이지만 목디스크가 그 원인일 확률은 매우 떨어진다. 물론 팔로 방사되는 통증이 있고 감각이 이상한 식으로 목디스크가 강하게 의심되는 증상들이 있으면 목디스크가 원인일 확률은 매우 높아지지만, 단순히 목과 어깨 통증이 있을 경우에는 확률이 매우 떨어진다.

인간은 누구나 나이가 들면서 노화가 진행되고 노화에 맞춰 척추 구조들도 퇴행성 변화를 겪게 된다. 70대인 노인들의 척추 모양이 10대 청소년들의 척추 모양과 절대로 같을 수 없고 아무리 조심해서 쓴다 하여도 같게 만들 수도 없다.

MRI 장비는 현대과학이 만들어낸 매우 훌륭한 의료장비이다. 방사선의 노출이 없이도 근육, 인대, 연골, 뼈, 혈관, 신경 등 모든 구조물을 확인할 수 있다. 그러나 단점들도 있는데 아직도 비싼 가격이 한 가지 문제이며, 또 다른 중요한 문제는 증상이 없는 사람들에서 의미 없는 정상적 퇴행성 변화 소견을 모두 다 보여준다는 것이다. 허리 쪽에서 언급했던 것처럼 의미가 없는 정상적인 퇴행성 변화 소견이 목에서도 많다.

무증상인 사람들을 대상으로 MRI를 찍어보면 10명 중 8~9명에서는 목디스크에서 이상소견이 관찰되며, 이 소견은 나이가 많을수록 증가한다. 튀어나온 목디스크의 크기가 작든 크든 정상보다는 돌출되어 있거나 찢어져 있는 등의 이상소견이 매우 흔하다. 10명 중 3명 정도에서는 돌출의 정도가 심한 편이고 10명 중 5~6명에서는 경도의 돌출소견이 아무런 증상이 없는 정상 사람들에서 MRI를 촬영하면 관찰된다.

심지어 우리나라에서 시행한 한 연구를 보면, 목에 아무런 증상이 없는 사람들을 대상으로 MRI 촬영을 해보면 10명 중 8명에게서 목의 디스크가 돌출되거나 찢어져 있는 이상소견을 보였으나, 외국에서 이루어진 목에 통증이 있던 사람들을 대상으로 했을 때는 목디스크 이상소견은 10명 중 7명 정도에서 발견되었다고 한다. 물론 나라의 차이는 있겠지만 아이러니컬하게도 목 통증이 없는 사람에게서 이상소견이 더 많이 발견된 것이다.

정상적으로도 퇴행성 변화로서 디스크 돌출은 흔하게 있을 수 있기 때문에 목과 어깨의 통증이 있는 사람에게서 디스크 돌출이 발견되었다 해도, 통증의 원인이 목디스크 때문인지를 정확히 분별하는 것은 그리 간단치 않다. 그래서 이 분야의 전문의를 찾아가 진료를 보고 제대로 된 진단을 받는 것이 중요하다 하겠다.

팔로 방사되는 통증은 없이 목과 어깨에 통증이 있는 사람에게서는 MRI상 디스크가 돌출되어 있다고 하여도 근육통이 그 원인인 경우가 훨씬 더 흔하다. 그러나 팔로 방사되는 통증과 함께 목디스크의 특징적인 증상이 나타나고, 이것이 MRI에서 보이는 디스크 돌출의 위치와 일치하면, 그 디스크가 원인이 될 확률이 높아진다.

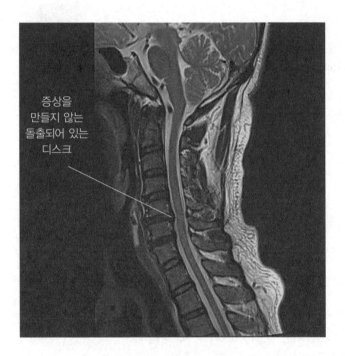

증상을
만들지 않는
돌출되어 있는
디스크

🔍 목과 어깨의 통증으로 내원한 52세 남자 환자의 목 MRI: 타병원에서 찍어온 MRI사진에서 디스크가 돌출된 모양이 보이지만 정상 퇴행변화에 의한 의미없는 디스크 돌출이었다. 이 환자의 통증은 근육통에서 유발된 것으로서 근육내 전기자극술과 재활운동치료로 3주 만에 회복되었다.

Q: 수일 전부터 오른쪽 뒷목과 어깨에 통증이 발생했습니다. 당장 MRI를 찍어봐야 할까요?

A: 우리나라는 MRI가 과하게 시행되는 경향이 있습니다. 단순히 목과 어깨의 통증만 있고 다른 신경학적 증상이 없다면, 재활치료를 6주 정도 이상은 시행해보고 증상 호전이 없을 때 시행해보는 것이 좋습니다.

　　MRI는 분명 굉장히 훌륭한 의료장비이긴 하지만, 아직 비싼 것이 흠이다. 단순히 뒷목 또는 어깨에만 통증이 있고 팔로 뻗치는 방사통이나 감각 이상 증상, 근마비 증상(팔이나 손의 힘이 약해지는 것) 등의 신경학적 증상들이 없으면, 최소한 6주 정도는 보존적 재활치료를 받으며 증상을 봐도 충분하다. 대부분은 6주 안에 증상이 회복되기 때문이다. 근육통이나 근막통 증후군에 의한 경우이면 더더욱 MRI의 시행이 필요 없다. 또한, 설령 목디스크가 의심된다 하더라도 통증만 있다면, 1~2개월 동안 보존적 재활치료를 시행해보는 것이 좋다. 증상의 호전이 전혀 없거나 본인의 상태가 궁금한 경우에는 미리 시행하는 것도 나쁘지는 않다. 그러나 MRI를 무조건 빨리 찍을 필요는 없다. 대부분의 목디스크 질환도 2~3개월 안에 호전된다. 그리고 MRI에 설령 디스크가 있다 하더라도 대부분의 목디스크 질환은 초기 치료로 물리치료와 같은 보존적 치료를 먼저 시행하므로, 치료에 있어서 특별히 달라질 것은 없다.

　　그러나 물론 방사통이 심하게 나타나고 감각 저하, 손이나 팔의 힘이 약해지는 등의 신경학적 증상이 나타나면, 바로 MRI를 촬영하여 정확한 진단을 해야 하는 것은 아무리 강조해도 지나치지 않다.

Q: 목디스크가 발병했을 때 치료는 어떻게 해야 하나요?

A: 수술을 고려해야 하는 몇 가지 경우를 제외하고는 먼저 비수술적인 치료로서 약물치료, 목 보조기, 올바른 자세 유지, 견인치료, 재활운동치료, 주사치료 등을 3개월 정도는 시행해봅니다. 증상 호전이 전혀 없는 경우 수술적 치료를 고려해볼 수 있습니다.

목디스크가 발병했을 경우 수술을 고려해봐야 하는 몇몇 경우를 제외하고는 먼저 비수술적인 치료를 적어도 3개월 정도는 시행해본다. 목디스크는 자가 치유질환(특별한 치료 없이 저절로 좋아지게 되는 것)이라고 말할 수 있을 정도로 통증에 대한 질환의 자연경과가 좋다. 통증이 심했던 목디스크 환자들 10명 중 4명은 수개월 후에 통증이 완전히 사라지게 되고, 3명에서는 경한 통증만 남게 된다. 목디스크 환자들을 5년 후에 조사해봤을 때 10명 중 9명에게서는 증상이 거의 없거나 경미한 정도로만 있었다. 그러나 재발은 흔해서 10명 중 3명에게서 통증이 다시 발생하게 된다.

보존적 치료의 목적은 간단하게 표현하면 통증 감소, 제한된 운동 기능의 호전, 재발 예방 세 가지이다. 통증 감소를 위해 약을 복용하게 되며, 통증이 약으로 조절이 잘되지 않을 때에는 경추경막 외 스테로이드 주입술을 시행할 수 있다. 이 주사 시술은 척수와 척추신경이 있는 부위 바로 옆까지 바늘을 삽입하여, 경막 외 공간에 강력한 항염증제인 스테로이드 약물을 주입하는 것이다. 보통 10명 중 6명 정도에서 장단기적으로 좋은 결과를 보여준다. 그러나 목 부위는 허리에 비해서 해부학적 구조 자체가 작기 때문에 시술이 좀 더 어려우며, 합병증이 드물기는 하지만 발생할 경우에는 사지마비 등 중대한 합병증이 발생할 수 있으므로 주의해서 시행해야 한다.

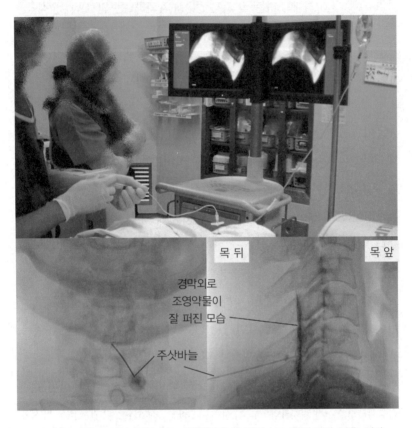

목 뒤

목 앞

경막외로
조영약물이
잘 퍼진 모습

주삿바늘

🔍 좌측 어깨와 팔의 통증으로 내원한 53세 목디스크 환자에게 경추 경막
외 스테로이드 주입술을 시행하는 모습.

목 보조기의 착용이 목디스크에 도움이 된다는 의학적인 근거는
없긴 하지만, 심리적인 안정감을 주고 보조기 착용 자체가 감각 피드
백을 형성하게 되어 목의 움직임을 줄이는 효과가 있다. 그러나 기억
해야 할 중요한 사항은 보조기를 오래 착용하게 되면, 목 주위 근육

의 근력 약화를 가져와 오히려 목의 건강에 해를 줄 수 있다는 점이다. 급성기에 심한 통증으로 착용하더라도 1~2주 이상은 넘지 않도록 해야 한다.

물리치료에서는 열전기치료와 함께 견인치료를 많이 시행하게 된다. 견인치료는 말 그대로 목을 전체적으로 당겨서 목 주위의 근육, 힘줄, 인대 등의 연부조직을 신장시키고 튀어나온 디스크가 작아지거나 들어가게 만드는 치료이다. 실제로 견인치료로 목을 당길 때 디스크의 크기가 감소하는 것을 보고한 연구도 있다. 그러나 견인치료의 효과에 있어서는 의학적 근거가 충분치 않은 상황이다. 실제로 목디스크 환자 중에 견인치료를 받고 증상 호전이 전혀 없는 사람도 있으며, 오히려 더 불편하다고 느끼는 사람들도 있다.

견인치료를 처음 받고 더 불편감을 느꼈다면 치료를 중단하면 된다.

Q 목디스크 환자에게 경추견인 치료를 시행하는 모습.

급성기의 심한 통증이 지나게 되면 재활운동치료를 시행하게 된다. 재활운동치료는 목과 어깨의 관절운동, 근육 강화운동, 유산소운동 등을 시행하는 것으로서 목의 정상적인 구조를 만들고 디스크에 가는 스트레스를 줄이며, 목을 안정화시켜 재발을 예방하는 목적으로 시행하게 된다. 재활운동치료 자체가 급성기의 디스크 통증을 줄여

주는 것은 아니다. 오히려 급성기에는 재활치료 없이 약물 등의 치료를 하면서 쉬는 것이 더 좋다.

Q&A

Q: 목디스크가 있습니다. 베개가 중요하다고 하는데 어떤 베개를 베고 자야 좋을 까요?

A: 디스크가 있든 없든 본인이 베고 수면을 취했을 때 제일 편하게 느끼는 베개가 제일 좋은 베개입니다. 그러나 목디스크 환자들의 경우에는 불편하지만 않다면 약간 높은 베개가 더 좋습니다.

베개의 선택은 목디스크 환자들이 아닌 보통 사람들에게서도 꽤 관심 있는 주제이다. 나 또한 지금까지 살아오면서 여러 번 베개를 바꿔보았고 1년 전 구입한 거위털 베개를 밤에는 내 몸의 일부처럼 생각하며 잘 애용하고 있다.

레지던트 수련 시절 피곤에 지쳐있는 나를 위해 어머니가 라텍스 베개를 나름 비싼 가격을 주고 사오셨다. 2~3일이 지난 후 뒷목에 뻐근한 통증이 발생했다. 피로를 풀어주기는커녕 나를 더 피곤하게 만들었다. 남들은 그렇게 좋아한다던 라텍스 베개를 나는 며칠 만에 휴지통에 넣어버렸다. 물론 이것은 전적으로 나의 경우로 라텍스 베개를 폄하하는 것이 아니다. 많은 사람들은 목에 좋다는 라텍스 베개를 잘 사용하고 있다.

또한, 대학교 시절 MT를 가서 술에 만취해 높은 베개를 베고 잔 적이 있었다. 그리고 그 다음 날 목을 돌릴 때마다 심한 근육통이 발생해서 한동안 고생한 적이 있었다. 근육통이 제대로 생기면 그 통증은 굉장히 심하다. 잠을 잘 못 자서 아침에 목과 어깨에 극심한 통증을 겪어 본 경우가 한 번씩 있을 것이다.

좋은 베개를 정확히 정의할 수는 없으며 좋은 베개에 대한 연구 또한 충분하지 않다. 일반적으로 좋은 베개는 베고 누웠을 때 양어깨가 편하게 바닥에 닿아야 하고 목 가운데 부분이 약간 들리는 베개이다. 너무 베개가 높아지면 목과 어깨의 근육이 긴장되어 스트레스를 받아 통증이 발생하기 쉽고, 너무 낮아지면 목뼈의 자연스러운 C자 커브 유지에 좋지 않을 것이며, 특히 옆으로 누웠을 때는 머리가 바닥으로 쳐지게 되어 목 주위 조직에 많은 스트레스를 주게 된다.

그러나 어디까지나 일반적인 이야기이다. 어떤 사람은 높은 베개를 좋아하고 어떤 사람은 낮은 베개를 좋아한다. 좋아한다는 이야기는 그만큼 그 사람에게는 편안함을 준다는 것이다. 우리 몸의 불편감과 통증은 유해자극으로부터 몸을 보호하기 위한 굉장히 세밀하고 민감한 경고 신호이다. 일단 몸이 불편하다거나 통증이 발생했다는 것은 그것이 근육이든 인대든 간에 스트레스가 가고 있다는 것을 의미한다. 일반적으로 좋은 베개라고 사람들이 이야기하고 많이 사용하더라도 본인에게 불편하다면, 그 베개는 본인에게 좋지 않은 베개이다.

목디스크 환자들에게도 마찬가지로 일단 본인이 베고 누웠을 때 편한 베개가 본인에게 제일 좋은 베개이다. 그러나 한 가지를 더 고려하는 것이 좋다. 우리의 목은 뒤로 젖혔을 때 신경이 나오는 구멍들이 작아지게 되고 앞으로 굽혔을 때 커지게 된다. 즉, 목이 뒤로 젖혀지게 되는 베개는 목디스크 환자들이 증상을 더 악화시킬 수 있다. 따라서 편안함을 주는 베개라는 전제 조건하에서 약간은 더 높아서 목이 조금이나마 앞으로 굽혀지는 베개가 더 좋다. 목베개라고 해서 목

뒤를 둥그렇게 만들어주는 베개가 있는데, 이 베개는 목뼈를 뒤로 젖혀지게 만들어서 신경이 나오는 구멍을 작아지게 만들 수 있으므로, 목디스크 환자들에게는 바람직하지 않다.

Q: 목디스크로 팔과 어깨에 통증이 있습니다. 튀어나온 디스크는 수술로 제거해주는 것이 좋을까요?

A: 목디스크 환자 10명 중 4명에서는 디스크의 크기가 시간이 가면서 저절로 줄어들게 됩니다. 또한, 비수술적 치료에도 목디스크에 의한 통증은 잘 회복이 됩니다. 목에는 의미 없는 디스크 돌출소견도 많기 때문에 특별하게 수술을 해야 할 경우가 아니라면, 꼭 제거해줄 필요는 없습니다.

아무런 증상이 없는 사람들 10명 중 8~9명에서는 목디스크가 돌출되거나 찢어지는 등의 이상소견이 발견된다. 일단 대부분의 디스크 돌출 소견은 정상 퇴행성 변화로 나타나는 소견이다. 또한, 목디스크로 인한 통증이 발생하여도 대부분은 수개월에 통증이 가라앉게 된다.

튀어나온 허리디스크는 시간이 흐르면서 대부분 저절로 크기가 줄어들게 된다. 허리디스크만큼은 아니지만 목디스크도 10명 중 4명 정도에서는 시간이 흐르면서 튀어나온 디스크 크기가 줄어든다. 목디스크 환자들은 허리디스크와는 달리 부드러운 디스크 물질이 나와서 병변을 만드는 경우가 더 적다. 보통 4명 중 1명에서만 부드러운 디스크(연성 디스크)가 튀어나오면서 증상을 만들게 되며, 나머지 3명 정도는 딱딱한 디스크, 인대 등의 조직들에 의해서 증상이 발생하게 된다. 이런 이유로 목디스크 환자들에서는 허리디스크 환자들보다 저절로 디스크가 흡수될 확률이 낮은 것이다.

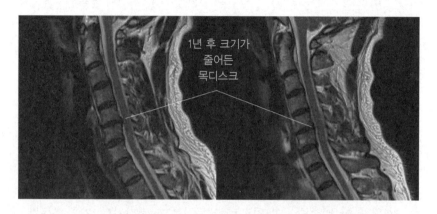

1년 후 크기가
줄어든
목디스크

🔍 오른쪽 어깨와 팔의 바깥쪽의 통증으로 내원한 40세 남자 환자의 1년 후 MRI 사진의 변화: 경추 5~6번 사이의 디스크가 작아진 모습을 보이고 있다.

목은 그 해부학적 특수성에 의해서 허리보다 수술의 위험성이 더 높다. 수술이 필요한 경우들이 있는데 그런 경우들을 제외하고는 적어도 3개월 정도는 비수술적인 치료들을 하면서 지켜보는 것이 좋다.

Q: 그럼 목디스크 수술은 어떤 경우에 해야 하나요?

A: 3개월 정도 비수술적인 치료를 했음에도 통증이 극심할 경우, 근육마비 증상이 계속 심해지는 경우, 척수신경이 눌리고 척수병증에 해당하는 증상이 나타나는 경우에는 수술해야 합니다. 또한, 기본적으로 CT나 MRI에서 신경이 주위 조직들에 의해서 눌리고 있는 모습이 저명하게 보여야 합니다.

수술이 필요한 경우에는 반드시 수술을 시행 받아야 더 심한 손상이나 장애를 예방할 수 있다. 목디스크 수술을 해야 할 경우도 허리디스크 때와 비슷하다.

3개월 동안 비수술적인 치료로 약물치료, 열전기치료, 재활운동치료, 주사치료 등을 시행 받아도 통증이 극심한 경우에는 수술을 고려해봐야 한다. 또한, 팔의 힘이 약해지는데 시간이 지나면서 점점 악화되는 경우도 수술적응증에 해당된다.

목디스크가 척수신경을 눌러서 척수병증의 증상이 나타나는 경우에도 수술을 시행해야 한다. 목디스크는 여러 가지 형태로 돌출되어 신경을 압박할 수 있다. 경추 척추신경을 눌러서 팔과 어깨 쪽으로 증상을 만들 수도 있지만, 가운데 부분으로 심하게 돌출되면 뇌로부터 이어지는 굵은 척수신경을 직접 압박하여 척수병증을 만들 수도 있다.

척수병증의 증상은 경미할 경우에는 처음에는 손에 이상감각이나 저린 감이 발생하게 되며, 진행하게 되면 단추 잠그기, 글쓰기 등의 세밀한 손동작에 이상이 발생하게 된다. 또한, 심해질수록 보행에 문제가 발생하여 처음에는 걷는 속도가 느려지는 것 같은 느낌이 들다가 악화되면, 실제로 균형감이 많이 저하되어 걸을 때 자주 휘청이게 되고 잘 넘어지게 된다. 또한, 실금(소변이 의도치 않게 나오는 것), 실변(대변이 의도치 않게 나오는 것)이 생기거나 반대로 소변이 잘 나오지 않는 등의 대소변 장애를 가져올 수도 있다.

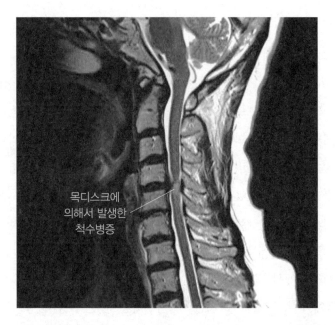

목디스크에 의해서 발생한 척수병증

Q. 손이 저리고 보행 이상으로 내원한 63세 여자 환자의 MRI사진 돌출된 디스크가 척수신경을 누르고 있는 모습이 관찰된다.

Q: 목디스크 수술은 위험하진 않나요? 발생할 수 있는 합병증엔 어떤 것
   들이 있나요?

A: 목디스크 수술의 합병증은 흔하지 않습니다. 그러나 척수 손상, 척추
   신경근 손상 등의 합병증을 일으킬 수는 있습니다.

목은 허리 수술보다 난이도가 높으며 합병증의 빈도가 좀 더 흔한
것으로 되어 있어 수술의 결정에 신중을 기해야 한다. 위에서 언급된
수술이 꼭 필요한 경우 외에는 일단 비수술적인 치료를 먼저 시행해
야 하고, 비수술적 치료에 실패한 경우에 목 수술을 고려한다.

목 수술 후 합병증에 대한 여러 연구 결과들을 종합해보면, 척수신
경의 손상으로 팔다리의 마비와 감각이상이 발생하는 경우가 100명
당 1명 미만에서 발생하며, 경추 신경근의 손상으로 팔에 부분적인
마비가 발생하거나 신경통이 발생하는 경우는 100명당 1~3명 정도
된다. 또한, 성대에 분지하여 말을 하게 하는 후두신경의 손상은 100
명당 1~3명에서 발생하며, 수술부위에 피가 고이는 혈종은 100명당
0~5명에서 발생한다. 목 수술 후 발생하는 삼킴 기능의 장애는 100
명당 0~10명 정도에서 발생하게 되는데, 수술 직후에는 매우 흔해서
2~3명당 1명꼴로 발생할 수 있는 것으로 보고되고 있다.

수술이라는 것은 일반 사람들이라면 누구나 두려워하는 침습적인
치료 방법이다. 일반 사람들이 잘못 알고 있는 것 중에 하나는 수술
하는 전문의들이 수술을 잘못했을 경우에 합병증이 발생하는 것으
로 알고 있지만, 사실은 그렇지 않다. 물론 의료사고라고 해서 수술을
잘못해서 합병증이 발생할 수 있지만, 아무리 수술을 훌륭하게 잘해
도 발생할 수 있는 것이 수술 후 합병증이다. 예전에 어떤 외과 선생

님의 하신 말씀이 떠오른다. 합병증이 많이 발생해도 문제가 있는 병원이지만 반대로 합병증이 너무 발생을 안 해도 문제가 있는 병원이라는 것이다. 다시 말해 합병증 발생률이 0%인 병원은 거짓말을 하는 병원이라는 것을 이야기하는 것이다. 의료사고와 수술 후 합병증은 절대 동의어가 아니다.

예전에 술자리에서 회사원인 친구와 이야기를 잠시 나눈 적이 있었다. 본인의 친척이 수술하다가 합병증이 발생하였는데, 모든 책임을 의사가 져야 한다는 이야기를 하였다. 의사들은 본인이 맡은 환자의 치료를 위해 최선을 다한다. 의과대학생 때 밤을 새우며 공부하고, 인턴, 레지던트 때 인간으로서는 도저히 버티기 힘들 것 같은 짧은 잠을 자며 배우고 공부했던 것을 가지고, 지금 이 순간 치료하고 있는 환자를 위해서 최선을 다한다. 이 세상 어느 의사가 자신의 환자들이 잘못되기를 바라겠는가? 자신이 치료 중인 환자에게 일부러 해를 입히는 의사는 없다. 합병증이라는 것은 분명 환자와 가족들에게는 불행한 일이다. 우리 가족에게 벌어진다고 생각하면 나 역시도 끔찍하다. 그렇지만 의사의 경우에도 마찬가지다. 합병증이 발생했을 경우 수술 의사가 감당해야 할 정신적인 스트레스는 이루 말할 수가 없다.

합병증이라는 것은 아무리 치료나 수술을 잘해도 통계적으로 일정 확률로 발생할 수밖에 없다. 만약 100번의 수술 중 1번꼴로 합병증이 발생하는 수술이 있다고 치자면, 같은 의사가 해당 수술을 100번 하였을 때 1번 정도는 필연적으로 합병증이 생기게 된다. 나는 재활의학과 의사로서 재활의학과는 수술을 하지 않는 과이다. 그래서 합병증의 경험을 그리 많이 하지는 않는다. 그러나 가끔씩 최선을 다했음에도 합병증이 발생하여 소송에 걸리거나, 물질적 정신적으로 고통받는 동료 의사들을 볼 때 마음이 아플 때가 많다. 물론 합병증이 발생한 환자나 가족들의 고통은 더 클 것이다. 사람을 치료하는 것은 항상 긴장이 넘친다. 난 가끔씩 자동차를 정비하시는 분들을 보면서 부러울 때가 있다. 자동차는 고장 난 부분을 기계적으로 깨끗이 갈아치우면 정상적으로 돌아갈 수 있고, 만약에 고치다가 잘못되었을 때는 무생물인 자동차 한 대를 새 차로 살 수도 있지만, 인간의 몸은 다양성이 너무 많고 아무리 노력한다 해도 확정할 수 없는 일들이 많이 발생한다.

수술 및 처치 과정에서 현대 의료 수준에 비해서 치명적인 오류가 있어 환자에게 해를 입힌 것은 의료사고이지만, 수술 및 처치과정에서 확률적으로 생길 수 있는 여러 가지 좋지 못한 결과들은 수술 후 합병증이다. 아무리 정성을 다해 수술을 시행하여도 확률적으로 발생이 가능한 것이 수술 후 합병증이기 때문에, 수술은 임상적 소견, 영상의학적 소견, 그리고 환자의 의사 등 여러 가지를 고려하여 신중하게 결정하여야만 한다. 물론 합병증의 발생률이 높지는 않고, 만약 발생할 경우에도 적절한 추후 처치가 이루어진다면, 치료 가능한 경우가 많기 때문에, 수술을 무조건 꺼릴 필요는 없다. 의학적으로는 이것을 'Risk and benefit'을 고려해서 결정한다고 한다. 즉, 결정을 하기 전에 득과 실을 따져서 결정하라는 것이다. 의학도 마찬가지로 인간이 하는 것이기 때문에 첨단 의료라 할지라도 일반적으로 생각하는 것처럼 완벽하지 않다. 그래서 수술을 결정할 때에도 이 원칙에 따르는 것이 좋다. 수술이 반드시 필요한 경우(앞서 말한 것처럼 통증이 극심하거나 마비 증상, 대소변 장애가 생긴 경우)에는 수술을 해서 장애를 예방할 수 있는 확률이 수술했을 때 합병증이 생길 확률보다 훨씬 높기 때문에, 이때에는 수술을 하는 것이 좋다. 그러나 수술을 하지 않아도 치료가 가능한 경우에는 수술보다는 합병증의 발생이 훨씬 적은 보존적 치료(물리치료, 약물치료, 재활운동치료)를 시행하는 것이 좋다.

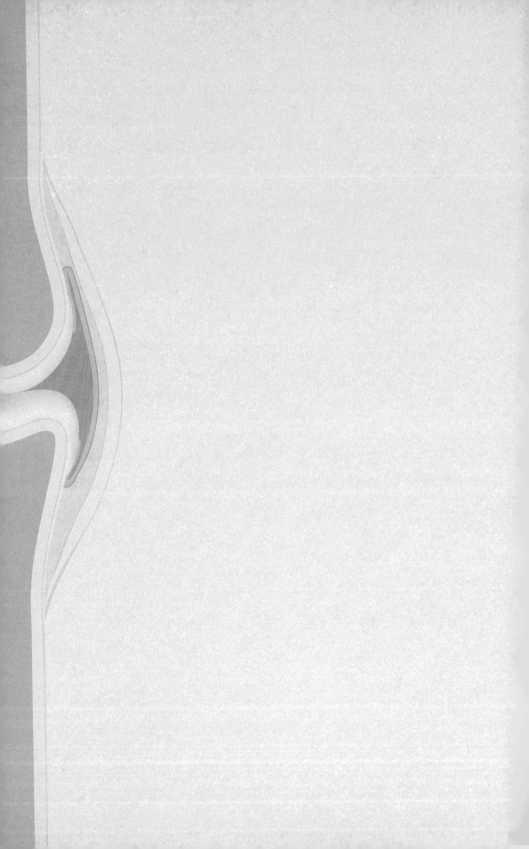

PART 3

무릎

퇴행성 관절염(= 골관절염)

수개월 전부터 등산을 가면 내려올 때 무릎이 좋지 않다는 느낌을 자주 받았습니다. 최근 들어 걸을 때는 괜찮은데 계단을 오르내릴 때 무릎에 통증이 느껴집니다.

Q&A

Q: 무릎의 퇴행성 관절염은 연골이 닳아서 없어지는 병이라고들 하는데, 구체적으로 어떤 질환인가요?

A: 일반적으로 쉽게 설명하기 위해서 연골이 닳아서 없어지는 병이라고 이야기를 합니다. 좀 더 자세히 설명하면 연골뿐만 아니라 연골 아래의 뼈, 관절을 싸고 있는 활액낭 등 무릎 안의 모든 구조물에 퇴행성 변화를 동반한 염증 소견이 있어, 병적반응을 일으키고 통증을 유발하게 되는 것입니다.

2012년 우리나라에서 무릎관절증으로 치료받은 사람이 대략 244만 명이었다. 이 중 50대 이상 환자는 222만 명에 달한다. 월별로 보면 활동이 가장 왕성한 5~6월에 가장 많은 사람이 병원을 찾았으며, 10월은 두 번째였다. 10월 역시 완연한 가을 날씨로 등산, 트래킹 등

야외 활동이 많은 달이다.

무릎 퇴행성 관절염은 관절연골, 연골 아래의 뼈, 관절을 싸고 있는 활액낭을 포함한 무릎관절에 퇴행성 변화를 동반한 염증반응을 일으켜 통증을 일으키는 질환이다. 무릎연골이 닳는다는 표현은 쉽게 이해시키고자 쓰는 말이다. 무릎연골은 부분적으로 손상되었을 경우, 다시 재생시킬 수 있는 자가치유능력이 있다. 이 자가치유능력이 연골이 손상되고 파괴되는 속도를 이기지 못하게 되면서 점차적으로 퇴행성 관절염이 발생하게 된다.

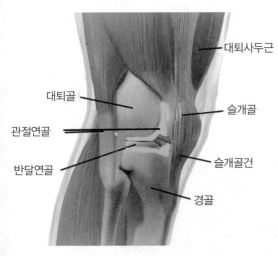

무릎 모식도

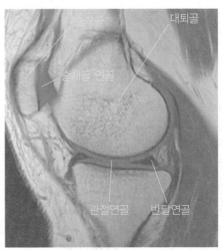

무릎 MRI 사진

우리의 무릎 안에는 두 가지의 연골이 있다. 하나는 관절연골로서 대퇴골과 경골에 직접 붙어있는 관절연골이며, 다른 하나는 두 뼈의 사이에 고무 패킹처럼 끼어있는 반달연골이다. 사람들이 퇴행성 관절염으로 연골이 닳았다고 하는 연골은, 바로 뼈에 붙어있는 관절연골을 말하는 것이다.

관절연골은 무릎이 움직일 때마다 마찰이 없이 부드럽고 자연스러운 관절 운동을 하게 해주며, 자전거를 타거나 뛸 때 관절에 가해지는 충격을 흡수하고 분산시켜주는 역할을 한다. 따라서 압박하는 힘에 잘 견디며 훌륭한 내구성을 지니고 있다. 관절연골은 생물학적으로는 혈관과 신경이 분포하지 않는다. 혈관이 없으니 관절연골이 살기 위해서는 확산으로 해서 영양분이 연골에 전해져야 하고, 신경이 없기 때문에 사실상 연골은 통증을 느끼지 못한다. 퇴행성 관절염 때 보통 사람들은 연골이 닳아서 아픈 것이라고 생각하지만, 실제로는 연골은 통증을 느끼지 못하는 구조물이다. 무릎 통증은 무릎을 둘러싸고 있는 활액낭과 지방조직, 연골 밑의 뼈에서 주로 발생하는 것이다.

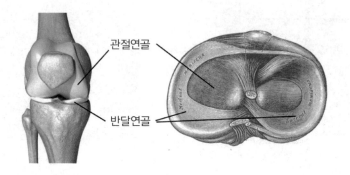

관절연골

반달연골

Q: 무릎의 퇴행성 관절염 진단은 어떻게 하나요?

A: 일단 무릎에 통증이 있어야 하는 것은 기본입니다. 그리고 여기에 퇴행성 관절염의 특징을 나타내는 소견이 3가지 이상 보이면 진단할 수 있습니다.

미국 류마티스 협회의 기준에 따르면 무릎 퇴행성 관절염으로 진단 내리기 위해서는 기본적으로 무릎에 통증은 있어야 한다. 여기에 덧붙여 나이가 50세 이상, 자고 일어나서 무릎의 뻣뻣함이 30분 이하로 지속, 무릎에서 소리가 나는 증상, 무릎뼈의 압통, 무릎뼈의 비대(정상보다 커짐을 뜻하는 의학 용어), 무릎에 열감이 없는 경우 중에 3가지 이상에 해당하는 경우 퇴행성 관절염으로 진단할 수 있다.

모든 기계는 반복적으로 오래 사용하면 마모되고 결국엔 고장이 나게 된다. 자동차의 경우 자동차의 연식도 중요하지만, 연식이 같은 자동차라도 매일 서울-부산을 운행한 차량은 일주일에 한 번 정도 시내 운행만 한 자동차보다 먼저 고장 나게 되어있다. 그러면 사람의

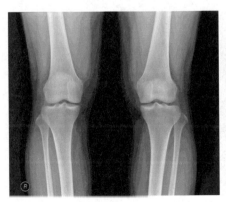
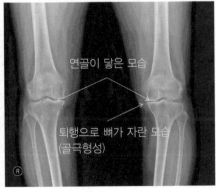

연골이 닳은 모습

퇴행으로 뼈가 자란 모습
(골극형성)

30세 여자의 건강한 무릎 모습(왼쪽)과 67세 여자 환자의 퇴행성 관절염(오른쪽)

몸도 과연 그런 것일까? 무릎을 많이 사용할수록 더 많이 마모되고 일찍 고장 나게 되는 것일까? 정확하지는 않지만, 정답은 '아니오'이다.

Q&A

Q: 퇴행성 관절염을 일으키는 원인은 무엇인가요?

A: 퇴행성이라는 말이 의미하는 바와 같이 제일 중요한 것은 노화에 의한 퇴행성 변화로 가장 중요한 것은 나이입니다. 또한, 무릎에 스트레스를 주게 되는 모든 것들이 원인이 될 수 있습니다. 동양의 좌식문화는 쪼그려 앉는 동작이 많아서 무릎의 건강에 해롭습니다.

퇴행성 관절염은 본인이 가지고 있는 무릎의 생물학적 건강 정도와 무릎에 스트레스가 가해지는 모든 것이 원인이 되어 발병하게 된다. 일단 누구나 노화가 되면 인체 구조물이 약해져 손상 받을 위험성이 커진다. 그러므로 가장 강력한 위험 요인은 나이이다. 또한, 유전적으로 연골이 약한 경우에는 똑같은 스트레스를 받아도 퇴행성 관절염이 발병할 위험이 높아지게 된다.

무릎의 구조적인 문제로 인해서 무릎에서의 충격완화가 잘되지 않았을 경우에도 퇴행성 관절염의 빈도를 높이게 된다. 다리 모양이 'O'자 형태로 생긴 오다리이거나, 'X'자 형태로 생긴 다리인 경우, 무릎관절에 가해지는 힘의 분배가 적절하지 않아 퇴행성 관절염이 발생할 위험성이 높아진다. 오다리로 인해서 상대적으로 젊은 나이에 퇴행성 관절염이 발생한 경우에는 수술을 통해서 오다리를 교정할 수도 있다.

전방십자인대 파열, 골절 등 무릎에 외상성 손상이 있었을 경우에는 무릎관절이 불안정해져서 퇴행성 관절염의 발병 위험성이 높아진다. 경첩이 헐렁해진 문을 계속 사용했을 때 금세 망가지는 것과 비슷한 이유이다. 이 외에 비만, 여성, 관절에 무리가 가는 일이나, 운동을 반복적으로 시행한 경우 등 다양한 원인에 의해서 퇴행성 관절염이 발생할 위험성은 높아진다.

엑스레이 검사를 해보면 일본, 한국 등 동양인들이 서양인들보다 무릎에 퇴행성 변화 정도가 2배 정도 더 심하며 빈도도 높다. 또한, 퇴행성 관절염으로 무릎 통증이 악화되는 경우도 2배 정도 더 흔하다. 동양인에서 무릎의 퇴행성 변화가 더 심한 것은 동양의 좌식문화에서 그 원인을 찾을 수 있다. 좌식문화로 쪼그려 앉는 자세를 많이 하다 보니 의자와 침대로 입식 생활을 주로 하는 서양인들보다 무릎에 스트레스가 더 많이 간 것이다. 쪼그려 앉는 동작처럼 무릎에 무리를 많이 주는 운동이나 일을 반복적으로 시행하는 경우 무릎의 퇴행성 관절염의 발생 가능성이 높아진다.

Q&A

Q: 무릎을 최대한 사용하지 않으면 퇴행성 관절염에 안 걸리나요?
A: 그렇지 않습니다. 무릎에 스트레스가 과도해도 좋지 않지만, 또한 무릎연골에 자극이 너무 없어도 무릎 건강에는 좋지 않습니다. 아낀다고만 좋은 것이 아닙니다. 항상 적절한 운동이 매우 중요합니다.

40대에 척수 손상으로 하반신 마비가 된 환자들의 무릎연골의 두께를 1년 후에 측정해보면 평균 10% 정도 연골의 두께가 얇아지고 2년이 지난 후에는 평균 20~25% 정도 연골의 두께가 얇아진다.

또한, 한쪽 발목의 골절로 7주 정도 동안 부분적으로만 체중을 주어 생활했을 경우, 무릎에 가장 중요한 근육으로 허벅지의 앞쪽에 크게 위치하고 있는 대퇴사두근의 크기가 골절이 안 된 다리에 비해 11%나 감소하고, 무릎연골은 평균 6~7% 정도 두께가 얇아진다. 그러나 골절이 없었던 반대쪽 다리는 무릎연골의 두께 변화가 없었다.

이상에서 알 수 있듯이 관절을 사용하지 않고 아끼는 것은 오히려 관절 건강에 해롭다. 건강한 무릎의 연골을 유지하기 위해서는 무릎에 어느 정도의 부하는 주어져야 하고, 관절의 움직임이 있어야 하는 것이다. 우리의 몸은 기계와 다르다. 기계는 사용하지 않을수록 마모가 적어지고 고장이 덜 나지만, 인간의 몸은 적절한 운동과 부하가 꼭 필요하다.

Q&A

Q: 조깅이나 달리기를 많이 하면 무릎 퇴행성 관절염이 발생할 위험이 높아지나요?

A: 그렇지 않습니다. 조깅이나 달리기는 무릎 퇴행성 관절염에 나쁜 영향을 끼치지 않습니다.

사람들이 가장 많이 하는 운동인 조깅이나 달리기 운동을 많이 했을 경우 무릎의 퇴행성 변화가 빨리 오고, 퇴행성 관절염이 더 많이 발생하는 것일까? 이에 대한 연구는 대상자들을 12~18년까지 오랜 기간 추적하여 시행된 연구를 포함하여 많다. 결론적으로 조깅이나 달리기는 퇴행성 관절염의 발생에 아무런 영향을 끼치지 못한다. 오히려 조깅이나 달리기를 습관화하여 운동한 경우 골밀도가 증가하여 뼈가 더 튼튼해지고, 다른 신체적 장해나 손상이 덜 발생하게 된다.

또한, 운동 능력은 당연히 좋아진다.

Q 조깅이나 달리기를 많이 하는 것은 퇴행성 관절염의 위험 요인이 아니다.
특별한 외상만 없다면 무릎은 오히려 더 건강해질 수 있다.

일주일에 50~100km, 하루에 평균 10km 이상을 뛰는 사람들과 거
의 달리기 운동을 하지 않는 사람들을 비교해보았을 때, 퇴행성 관절
염의 발생에 차이가 없었다. 오히려 달리기 선수들이 일반 사람들에
비해 퇴행성 관절염에 적게 걸린다. 또한, 퇴행성 관절염이 없는 50대
중반의 보통 사람들이 일주일에 10km 이상씩 달리기를 10년 동안 하
여도, 달리기 운동을 거의 하지 않는 사람과 비교해볼 때 무릎에 나
쁜 영향을 주지 않았다. 오히려 무릎연골이 더 튼튼해졌다는 연구 결
과도 많다. 그렇지만 이미 퇴행성 관절염이 발생한 경우에는 달리기
가 좋지 않은 영향을 미칠 수 있다는 사실은 염두에 두어야 한다.

Q: 축구 같은 격렬한 스포츠 운동을 많이 하면 퇴행성 관절염이 발생할 확률이 높아지나요?

A: 그렇지 않습니다. 격렬한 스포츠 운동도 무릎에 부상을 당하지 않는다면, 무릎 퇴행성 관절염의 발병 위험을 높이지 않습니다.

스포츠가 퇴행성 관절염에 미치는 영향을 조사해본 연구가 있었는데 달리기, 헬스, 축구, 배구 등 여러 종류의 스포츠는 퇴행성 관절염의 발병에 악영향을 주지 않았다. 건강한 무릎을 가지고 있는 사람이 조깅, 댄스, 테니스 등 활발하게 움직이는 운동을 했을 경우, 운동을 시행하지 않은 사람에 비해 무릎연골의 두께가 더 두꺼웠고 연골손상이 발생할 위험도는 더 낮았다.

스포츠 운동 중에서 경우 조깅, 수영, 스키와 같이 급격한 방향 전환이 많지 않은 운동과 비교했을 때 축구, 농구, 테니스 등과 같이 방향 전환이 많고 격렬한 운동은 엑스레이 검사에서 무릎의 퇴행성 변화를 촉진시키지만, 퇴행성 관절염의 발병에는 영향을 주지는 않는다. 엑스레이 검사에서 보이는 퇴행성 변화와 병으로서 일컬어지는 무릎에 통증이 발생한 퇴행성 관절염은 엄연히 다르다. 즉, 축구, 농구 등의 격렬한 운동은 병으로서 무릎에 통증을 유발하는 퇴행성 관절염의 위험성을 높이지 않는다.

그러나 격렬한 운동을 하다가 전방십자인대 손상, 반달연골 파열 등 무릎에 손상을 입은 경우에는 이야기가 달라진다. 무릎관절은 무릎을 구성하는 전방십자인대, 반달연골, 관절연골 등의 구조물들이 모두 정상이었을 때 안정적이고 부드럽게 작동될 수 있다. 축구 등의 운동을 하다가 무릎을 다쳐 전방십자인대 파열, 반달연골 파열 등 무릎의 움직임에 안정성을 유지시켜 주는 구조물이 손상된다면, 퇴행성 관절염이 발병할 위험성은 훨씬 높아진다.

문을 부드럽게 여닫게 해주는 경첩의 나사가 빠지거나 철판의 한곳에 균열이 생기면, 그 문은 안정성을 잃어 삐걱거리며 점차 망가질 것이다. 그 문을 자주 사용하면 할수록 경첩과 문은 점점 심하게 망가지게 된다. 무릎도 경첩이 달린 문과 비슷하다. 격렬한 운동도 분명 다리의 근력과 근육의 협응능력, 민첩성, 심폐지구력 등을 향상시켜 몸의 건강에 유익하다. 그러나 외상이나 부상으로 무릎에 손상을 주지 않고 운동하는 것이 중요하다.

Q 무릎관절은 경첩이 달린 문과 비슷하다. 경첩이 망가져 흔들리게 되면 결국 문이 망가질 위험성이 높아진다. 무릎의 인대, 연골 등이 손상되면 무릎관절이 망가져 퇴행성 관절염이 올 위험성이 높아진다.

축구 같은 격렬한 운동은 어쩔 수 없이 가끔씩은 부상을 수반하게 마련이다. 내 진료실에도 축구를 하다가 전방십자인대파열, 반달연골파열 등의 손상을 당하여 내원하는 사람들이 꽤 많다. 이런 경우에는 퇴행성 관절염이 발생할 위험도가 많이 올라가게 되므로, 적극적인 재활치료를 시행하여 무릎의 근력을 키우고, 고유위치감각과 균형감각을 향상시키는 것이 무릎의 건강을 위해서 필수적이다.

Q: 무릎 엑스레이를 찍어봤는데 퇴행성 변화가 보인다고 합니다. 내 무
   릎에 퇴행성 관절염이 발병한 건가요?

A: 그렇지 않습니다. 우리 몸의 퇴행성 변화는 온몸에서 다 일어나게 되
   어 있습니다. 정상적인 과정이라는 것입니다. 퇴행성 변화의 모습이
   통증 등의 증상과 일치할 때 퇴행성 관절염으로 진단하는 것입니다.
   X-ray, MRI, CT 등 영상소견만 가지고 병을 진단하면 안 됩니다. 보
   이는 것이 전부가 아닙니다.

X-ray, MRI, CT 등의 영상검사만을 가지고 병을 진단하면 안 된다
는 것은 환자뿐 아니라 의사들에게도 굉장히 중요한 이야기이다. 물
론 X-ray, MRI, CT가 중요한 정보들을 제공하여 진단에 큰 도움을
주는 것은 사실이다. 그러나 영상검사를 통한 사진들보다, 환자가 말
하는 증상과 의사가 환자의 몸을 검사해가면서 찾아내는 증후들이
진단에 있어 더 중요하다.

무릎의 경우 엑스레이에서 매년 사람들의 2~4%에서 퇴행성 관절
소견이 새로 관찰되지만, 이 중에서 무릎 통증이 발생해서 실제 병적
인 퇴행성 관절염으로 진단되는 경우는 이것의 반밖에 되지 않는다.

65세 이상의 노인 10명 중 9명 이상에서 엑스레이를 찍어보면 퇴행
성 변화가 관찰된다. 그러나 엑스레이 사진에서 퇴행성 관절 소견이
있는 10명 중 5명 정도에서는 무릎에 통증이 전혀 없다. 엑스레이에
서 보이는 퇴행성 변화와 퇴행성 관절염을 동일한 것으로 생각하면
안 된다. 이 세상을 살아가는 모든 사람들이 영원히 젊은 시절 20대
때의 무릎 모양을 평생 유지할 수 없다. 누구나 세월이 가며 노화라
는 과정을 피해 갈 수 없기 때문이다. 모든 사람들이 나이가 들면 엑

스레이 검사에서 무릎의 퇴행성 변화 모습이 관찰된다. 그러나 통증 등의 특이 증상이 없다면, 이는 진정한 병으로서의 퇴행성 관절염이 아니다.

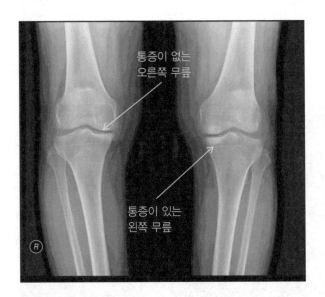

통증이 없는
오른쪽 무릎

통증이 있는
왼쪽 무릎

Q 왼쪽 무릎에 통증이 있는 67세 여자 환자의 엑스레이 사진. 엑스레이상 양쪽 무릎 모두에서 2단계 이상의 퇴행성 관절 소견이 보이지만 오른쪽 무릎에는 통증이 없었고 왼쪽 무릎에만 통증이 있었다.

그렇다고 영상의학적인 검사의 중요성을 무시할 수는 없다. MRI 를 시행하면 실제 무릎관절연골의 손상 정도와 그 위치를 알 수 있 다. 아무런 통증이 없는 중년들의 무릎을 MRI로 찍어보면 50% 이상 에서 연골 손상이 발견된다. 그리고 이렇게 연골 손상이 있었던 사람 들은 없던 사람들에 비해서 시간이 갈수록 연골이 빨리 닳게 되고, 퇴행성 관절염에 이환될 위험성이 더 높아진다. 엑스레이에서 퇴행성 변화가 나타나기 시작하면 그것은 이미 무릎관절연골의 10~15% 정도는 이미 잃었다고 봐야 한다. MRI가 비싸기는 하지만 엑스레이보다 더 빨리 연골의 퇴행성 변화 등 이상소견을 발견해낼 수 있는 장점이 있다. MRI상 연골 손상이 발견되었을 경우에는 재활의학과 의사 등 무릎을 전문적으로 보는 전문의를 찾아가 일찍 관리하게 되면, 무릎을 건강하게 지킬 수 있을 것이다.

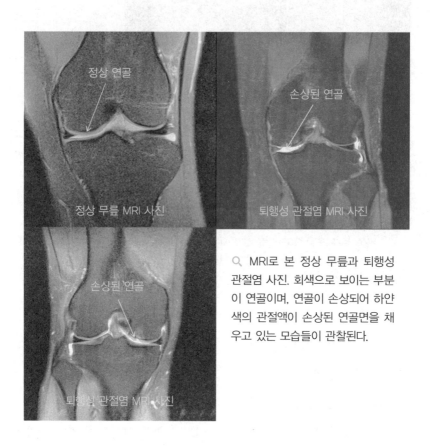

정상 연골

손상된 연골

정상 무릎 MRI 사진

퇴행성 관절염 MRI 사진

손상된 연골

퇴행성 관절염 MRI 사진

🔍 MRI로 본 정상 무릎과 퇴행성 관절염 사진. 회색으로 보이는 부분이 연골이며, 연골이 손상되어 하얀색의 관절액이 손상된 연골면을 채우고 있는 모습들이 관찰된다.

영상검사들이 무릎의 상태 파악에 큰 도움을 주는 것은 맞지만, 영상 소견만 가지고 퇴행성 관절염을 진단하고 치료 방법을 결정하면 안 된다. 엑스레이 검사에서는 심해 보이지만, 큰 통증 없이 잘 살아가는 환자들을 진료실에서 적지 않게 경험한다. 그래서 의학은 어려우며 임상적인 경험이 중요하다. 그래서 의과대학교 때 2년 실습을 하고도, 인턴과 레지던트로 심신이 지치고 피곤한 5년을 보내야 하는 것 같다. 이것도 부족해 최근에는 펠로우(임상강사)라고 해서 추가로 1~2년을 더 수련하기도 한다. 환자들을 진료할 때면 오감을 다 발휘해야 한다. 환자들의 이야기를 주위 깊게 경청하며 아픈 부위부터 얼굴의 표정 하나까지도 유심히 살핀다. 그리고 촉진 등 신체검진을 통해서 더 자세하게 구체적으로 질환을 찾아 나간다. 동시에 머릿속에서 수많은 지식적 경험적 정보들을 조합하고 처리하면서, 진단과 치료방법에 대해서 정리를 하기 시작한다. 그래서 의학은 예술이다.

Q&A

Q: 공장에서 노동직으로 일을 하고 있습니다. 나의 직업이 퇴행성 관절염에 나쁜 영향을 주게 될까요?

A: 그렇지 않습니다. 노동직, 사무직 등 보통의 직업들은 무릎의 퇴행성 관절염에 큰 영향을 주지 않습니다. 다만, 쪼그려 앉고 일어서는 동작이 많은 일들과 가사 노동은 퇴행성 관절염에 안 좋은 영향을 주게 됩니다.

무릎 퇴행성 관절염으로 진료실을 찾는 환자들은 대부분 60·70대의 여자들이다. 앉아서 일하는 사무직, 공장 등에서 주로 육체를 사용하는 노동직, 집안일을 주로 하는 가정주부, 세 가지로 직업군을 분류하여 직업이 퇴행성 관절염에 미치는 영향을 조사했던 외국의 한 연구가 있었는데, 재미있게도 퇴행성 관절염이 가장 많이 발생한 직업군은 가정주부였다. 사무직, 노동직보다 퇴행성 관절염이 가정주부에서 1.7배 더 많이 발생하였다. 이 연구에서의 가정주부는 좌식생활을 주로 하는 동양인 가정주부였다.

육체노동으로 일하는 노동직이 무릎을 더 많이 사용하여 퇴행성 관절염이 더 많이 발생할 것이라 생각하기 쉽지만, 격렬한 운동이라도 무릎 부상만 없다면 퇴행성 관절염의 발병할 위험성에 영향을 끼치지 않는다는 결과와 비슷하게, 노동직이라고 해서 퇴행성 관절염이 발병할 위험성이 더 높지는 않았다. 좌식생활 문화권에서 쪼그려 앉는 자세로 집안일을 많이 하는 주부에게서 퇴행성 관절염이 더 많이 발생하는 것은 주의 깊게 볼만하다. 무릎은 쪼그려 앉을 때에 가장 많은 힘을 받게 되어 있다. 그만큼 연골에 스트레스가 많이 가는 것이다.

Q 쪼그려 앉는 자세는 무릎의 건강에 좋지 않다.

삶 속에서 지속적으로 이루어지는 활동 중 서 있기, 평지 걷기, 경사로 걷기, 바닥에 앉아 있기, 의자에 앉아있기, 쪼그려 앉기, 무릎 구부리기, 자전거타기, 2kg 이상의 물체 들기, 계단 오르기 등이 퇴행성 관절염에 미치는 영향을 조사해본 흥미로운 연구가 있었다. 이 연구에서는 하루에 1~2시간 평지를 걷는 사람들이 1시간 이하로 걷는 사람들보다 퇴행성 관절염 발생이 적었고, 하루에 1~2시간 정도 의자에 앉아있는 경우가 1시간 이하로 앉아 있거나 2시간 이상 앉아 있는 경우보다 퇴행성 관절염에 걸릴 위험성이 반 정도 작았다. 또한, 하루에 30분 이상 쪼그려 앉아 있거나 무릎을 구부리는 생활을 하는 경우 퇴행성 관절염의 위험도가 1.5배 정도 높았다.

Q&A

Q: 비만은 퇴행성 관절염에 안 좋다는 얘기를 많이 들었는데, 의학적으로 진짜 그런가요?

A: 그렇습니다. 과체중은 퇴행성 관절염의 주요한 위험요인입니다.

비만 시에 무릎관절에 스트레스가 더 많이 걸리는 것은 상식적으로 당연하다. 사람이 가만히 서 있을 때는 체중의 2배 정도 하중이 무릎에 걸리게 되며 걸을 때는 3배 정도의 하중이 무릎에 가해진다. 그렇지만 무릎관절에 가해지는 하중을 모두 다 연골이 다 받는 것은 아니다. 무릎에 가는 하중은 연골뿐만 아니라 허벅지 앞쪽의 대퇴사두근, 반달연골, 여러 인대들에 분산된다. 그렇기 때문에 무릎이 건강한 사람들에서는 3배의 하중이 무릎관절에 가해진다 하더라도, 무릎에 전혀 문제가 되지는 않는다.

계단을 올라갈 때는 체중의 4배, 계단을 내려올 때는 8배 정도의 하중을 받게 된다. 그래서 퇴행성 관절염 환자들은 계단을 내려올 때 올라갈 때보다 무릎의 통증을 더 많이 호소한다. 본인 키에 맞는 이상적인 체중을 넘어서서 1kg씩 몸무게가 늘 때마다 무릎에 걸리는 하중은 2~3배씩 증가하게 되며, 쪼그려 앉아 있을 때는 체중의 10배에 달하는 하중이 가해진다. 이런 이유로 위에서 설명한 것처럼 쪼그려 앉는 생활을 많이 하는 동양 가정주부에서 퇴행성 관절염의 위험성이 높은 것이다. 체중이 많이 나기고 쪼그려 앉는 생활을 많이 할수록, 무릎관절의 퇴행성 변화와 연골 손상은 더 심하게 더 빨리 악화된다.

Q: 퇴행성 관절염은 시간이 지날수록 더 심해지나요? 좋아질 수도 있을까요?

A: 퇴행성 관절염의 연골상태는 시간이 지나면서 악화될 수도 있고 호전될 수도 있습니다. 그러나 현재 무릎의 퇴행성 변화가 심할수록 좋아질 가능성은 낮습니다.

세상의 어떤 사람도 시간이 지날수록 젊어지는 사람은 없다. 젊어서 매우 건강했던 무릎이라도 노화가 진행되며, 퇴행성 변화가 오는 것은 피할 수 없으며 그중에 상당수는 퇴행성 관절염이 발생하게 된다. 정상적인 관절도 퇴행성 변화를 겪어 관절의 건강이 저하되는 것이 당연하므로, 퇴행성 관절염이 발병한 관절도 시간이 지나면서 더 악화될 개연성이 크다. 그러나 무릎의 연골은 재생 능력을 가지고 있다. 퇴행성 관절염 발병 초기에 관리를 잘하게 되면 좋아질 수도 있다. 퇴행성 관절염의 연골상태는 시간이 지나면서 악화될 수도 있고 호전될 수도 있다.

퇴행성 관절염이 발병한 무릎연골이 시간이 흐름에 따라 어떻게 변하는지에 대한 여러 연구들이 있었다. 시간이 지나도 환자 대부분에게서 연골이 거의 변하지 않았다는 보고도 있었으며, 10명당 3명 정도는 악화되고, 3명 정도는 호전됐다는 보고도 있었다. 또한, MRI를 이용하여 연골의 상태를 2년 동안 관찰한 어느 연구에서는 10명 중 8명은 연골의 상태가 악화되었고, 2명 정도에는 변함이 없거나 좋아졌다고 하였다.

현재 무릎 상태가 좋지 않을수록 무릎은 더욱더 빨리 망가진다. 엑스레이 사진만 가지고 무릎의 퇴행성 변화를 1~4단계까지 분류할 수 있다. 퇴행성 변화가 없거나 1~2단계의 퇴행성 변화가 있는 무릎은 시간이 지나도 연골의 소실이 거의 되지 않지만, 3~4단계로 퇴행성 변화가 커질수록 연골의 소실은 훨씬 더 많아지게 된다는 보고가 있었다.

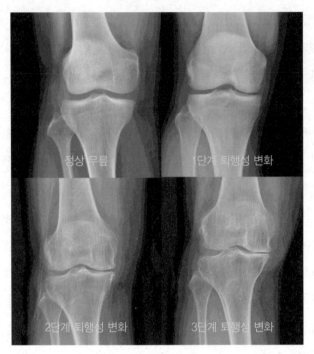

엑스레이상 퇴행성 관절염 변화 단계

우리 몸의 연골은 스스로 재생될 수 있는 능력을 가지고 있다. 그리고 그 자가재생능력으로 인한 회복의 가능성은 연골 손상된 부위가 작고 초기일수록 크다. 댐에 난 작은 구멍이 결국 댐을 붕괴시킬 수 있다. 조기에 문제를 발견하고 잘 관리하여 무릎이 더 파괴되는 것을 예방하는 것이 현명하다.

무릎 연골에 손상이 있었던 환자들을 대상으로 2년 후에 연골의 상태를 다시 검사해보면, 평균 45세였던 환자들의 20%에서는 악화되었고 20%에서는 연골상태가 좋아졌다. 반면에 평균 57~64세의 환자들의 경우에는 3명 중 2명에서 연골상태가 악화되었고 10% 정도에서만 연골이 상태가 호전되었다. 무릎에 이상 신호가 감지되었을 경우 빨리 전문의의 진료를 받고, 적절한 치료를 받아야 더 많은 연골의 손상을 예방할 수 있다. 더욱이 발견과 관리가 빠를수록 자가재생능력으로 인한 연골의 회복 가능성도 커진다.

Q&A

Q: 65세인 어머니가 무릎 퇴행성 관절염 증상으로 MRI를 찍었는데, 반달연골과 전방십자인대 파열이 있다고 합니다. 치료해야 할까요?

A: 퇴행성 관절염이 있는 사람에게서 반달연골 파열과 전방십자인대파열은 흔하게 동반됩니다. 따라서 반달연골 파열이나 전방십자인대 파열의 명확한 증상이 아니면, 대부분 무의미하여 치료할 필요가 없습니다.

퇴행성 관절염 환자 10명에서 6~7명은 작든 크든 반달연골이 찢어져 있다. 또한, 퇴행성 관절염 환자의 대부분에게서 전방십자인대 부분파열 소견이 관찰되며, 10명 중 2~3명에서는 전방십자인대가 완전히 끊어져 있다. 퇴행성 관절염이 진행하면서 무릎관절 안에 있는 반달연골과 전방십자인대도, 퇴행성 염증 변화를 겪게 되어 손상된 모습이 관찰되는 것이다. 오래된 노끈이 헤져 끊어지는 것과 비슷한 이치이다.

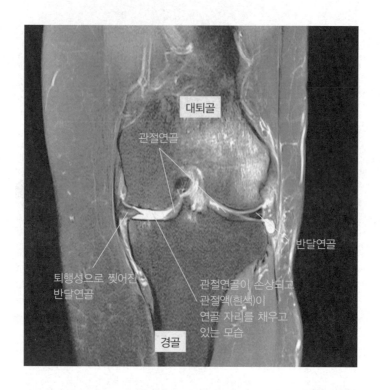

대퇴골

관절연골

반달연골

퇴행성으로 찢어진
반달연골

관절연골이 손상되고
관절액(흰색)이
연골 자리를 채우고
있는 모습

경골

🔍 퇴행성 관절염이 발생한 67세 여자 환자의 무릎 MRI 사진. 반달연골파열의 증상은 없었지만, 검사상에는 반달연골파열 모습이 관찰된다. 퇴행성 파열 소견으로 큰 의미가 없는 소견이다.

퇴행성 관절염이 진행되어 무릎 안에 염증반응이 지속적으로 발생하게 되면, 이로 인해 무릎 안의 반달연골과 전방십자인대 손상이 발생하게 된다. 이와 반대로 무릎 안에 있는 반달연골과 십자인대가 손상되면서 무릎이 불안정해지고, 이로 인해 퇴행성 관절염이 발생할 수도 있다.

퇴행성 관절염과는 별개로 반달연골과 전방십자인대의 손상이 무릎 통증과 기능 저하에 주된 원인인 경우에는 당연히 치료해야 한다.

그러나 퇴행성 관절염이 있는 환자들의 경우 반달연골이나 전방십자
인대파열은 흔하게 동반되는 소견이므로, 특별한 증상이 보이지 않
는다면 크게 의미를 둘 필요가 없으며, 이에 대한 치료도 물론 필요
없다.

Q&A

Q: 퇴행성 관절염이 완치될 수 있을까요?

A: 사람은 다시 젊어질 수 없기 때문에 퇴행성 관절염의 완치라는 것은
불가능합니다. 그렇지만 통증과 기능은 호전시킬 수 있습니다. 조기에
교육과 재활운동을 통해 잘 관리할 경우 인공관절 수술을 시행하지
않고 평생을 살아갈 수 있습니다.

퇴행성이라는 말은 이미 다시 젊어지지 않는 이상 완전한 치료가
힘들다는 뜻을 내포하고 있다. 현대 의학에서는 다시 젊어지게 만들
어주는 치료는 없으며 미래에도 그것은 불가능하리라는 것이 나의
생각이다.

퇴행성 관절염의 치료 목표는 통증을 경감시키고 일상생활을 하는
데에 좀 더 수월하게 무릎을 사용할 수 있도록 해주는 것이다. 퇴행
성 관절염의 치료는 비수술적 치료와 수술적 치료가 있다.

퇴행성 관절염의 발병 초기에는 비수술적인 치료로 약물치료, 물리
치료, 재활운동치료를 시행하게 된다. 관절염이 더 악화되면 다음 단
계로 무릎관절 내에 주사치료를 시행한다. 그리고 주사치료도도 통
증의 조절이 잘되지 않고 일상생활에 심한 장애가 발생하게 되면, 마
지막 단계로 수술치료를 하게 된다.

앞에서 언급했던 것처럼 퇴행성 관절염이 발병한 무릎은 똑같은 무릎의 스트레스에도 더 심하게 관절이 손상 받게 되므로, 일상생활에서 무릎관절에 스트레스를 주는 활동들에 대한 주의가 요구되며 생활 방식의 변경이 필요하다. 먼저 방바닥에 앉아서 생활하는 동양의 좌식문화생활을 바꾸어 의자와 침대를 주로 사용하는 입식 생활로 바꿔야 한다. 또한, 쪼그려 앉는 동작을 피해야 하고, 과체중이라면 무조건 다이어트에 돌입해 체중을 감량해야 한다.

Q & A

Q: 열전기치료는 무릎 퇴행성 관절염 치료에 실제로 도움이 되나요?

A: 열전기치료는 그 효과가 드라마틱하게 크지는 않지만 분명 효과는 있습니다.

퇴행성 관절염이 있는 환자분들 중에 열전기치료를 받아보지 않은 사람은 없을 것이다. 요즘 시골에 가면 무릎, 허리가 아픈 어르신들이 아침부터 물리치료를 받기 위해 번호표를 뽑고 기다리는 진풍경이 벌어지기도 한다. 매일마다 병원으로 출근한다는 농담 섞인 이야기도 들리곤 한다.

열전기치료에는 핫팩, 냉찜질팩, 초음파, 초단파, 극초단파, 경피적 전기자극치료, 월풀, 유속치료, 파라핀, 레이저 등등 여러 가지가 있다. 목, 허리, 어깨 등 우리 몸의 근골격계 질환이 있을 때 기본적으로 빠지지 않는 것이 물리치료이다.

많은 환자들이 받을 때는 좋은데 치료를 받지 않으면 다시 무릎이 아파진다고 얘기를 한다. 열전기치료들은 통증의 완화나 근경직 완화, 부종 완화 등에 도움을 줄 수 있다. 열전기치료 효과에 대한 많은 연구들을 종합해보면 열전기치료는 효과는 있지만, 그 효과가 드라마틱하게 크지는 않다. 그리고 여러 가지 종류가 있지만, 특별한 어느 한 가지가 퇴행성 관절염에 더 좋지는 않고 다 비슷비슷한 정도라고 생각하면 된다. 조금씩 도움이 되는 치료들이 모이면 최대의 효과를 발휘할 수 있는 것이므로 운동치료, 약물치료와 함께 열전기치료, 또한 같이 받는 것이 안 받는 것보다는 분명히 효과적인 측면에서는 좋을 것이라 생각된다.

Q & A

Q: 대퇴사두근 근력 강화운동은 무릎 통증에 도움이 될까?
A: 대퇴사두근 근력 강화운동을 꾸준히 시행한 경우 무릎 통증 감소에 많은 도움이 되며, 퇴행성 관절염의 진행을 더디게 해줍니다.

퇴행성 관절염 시 열전기치료와 함께 꼭 같이 이루어져야 할 치료는 재활운동치료이다. 요즘 우리나라의 많은 병원들에서 열전기치료들을 구비하고 있지만, 제대로 된 재활운동치료는 시행하지 않는 경우가 많다. 치료에 있어서 열전기치료가 준비운동이었다면, 재활운동치료는 본 운동이 되는 것으로 훨씬 더 그 중요성이 크다. 퇴행성 관절의 재활운동에는 관절운동, 유연성 운동, 고유위치감각운동, 유산소 운동, 수중운동, 근육 강화운동(특히, 대퇴사두근 근력 강화운동)이 있다.

무릎 퇴행성 관절염으로 병원을 찾으면 기본적으로 교육받는 운동이 대퇴사두근 강화운동이다. 대퇴사두근은 허벅지 앞쪽에 고관

전부터 무릎까지 위치한 크고 넓은 근육을 말한다. 이 근육은 골반에서 무릎 밑쪽 다리뼈까지 이어져 있어 기능적으로 무릎의 안정성에 기여하며, 보행 시 무릎의 충격을 흡수하는 역할을 담당한다. 퇴행성 관절염의 예방과 치료에 가장 중요한 근육이다. 헐렁하여 안정되지 못한 톱니바퀴가 먼저 망가지고, 튼튼하게 고정되지 않은 문의 경첩이 쉽게 망가지는 것처럼 근력이 약하여 무릎의 안정성이 떨어지면, 무릎의 손상은 가속화되고 퇴행성 관절염의 발병 위험성은 높아진다.

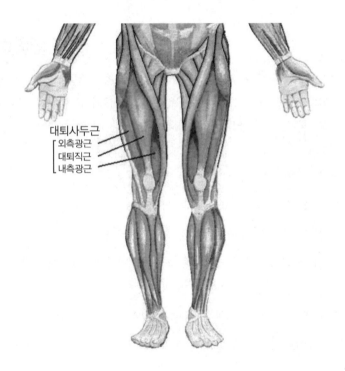

대퇴사두근
ㅏ 외측광근
├ 대퇴직근
ㄴ 내측광근

Q 대퇴사두근의 모양. 대퇴사두근 대퇴직근, 외측광근, 내측광근, 중간광근의 4개의 근육이 모인 근육을 말한다. 대퇴사두근이 튼튼하면 무릎관절의 안정성이 높아지며, 활동 시 무릎에 가는 스트레스를 흡수해준다.

쪼그려 앉기나 계단을 내려올 때는 우리 몸 체중의 8~10배에 달하는 하중이 무릎에 전달된다. 이때 이 하중을 잘 흡수해주어서 완충 작용을 해주는 것이 대퇴사두근의 중요한 역할 중 하나이다. 진료실에서 대퇴사두근이 잘 발달된 사람들이 퇴행성 관절염으로 오는 경우는 실제로 거의 볼 수 없다. 대부분은 근육이 별로 없는 사람들, 특히 60대의 여자 분들이 무릎 통증으로 주로 외래를 찾는다.

퇴행성 관절염의 예방을 위해서 대퇴사두근의 근력 운동은 중요하지만, 이미 발생한 경우에도 대퇴사두근의 근력 강화운동은 중요하다. 대퇴사두근의 근력을 키우고 근육의 부피를 키우면 무릎 통증이 완화되고, 퇴행성 관절염이 더 진행하는 것을 어느 정도 예방할 수 있다. 퇴행성 관절염이 있는 환자들에게 대퇴사두근 운동을 시키고, MRI를 이용해서 대퇴사두근의 근육 면적과 무릎 통증 및 퇴행성 변화 정도를 연구한 것이 있었다. 4년 동안 꾸준한 운동을 통하여 대퇴사두근의 단면적이 커진 경우, 무릎 통증이 감소했으며 관절의 퇴행성 변화가 의미 있게 감소하였다.

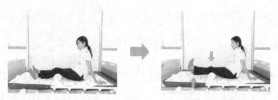

Q 대퇴강화운동: 무릎 뒤에 베개를 받치고 무릎을 펴면서 베개를 누릅니다. 이때 동시에 발가락도 얼굴 쪽으로 당겨주며 5∼10초간 지속한 후 놓아주는 동작을 반복합니다(10∼15회 반복, 하루 3회 이상).

Q 하지직거상운동: 침대나 바닥에 누운 상태에서 다리를 쭉 펴고 서서히 다리를 올렸다가 서서히 내렸다가 하는 동작을 반복합니다(10∼15회 반복, 하루 3회 이상).

Q 반대쪽 다리 들어올리기운동: 의자나 침대에 걸터 앉아 수술한 쪽 다리를 구부려 아래에 놓고 반대쪽 다리를 발목 위에 올려놓은 상태에서 무릎을 5초간 폅니다(10∼15회 반복, 하루 3회 이상).

Q 쪼그리기 운동: 엉덩이가 벽에 닿도록 기대어 선 후 엉덩이화 무릎을 굽히면서 무릎이 30도 정도 되도록 쪼그렸다 폅니다. 5∼10초간 쪼그린 상태를 유지합니다(10∼15회 반복, 하루 3회 이상).

Q: 걷기 운동과 아쿠아 운동은 퇴행성 관절염의 치료에 도움이 될까?

A: 무릎 통증이 발생하지 않는 범위 안에서 시행하는 걷기, 자전거 타기, 물속에서 걷기 등은 퇴행성 관절염의 치료에 효과가 있습니다. 과체 중 환자의 경우에는 무릎에 스트레스를 적게 주며 체중감량을 해야 하므로, 물속에서 하는 운동은 큰 도움이 됩니다.

산책하기, 가볍게 실내 자전거 타기, 아쿠아로빅 등의 수중운동 모 두 무릎의 통증 감소와 기능적 사용에 도움이 된다. 그러나 역시 효 과가 드라마틱하게 매우 큰 것은 아니며, 경도의 효과를 주어 통증을 완화시키고 무릎의 기능적인 사용을 좋게 만든다.

유산소 운동은 퇴행성 관절염의 치료에 효과가 있다. 그러나 무릎 에서의 이점을 넘어서 유산소 운동은 전신건강을 위해서 매우 유익 함은 상식적으로 모든 사람들이 알고 있다. 무릎 퇴행성 관절염은 질 병 자체로 무릎 통증을 발생시키고 일상생활에 장애를 주게 되지만, 전신에 미치는 영향은 무릎을 넘어선다. 관절염으로 운동량이 줄어 들게 되면 비만, 당뇨, 고혈압 등 각종 성인병의 발병률을 이차적으로 올리게 된다. 퇴행성 관절염 환자들에게 수중운동은 무릎에 스트레 스를 줄이며 유산소 운동을 하게 해주어, 무릎의 건강뿐만 아니라 전 신의 건강에 좋은 효과를 준다.

무릎 통증이 심할수록 사람들은 운동을 줄이게 된다. 이것은 대퇴 사두근의 약화를 가져오게 되고, 이 근육의 약화는 무릎의 불안정성 을 높여 다시 퇴행성 관절염을 심하게 만드는 악순환에 빠지게 된다 무릎 통증 그 자체는 무릎 운동과 사용의 빈도를 많이 떨어뜨려, 퇴 행성 관절염을 더 악화시키는 중요한 위험요인이다.

Q: 글루코사민은 퇴행성 관절염에 효과가 있을까?

A: 있다, 없다를 말할 수 없을 정도로 의견이 분분합니다. 있어도 그리 크지 않은 것은 명확합니다.

글루코사민이 무릎 연골에 좋다고 하여 노인분들이 복용하고 있다. 그렇지만 내 주위 많은 지인들과 많은 퇴행성 관절염 환자분들을 보면 재활의학과 전문의인 나는 경험상 그 효과에 반신반의한다.

글루코사민에 대한 많은 연구들이 있었고, 효과가 있다는 논문과 효과가 없다는 논문이 비등비등하다. 제약회사의 연구기금을 받아 진행된 연구에서는 주로 효과가 있는 것으로 보고되며, 개별적 연구 기금으로 실행한 연구에서는 효과가 없다고 주로 보고되는 경향이 있다.

나는 현재 60세 정도 되는 부모님을 비롯한 주위 무릎이 아픈 지인들에게 글루코사민의 복용을 특별하게 권하지 않는다. 나의 경험으로 먹기에 귀찮기만 하고 효과가 별로 없다고 판단했기 때문에, 우리 부모님에게는 단 한 번도 사드려 본 적이 없다. 그러나 글루코사민은 부작용이 거의 없는 약이다. 해외에 나갔던 자식들이나 지인들이 선물로 사왔는데, 굳이 약의 효과를 평가 절하하여 복용을 피할 필요는 없다. 있으면 감사하게 복용하면 된다.

Q: 퇴행성 관절염 때 무릎에 맞는 주사는 어떤 성분인가요?

A: 크게 두 가지의 주사를 주로 하게 됩니다. 하나는 항염증 주사, 뼈 주사라고 불리는 스테로이드 성분이며, 또 한 가지는 하이알루론산 성분으로 연골 주사라고 흔히들 부릅니다.

소염진통제 성분의 약을 복용하고 열전기치료, 재활운동치료를 시행했지만, 효과가 만족스럽지 못하고 통증이 심해지면 다음 단계로 주사치료를 시행하게 된다. 퇴행성 관절염이 발병한 많은 환자들은 주사치료에 대해서 두려움을 가지고 있고 궁금한 것이 많다. 어떤 성분의 주사인지, 뼈 주사는 맞으면 안 되는 거 아닌지, 주사를 얼마나 자주 맞아야 하는지 등의 질문을 한다.

우리나라의 많은 병원에서 흔하게 무릎관절 속으로 놓는 주사는 어르신들이 자주 표현하는 말을 빌리자면 연골주사와 뼈주사이다. 연골주사는 하이알루론산으로 이루어진 점성이 있는 무색의 액체 주사이다. 연골주사는 소염, 진통, 관절액을 공급하여 점성 유지, 연골분해억제 등의 여러 효과가 있는 것으로 알려져 있으나, 뼈주사에 비해서 효과가 떨어진다. 그러나 연골주사는 자주 주사를 맞아도 부작용이 거의 없다는 장점이 있으며, 효과가 더 오래 지속된다는 장점이 있다. 연골주사는 보통 일주일에 1회씩 3번 맞게 된다. 우리나라의 건강보험은 6개월마다 인정을 해주고 있다. 보통 6개월마다 일주일에 1번씩 3회 주사를 시행하게 된다. 퇴행성 관절염이 심할수록 연골주사의 효과는 떨어진다.

Q 퇴행성 관절염 환자의 무릎에 연골주사를 놓고 있는 모습.

뼈주사는 예전 일부 의료진들이나 무면허 시술자들이 무책임하게 많이 사용하여 부작용을 많이 유발시켜 안 좋은 선입견을 가지게 만든 주사로, 스테로이드 성분으로 이루어진 주사이다.

Q&A

Q: 뼈 주사라고 하는 스테로이드 주사는 몸에 안 좋다는 이야기를 들었는데, 맞으면 몸에 해로운가요?
A: 약의 사용을 조절만 잘하면 굉장히 좋은 명약입니다. 그렇지만 조절하지 못하고 과도하게 사용하면 몸에 독약이 됩니다.

어르신들이 말할 때 자주 사용하는 단어인 뼈주사는 스테로이드 주사를 말한다. 스테로이드에 대해서는 일반 사람들의 오해가 많기 때문에 스테로이드에 대해서 제대로 알고 있어야 한다. 스테로이드는 우리 몸에서 분비되는 물질로서, 인공적으로 합성하여 약과 주사치료 등에 많이 쓰이고 있다. 스테로이드는 항염증작용, 면역억제 작용, 혈관수축작용, 증식을 억제하는 작용, 단백질을 분해하는 작용을 한다.

스테로이드는 염증을 조절하는 강력한 약으로 다양한 적응증에 사용하고 있는 인간이 만들어낸 훌륭한 명약 중 하나이다. 그러나 모든 약이 그렇지만 과유불급이라고 지나치면 몸에 악영향을 준다. 스테로이드는 굉장히 훌륭한 치료 효과를 발휘하지만, 조절하지 않고 마구 사용하게 되면 심각한 부작용을 초래하게 된다.

스테로이드의 부작용에는 비만, 불임, 당뇨병, 골다공증, 고혈압, 녹내장, 백내장, 우울증, 위염, 위궤양, 부종, 심장질환, 근육마비, 대퇴골의 무균성 괴사, 안면홍조, 피부 건조감, 지방위축, 지방간 등이 있다. 많고 다양한 부작용들이 발생할 수 있지만 무분별하게 사용했을 때에 발병하는 것이므로, 스테로이드 자체의 사용을 무조건 배척해서는 안 된다.

스테로이드는 적절하게만 사용하면 굉장히 훌륭한 명약이다. 무분별한 사용을 조심하면 된다. 일부의 환자들은 스테로이드에 대한 편견이 너무 심하여 스테로이드 주사를 거부하곤 한다. 화재가 처음 발생했을 때 초기에 진압하지 않으면 모든 것을 다 태우고 말 것이다. 염증은 어찌 보면 불난 것과 비슷하다. 우리 몸의 과한 염증은 몸의 조직을 파괴한다. 적절하게 스테로이드를 사용하여 염증을 조절해주는 것이 꼭 필요한 경우가 있다.

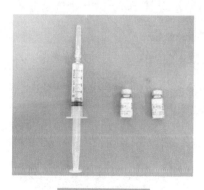

스테로이드 주사

Q 관절강내 주사에 많이 사용하는 스테로이드 약물의 성분명은 트리암시놀론으로 보통 희색을 띠고 있다. 흰색의 액체주사를 관절에 맞았다면 스테로이드 주사치료를 받았을 확률이 높다.

뼈주사라고 불리는 스테로이드 주사를 맞는 횟수에 대해서 많은 환자들이 궁금해한다. 일반적으로 무릎에 맞는 스테로이드 관절 주사는 일 년에 3~4회 정도까지는 괜찮으며, 주사 사이에는 적어도 2~4개월의 간격을 두는 것이 좋다.

Q&A

Q: 퇴행성 관절염의 수술적 치료에는 어떤 것들이 있을까요?
A: 인공관절 치환술을 비롯하여 관절경하 세척 및 변연절제술, 골수천공술, 골연골 이식술, 자가연골세포 이식술, 절골술 등이 있습니다.

나는 재활의학과 전문의로, 수술을 하는 의사가 아니므로 퇴행성 관절염에 대한 수술 경험은 없다. 인턴, 레지던트 시절 정형외과 선생님들이 수술하는 것을 옆에서 참관하며 지켜본 것이 전부이다. 퇴행성 관절염으로 비수술적 치료를 하는 환자들 중 수술이 필요한 경우 수술하는 전문의 선생님들께 의뢰를 하고, 수술한 환자들에게 적절한 재활치료를 시행하는 것이 나의 역할이다. 퇴행성 관절염의 수술적 치료에 대해서는 학회에 참석하거나, 최신 지견들을 찾아 공부한 내용을 바탕으로 제한적으로 기술해본다.

비수술적 치료에 실패했을 경우 수술적 치료를 시행하게 된다. 사람은 자동차처럼 대량 생산으로 똑같은 구조와 부속품을 가지고 태어나지 않는다. 그래서 손상된 부위나 양상이 어느 누구나 같은 사람이 없다. 때문에 수술을 꼭 해야 하는지의 여부와 수술을 해야 한다면 언제 해야 되는지를 결정하는 것은 쉽지 않은 일이다. 퇴행성 관절염의 치료에 대한 큰 틀은 비슷해도 수술하는 의사들의 철학과 기호에 따라 어느 정도의 차이가 생긴다.

　퇴행성 관절염의 수술적 치료에는 잘 알려져 있는 인공관절 치환술을 비롯하여 관절경하 세척 및 변연절제술, 골수천공술, 골연골 이식술, 자가연골세포 이식술, 절골술 등이 있다.

Q & A

Q: 퇴행성 관절염에서 관절경을 이용한 세척과 변연절제 수술을 받으면 증상이 많이 호전될까요?

A: 퇴행성 관절염의 치료로 관절경을 이용한 세척과 변연절제 수술은 치료 효과가 거의 없습니다.

　관절경 수술은 수술칼을 이용해 길게 피부를 절개했던 것과는 달리 피부에 몇 개의 구멍만을 뚫어 수술을 시행하다 보니, 흉터가 적게 남고 상처 감염 등의 합병증이 적게 발생하며 정확한 검사와 시술이 동시에 가능하다. 또한, 회복기간이 빠른 장점이 있다. 무릎을 비롯하여 어깨, 발목 등 모든 관절에 관절경 수술은 흔하게 시행되고 있다. 퇴행성 관절염에 시행되는 관절경 수술은 세척과 변연절제 수술로서, 쉽게 말해 관절염으로 지저분한 조직을 뜯어내어 정리해주고 무릎 안을 씻어주는 것이다.

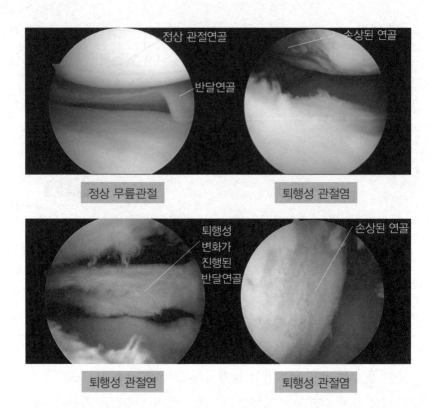

정상 관절연골 / 소상된 연골

반달연골

정상 무릎관절 / 퇴행성 관절염

퇴행성 변화가 진행된 반달연골 / 손상된 연골

퇴행성 관절염 / 퇴행성 관절염

🔍 무릎을 관절경으로 본 모습. 정상 무릎관절은 부드럽고 매끈한 연골 모양을 보여주지만 퇴행성 관절염이 진행된 무릎 안은 연골이 손상되고 지저분한 조직들이 많이 관찰된다.

관절경을 통한 세척술과 변연절제술은 2002년 이전 미국에서는 퇴행성 관절염 자들을 대상으로, 매년 65만 건이나 시행되는 대단히 흔한 수술이었다. 그러나 2002년 NEJM(The New England Journal of Medicine) 저널지에 미국의 관절경 세척과 변연절제술의 수술 관행을 변하게 하는 중요한 논문이 발표되었다. NEJM은 의학 분야에서는 세계적으로 가장 권위 있는 학술지로 인용지수는 51.6에 달한다.

인용지수라는 것은 학술지의 영향력을 나타내는 지표로 쓰인다. 가끔씩 언론을 통해 보도되는 유명한 학술지인 네이처는 인용지수가 38.5, 사이언스는 31이다. NEJM 학술지는 그만큼 영향력이 막강하며 우리나라의 웬만한 의대 교수들이 평생 1편도 실기 힘든 세계적으로 손꼽히는 훌륭한 의학 학술지이다.

이 연구에서는 퇴행성 관절염 환자들을 1) 관절경하 변연절제술을 시행한 환자군, 2) 관절경하 세척술을 시행한 환자군, 3) 피부를 실제로 절제하여 관절경을 무릎에 꽂아 실제 수술하는 것처럼 흉내는 내었으나, 세척과 변연절제 등 아무것도 하지 않은 3개의 환자군으로 나누어 효과를 비교하였다. 연구 결과상 수술 후 2년 동안 세 환자군에서 효과의 차이는 없었다. 오히려 아무것도 하지 않은 환자들이, 수술 후 2주에 변연절제술을 시행한 환자들보다 기능면에서는 더 좋았다. 이 논문의 연구결과는 미국에서 큰 영향을 끼쳤다. 수술의 효과가 없는 것으로 결론이 도출되었기 때문에, 미국 내 보험회사들은 관절경하 세척이나 변연절제술에는 보험금 지급을 중단하기 시작하였다.

그러나 매우 많이 시행되는 수술이어서 미국의 많은 의사들 사이에서는 많은 논쟁이 있었다. 이에 2008년에 다시 NEJM(The New England Journal of Medicine)에 관절경하 세척과 변연절제술의 효과에 대한 연구결과가 발표되었다. 이 연구에서는 퇴행성 관절염 환자들을 대상으로 1) 약물치료 물리치료와 함께 관절경하 세척과 변연절제술을 시행한 군과 2) 약물치료와 물리치료만 시행한 군으로 나누어서 2년 동안 관찰을 하였다. 이 연구에서도 2002년 연구의 결과와 비슷한 결과가 도출되었다. 퇴행성 관절염의 치료로 시행되는 관절경하 세척과 변연절제술은 효과가 없었다.

Q: 퇴행성 관절염으로 주기적으로 주사를 맞고 있습니다. 인공 무릎관절 치환술은 언제 해야 되나요?

A: 한 번의 인공관절수술로 여생을 잘 살아가려면 적어도 60세 이상의 나이에서 인공관절수술을 시행해야 좋습니다. 그 이전에는 최대한 보존적인 치료로 통증을 조절하고 기능을 유지하는 것이 좋습니다.

퇴행성 관절염 환자에게 마지막 단계의 치료는 인공 무릎관절 치환술이다. 흔히들 인공관절수술이라고 일컫는다. 인공관절수술은 통증을 유발하던 자신의 무릎관절을 아예 제거해버리고 인공관절로 대체하는 것이다. 또한, 오자형 다리, 엑스자형 다리 등 무릎의 불균형한 구조를 개선하는 효과도 있다.

인공관절수술은 다른 여러 방법의 치료를 해도 통증이 심하여 일상생활에 장애가 발생하는 경우에 시행된다. 물론 엑스레이에서도 퇴행성 변화가 심한 관절염 환자에게 시행되는 치료이다. 수술하는 의

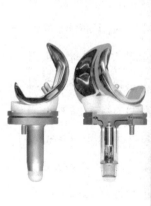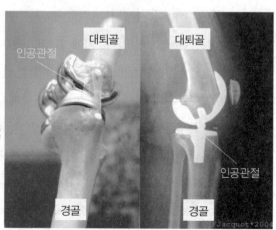

무릎 인공관절 치환술

사들마다 약간의 차이는 있지만, 인공관절의 수명은 보통 15~20년으로 생각한다. 2013년 태어난 아기의 기대여명은 평균 82세가 넘는다. 따라서 한 번 인공관절수술로 여생을 잘 살아가려면 적어도 60세 이상의 나이에 인공관절수술을 시행해야 한다.

　무릎의 증상이 심하지 않은데 수술하는 것은 바람직하지 않다. 인공관절도 의료용 합금과 플라스틱 재질로 된 기계라서 과하게 사용하면, 마모되고 고장이 날 확률이 크기 때문에 젊은 사람이나 신체적 활동이 너무 많은 사람이 해서는 안 된다. 운동을 너무 좋아하거나 육체를 많이 쓰는 노동자들은 인공관절이 빨리 닳아서 재수술 가능성이 높아진다. 재수술하면 된다고 생각할 수 있으나 재수술이라는 것은 우리 몸에 엄청난 희생이 따른다. 제왕절개 수술을 2번만 하면 배 안이 섬유조직으로 엉겨붙는다는 얘기가 있다. 걸을 때와 일상생활에서 끊임없이 움직여야 하는 무릎의 재수술에는 많은 위험성이 따르게 되며, 수술의 결과도 좋지 않을 때가 많다.

　인공관절을 한다고 해서 축구를 하거나 달리기를 할 정도로 회복되기를 기대해서는 안 된다. 하나님이 창조하신 인간의 몸은 너무나 완벽하게 이루어져 있기 때문에 현대의 의학기술과 공학기술이 아무리 발달하여도 인대, 근육, 연골, 힘줄 등으로 이루어진 인간의 원래 몸을 절대로 쫓아갈 수 없다. 4대강 수질을 조사하기 위해 야심 차게 연구하고 만들었던, 수중 로봇 물고기가 완전히 실패한 것만 봐도 쉽게 이해할 수 있다. 인공관절 수술의 목적은 통증 없이 걷고 일상생활을 원활하게 할 수 있도록 하는 것이다.

　수술 후의 무릎 재활운동은 수술 그 자체만큼이나 중요하다. 평지를 자연스럽게 걷기 위해서는 무릎의 각도가 70도 정도는 굽혀져야 하고, 계단을 자연스럽게 오르내리기 위해서는 100도 정도는 굽혀져야 한다. 수술을 잘 끝내고 나서 관절운동, 근력운동, 보행훈련 등의 재활운동을 잘하여, 이전의 기능에 가깝도록 만들어주어야 한다. 수술 후 재활운동을 소홀히 하게 되면 돈을 들이고 나름 고생하면서 시행한 수술의 의미가 퇴색된다. 인공관절 수술 후 2~3일부터는 관절운동 기계를 통하여 서서히 무릎 운동을 시작하고, 하지직거상 운동과 대퇴 강화운동을 시작한다. 수술법의 따라 차이는 있지만, 보통 수술 후 2주 정도에 보행기 걷기가 가능하며, 4주에는 지팡이로 걷기와 실내자전거 타기, 6주 정도에는 스스로 걷기가 가능하다. 목발이나 지팡이 등은 보통 수술 후 1~3개월까지 사용하게 된다. 잘 걸을 수만 있다면 그 이전에라도 지팡이 없이 걸을 수 있다.

Q & A

Q: 절골술이란 어떤 수술입니까? 어떤 경우에 절골술을 시행하게 되나요?

A: 절골술이라는 것은 쉽게 말해서 일정 부분 뼈를 잘라내서 오다리나 엑스자형 다리를 교정하는 것입니다. 비교적 젊은 나이에 관절면 한쪽이 심하게 망가진 경우에 시행합니다.

절골술이라는 것은 일정 부분 다리의 뼈를 잘라내서 오다리나 엑스자형 다리를 교정하는 것이다. 무릎은 걸을 때마다 체중이 실리게 된다. 이때 힘이 무릎에 고르게 분산되어야 하는데, 'O'자형 다리인 경우에는 무릎의 안쪽에, 'X'자형 다리인 경우에는 무릎의 바깥쪽에 힘이 많이 걸리게 되며, 무릎 한쪽으로의 과도한 부하로 퇴행성 관절염이 발생하게 된다. 다리의 구조를 변화시켜 체중 부하축을 건강한 쪽으로 이동시켜 주는 수술이 바로 절골술이다.

절골술은 안쪽이든 바깥쪽이든 무릎관절의 절반만 손상되고 나머지 절반은 건강한 경우에 시행하며, 비교적 나이가 젊고 활동적인 사람의 경우에 시행하게 된다. 서울 모 대학의 훌륭한 어느 정형외과 교수님은 60세의 나이를 기준으로 60세 이하이면 절골술을 선호하고, 60세 이상이면 인공관절 수술을 선호한다고도 하였다.

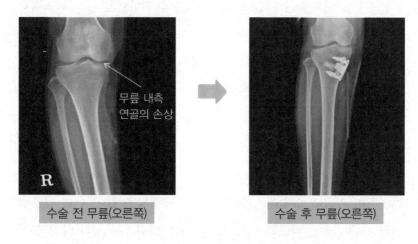

무릎 내측
연골의 손상

수술 전 무릎(오른쪽)

수술 후 무릎(오른쪽)

Q 무릎 퇴행성 관절염으로 절골술을 시행받은 58세 여자의 엑스레이 사진. 오자형 다리로 무릎의 안쪽 연골이 손상을 입었으며 상대적으로 나이가 젊어 절골술을 시행하여 다리를 일자형태로 교정하였다.

절골술은 비교적 젊은 나이에 다리의 구조적 변형으로 인하여 관절면 한쪽이 심하게 망가진 경우에 주로 시행하게 된다. 인공관절 수술을 하기 너무 이르다고 생각되는 경우에 시행하여 인공관절수술을 늦추는 효과도 있다.

Q&A

Q: 부분적인 퇴행성 관절염에서 시행할 수 있는 수술에는 어떤 것들이 있나요?

A: 국소적으로 일부에만 연골이 손상되었을 때는 골수천공술, 자가골연골 이식술, 자가연골세포 이식술 등의 수술을 시행할 수 있습니다.

인공관절 치환술이나 절골술은 퇴행성 관절염으로 넓은 범위에서 관절연골이 손상되었을 때 쓰는 수술방법들이다. 이에 반해, 국소적으로 일부에만 연골이 손상되었을 때는 골수천공술, 자가골연골 이식술, 자가연골세포 이식술 등의 수술을 시행할 수 있다.

간단하게만 언급하자면 골수천공술은 손상된 연골 밑으로 몇 개의 구멍을 뚫어서 골수가 손상된 연골 쪽으로 흘러나오게 만들고, 골수 내 줄기세포를 유도하여 연골을 재생하게 만드는 수술방법이다. 간편하며 저렴한 수술이긴 하지만 다시 재생된 연골이 주로 섬유성 연골로 대치되어, 원래의 건강한 연골과는 달라 내구성이 많이 떨어진다.

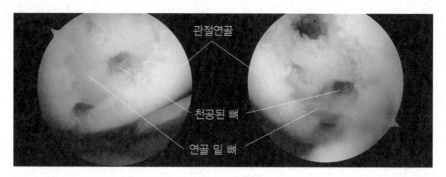

무릎 골수 천공술

  자가골연골 이식술은 무릎관절 중에서 보행 시 체중이 부하되지 않는 부위의 골연골을 조그맣게 여러 번 뜯어내어 손상된 연골에 삽입하는 수술이다. 하지만 내 무릎의 잘 사용하지 않는 정상적인 연골을 뜯어내는 것이라, 뜯어낼 수 있는 양에 제한이 있으며 수술이 다소 까다롭다. 또한, 손상된 연골에 삽입했을 경우 그 경계면에서 문제가 발생하는 경우가 많다.

  자가연골세포 이식술은 관절경으로 연골을 얻어 그것을 배양하여 양을 늘리고, 그것을 다시 손상된 연골 부위에 삽입하고, 다른 뼈에서 얻은 뼈막으로 덮어주는 수술이다. 수술을 아무리 잘해도 우리 무릎의 건강했을 때의 정상연골을 만들지는 못하며, 이 수술의 결과에 대해서 연구된 논문마다 그 성공률과 효과가 많이 다르게 보고되고 있다. 위의 수술법 중에 가장 비싼 수술이며, 한번은 관절경으로 한번은 관절을 열어서 2번 수술해야 한다는 단점이 있다. 20~30%에서는 연골이 과하게 자라서 결과가 좋지 않은 것으로 되어 있고, 재수술률도 비교적 높다.

  요즘 같은 장수시대에는 무릎의 건강을 잘 지키고 관리하는 것이

행복하고 즐거운 삶을 위해서 매우 중요하다. 퇴행성 관절염이 발병하지 않고 살아갈 수 있다면 더없이 좋겠지만, 관절염으로 무릎에 통증이 발생하기 시작했더라도 악화되지 않도록 잘 관리하는 것이 중요하다. 무릎의 퇴행성 관절염에 대한 모든 지식을 기술하지는 못했고 할 수도 없지만, 기본적인 몇 가지 지식들만 알아도 무릎 관리에 많은 도움이 될 것이라 생각한다.

02

반달연골 손상

"무거운 박스를 옮기다가 발을 잘못 디디면서 순간적으로 무릎에 '뚜둑' 하는 느낌이 들면서 통증이 발생하기 시작했습니다. 앉았다 일어날 때 날카로운 통증이 발생고, 무릎이 걸리면서 펴지지가 않고, 쪼그려 앉은 자세에서는 일어나기가 힘듭니다. 무릎에 불편감이 들고 순간적인 통증이 자주 느껴져서 좋아하던 등산은 아예 할 수가 없습니다."

Q&A

Q: 무릎 안의 반달연골은 어떤 역할을 하나요?

A: 반달연골은 무릎에 가는 스트레스를 분산시켜 주는 역할을 하며 무릎에 안정성을 유지시켜 줍니다. 그리고 몸의 균형감각에 중요한 역할을 담당합니다.

우리의 무릎 안에는 두 가지 연골이 있다. 하나는 관절연골로서 대퇴골과 경골에 직접 붙어있는 관절연골이며, 다른 하나는 두 뼈의 사이에 고무패킹처럼 끼어있는 반달연골로서 모양이 반달의 형태처럼 생겨서 반달이라는 이름이 붙었다. 반달연골은 내측 반달연골과 외측 반달연골의 두 부분으로 이루어져 있다. 외측 반달연골은 무릎관절 외측의 80% 정도의 면적을 감싸고 있으며, 내측 반달연골은 무릎관절 내측의 50% 정도의 면적을 감싸고 있다.

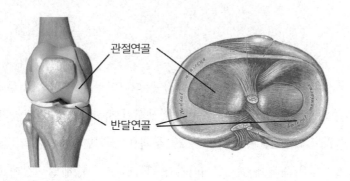

관절연골

반달연골

반달연골은 무릎관절에 가는 하중을 분산시켜 주고 넓적다리(허벅지)에서 정강뼈(아랫다리)로 힘을 전달해준다. 또한, 무릎관절을 움직일 때 삐걱대지 않도록 안정성을 주며, 움직이거나 운동할 때 균형을 잘 잡을 수 있도록 하는 고유위치감각에 중요한 역할을 담당한다. 우리 몸에서 어느 하나 중요하지 않은 것이 없는 것처럼, 이 작은 구조물인 반달연골도 매우 중요한 역할을 한다.

반달연골이 없는 경우 무릎관절에 가는 스트레스는 3배 이상 증가하게 된다. 반달연골이 손상될 경우에 무릎관절에 스트레스가 많아져 관절염이 올 확률이 높아지는 것이다.

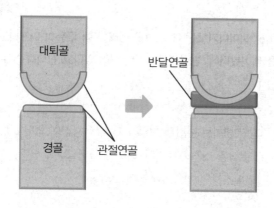

무릎 퇴행성 관절염에서 관절경 수술은 그 효과가 없음이 NEJM (New England Journal of Medicine)을 비롯한 몇몇 논문들에서 발표되면서, 미국에서는 지난 15년 동안 퇴행성 관절염의 관절경 수술은 극적으로 많이 감소했다. 그러나 이와는 반대로 반달연골 파열의 관절경 수술은 50% 이상 증가하여, 매년 70만 건 정도의 수술이 이루어지고 있다.

반달연골의 파열은 나이가 들어감에 따라 퇴행성 변화의 하나로서 정상적으로 발생하여 무의미한 경우가 많다. 따라서 반달연골에 대한 퇴행성 변화를 비롯한 여러 기본적인 지식들을 어느 정도 알고 있어야 건강하게 반달연골을 관리할 수 있고, 더 나아가서 무릎의 건강을 지킬 수 있다.

Q: 67세이신 어머니가 최근에 계단을 내려올 때 무릎이 아프다고 하셔서 MRI를 찍어봤더니, 반달연골이 파열되어 있다고 합니다. 치료가 필요한가요?

A: 치료가 필요하지 않은 경우가 대부분입니다. 반달연골 파열은 정상적인 퇴행의 변화로 흔하게 보입니다. 아무 증상이 없어도 50세 이상 35%에서 손상된 소견이 보이며, 나이가 들어갈수록 무증상이어도 반달연골 파열 소견은 의미 있게 증가합니다.

반달연골의 손상은 크게 외상성과 퇴행성으로 나눌 수 있다. 외상성 손상의 경우에는 갑작스럽게 방향을 전환하고, 가속과 감속이 빈번한 스포츠 활동을 하다가 발생한다. 운동 도중 발이 고정된 상태에서 다리가 비틀릴 때 반달연골 손상이 발생하게 되는데, 이런 상황이 잘 발생하는 스포츠는 축구, 야구, 농구, 미식축구 등의 운동이다. 우리나라에서는 동네 또는 직장에서 축구동호회가 많이 활성화되어 있어, 진료실에 찾아오는 대부분의 젊은 사람들은 축구를 하다가 다친 경우이다.

급성으로 외상성 반달연골이 손상될 경우 그 파열된 크기와 형태에 따라 통증의 양상이 다양하게 나타나게 되는데, 운동이나 활동 중 반달연골이 손상될 때 '툭' 하는 느낌이나, 찢어지는 느낌을 받는 사람들도 있다. 운동 중에 반달연골이 손상될 경우 그 순간 이상한 느낌을 받게 되지만, 통증이 극심하진 않은 경우가 많다. 그래서 일단 그 시간에 하던 경기나 운동은 지속하는 경우가 많다. 그러다 시간이 흐르면서 12~24시간 정도가 지나면 무릎에 통증이 점차 심해지고 무릎이 붓게 된다. 점점 무릎을 부드럽게 움직이기가 힘들어지고 쪼그려 앉는 것이 힘들어지면서, 특정한 각도나 자세에서 통증과 함께 무릎이 결리는 증상이 발생하기도 한다.

퇴행성 반달연골 손상은 노화반응으로 몸에 퇴행성 변화가 생기면서 발생하는 손상이다. 와이셔츠를 오래 입다 보면 팔의 끝 부분이 닳아 떨어지는 것과 같이 반달연골을 포함한 우리 몸의 연부조직들(힘줄, 인대, 근육 등)도 노화로 인한 퇴행성 변화가 발생하게 되면, 가늘어지고 찢어지는 소견이 발생한다. 세월 앞에 장사 없다는 얘기가 우리 몸의 연부조직들을 보아도 결코 틀린 얘기가 아니다. 반달연골은 퇴행성 변화로 중간중간 균열이 발생하고 찢어지게 된다.

퇴행성 반달연골 손상은 앞서 말했던 반달연골 손상 때 나타나는 특별한 증상이나 증후가 대부분 관찰되지 않는다. 퇴행성 관절염으로 인한 무릎 통증으로 병원을 찾고 MRI를 찍어 보았을 때 우연히 관찰되는 경우가 대부분이다. 이처럼 퇴행성 관절염이 있어서 무릎에 통증이 발생했을 경우에 우연히 보이는 퇴행성 반달연골 손상은 특별한 의미를 부여하지 않아도 대부분은 괜찮다.

공신력 높은 의학 저널인 NEJM에 2008년 50세 이상 991명의 사람들을 대상으로 한 반달연골 파열에 대한 연구논문이 발표되었다. 100명당 35명의 사람들에서 반달연골 파열된 소견이 관찰되었으며, 나이가 많을수록 따라 반달연골의 손상 소견은 많아졌다. 50대의 사람들은 10명당 2~3명에서 손상 소견이 관찰되었고, 70대의 노인들은 2명 중 1명 이상에서 반달연골 손상 소견이 관찰되었다고 한다.

또한, 무릎의 증상 유무에 상관없이 에스레이상 퇴행성 변화소견과 반월연골 파열의 연관성을 보았더니, 엑스레이상 무릎의 퇴행성 변화소견이 없는 경우에는 25%에서 반월연골 파열 소견이 관찰되었다.

1~2단계의 퇴행성 변화 소견이 있었을 경우에는 반월연골 파열이 있는 경우가 82%로 증가하였고, 3~4단계로 심한 퇴행성 변화 소견이 있었을 경우에는 95%로 반달연골 손상이 크게 증가하였다. 즉, 무릎의 퇴행성 변화 소견과 비례해서 반달연골 손상의 빈도가 높은 것이다.

한 가지 또 재미있는 결과는 무릎 통증 등의 퇴행성 관절염의 증상이 있었던 사람들 10명 중 6명 정도에서 반달연골 손상이 관찰되었는데, 무릎에 통증이 전혀 없던 사람들도 10명 중 6명에서 반달연골 손상이 있었던 것이다. 이것은 결과적으로 엑스레이상 퇴행성 변화 소견이 있는 환자에서 반달연골 손상 자체는 통증을 크게 일으키지 않는다는 것을 의미한다.

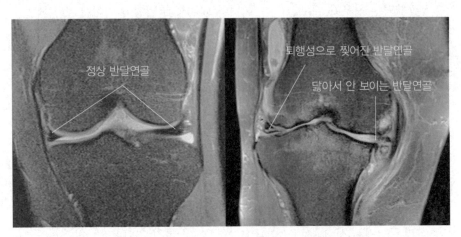

정상 무릎　　　　　　　　　　퇴행성 관절염

Q 왼쪽 사진은 27세 여자의 건강한 무릎 MRI 사진이며 오른쪽 사진은 퇴행성 관절염이 있는 여자 환자의 MRI 사진이다. 퇴행성 관절염이 있는 무릎에서 반달연골의 파열은 매우 흔하게 보이는 소견이다.

Q: 퇴행성 관절염으로 무릎에 통증이 있습니다. MRI를 찍어보니 반달연골이 찢어져 있다고 하는데 수술을 해야 할까요?

A: 퇴행성 반달연골 손상의 경우 관절경 수술은 효과가 없습니다. 반달연골 수술은 꼭 필요한 경우에만 신중하게 결정해서 시행해야 합니다

　　2013년에 퇴행성 반달연골 손상 시 관절경 수술의 유효성에 대한 연구 결과가 NEJM에 발표되었다. 여기서 말하는 퇴행성 손상이라는 것은 외상에 의해서 갑자기 발생한 손상이 아닌 것을 뜻한다. 무릎 통증과 퇴행성 반달연골 파열이 있는 환자들을 대상으로 관절경 수술을 시행하였다. 한 군은 관절경을 이용하여 실제로 부분적으로 파열된 반달연골을 제거하는 수술을 하였고, 다른 한 군은 피부를 절

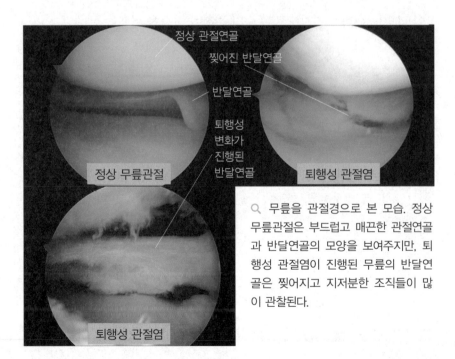

정상 관절연골

찢어진 반달연골

반달연골

퇴행성 변화가 진행된 반달연골

정상 무릎관절

퇴행성 관절염

퇴행성 관절염

Q 무릎을 관절경으로 본 모습. 정상 무릎관절은 부드럽고 매끈한 관절연골과 반달연골의 모양을 보여주지만, 퇴행성 관절염이 진행된 무릎의 반달연골은 찢어지고 지저분한 조직들이 많이 관찰된다.

개해서 관절경을 무릎관절 안으로 삽입하였지만, 수술하는 소리만 들려주고 실제로는 반달연골을 전혀 건드리지 않고 실제로 수술한 것처럼 흉내만 냈다. 그리고 1년 후에 효과를 비교해보았고, 반달연골을 절제한 환자들이나 그냥 놔둔 환자들이나 결과의 차이는 없었다.

반달연골이 손상된 것을 MRI로 알고 나서 수술을 해야 하나 말아야 하나 고민하는 환자분들을 종종 보게 된다. 관절, 디스크, 인대, 근육의 문제로 시행되는 수술은 확실한 몇몇 경우를 제외하고 선뜻 수술을 결정하기가 쉽지 않다. 일단, 생명과 직접 연관된 문제가 아니며 수술 후에 100% 좋아진다는 보장이 없기 때문이다. 반달연골 손상의 경우도 수술을 확실하게 결정하기 힘들 때가 많다. 반달연골을 제거했을 경우 무릎에 걸리는 하중 분산에 문제가 발생하여 관절염이 발병할 위험이 커지므로 수술의 결정에 신중을 기해야 한다.

Q & A

Q: 반달연골 제거술을 시행 받으면 퇴행성 관절염이 더 잘 발생하게 되나요?

A: 반달연골 제거술을 하면 퇴행성 관절염이 더 잘 오게 됩니다. 완전 제거술을 받게 되면, 퇴행성 관절염이 발병할 위험이 6~14배까지 높아집니다.

반달연골 제거술을 시행한 환자들은 무릎 퇴행성 관절염 발병 가능성이 매우 높아진다. 반달연골 완전 제거술을 받은 환자들은 수술받지 않은 환자들보다 엑스레이상 퇴행성 관절염이 발생할 위험성이

6배~14배까지 높아진다. 제거된 반달연골의 크기가 클수록 무릎의 관절염 발생은 더 심해지고 무릎 통증은 더 심해진다. 반달연골을 모두 제거한 환자들에게서 부분적으로 제거된 환자들보다 퇴행성 관절염이 더 많이 발생하게 된다. 부분적으로 반달연골을 제거할 경우 65% 정도 관절에 압력이 증가하게 되며, 완전히 제거할 경우에는 정상의 235%에 해당하는 압력이 증가하게 된다. 무릎 사이에서 충격을 흡수해주고 하중을 분산해주는 구조물인 반달연골이 없어졌으니, 관절염 발생이 증가하는 것은 상식적으로 당연하다.

환자들을 대상으로 22년까지 추적하여 연구에서는 반달연골 제거술을 시행한 환자들 10명 중 대략 3명에서 퇴행성 관절염이 발병하였다. 그러나 수술하지 않은 사람들에서는 10명 중 1명에서만 관절염이 발병하였다. 또한, 실제로 소 무릎관절연골과 반달연골을 가지고 실험한 재미있는 연구가 있었는데, 반달연골이 없는 관절연골을 실험기계를 이용하여 힘과 마찰력을 주었더니, 그 순간 관절연골의 표면이 손상되기 시작하였고, 얼마 가지 않아 관절연골은 완전히 망가져 버렸다. 그러나 반달연골이 있는 관절연골을 가지고 실험했을 경우에는 관절연골의 표면에 큰 변화가 없었고 손상된 소견도 보이지 않았다.

Q: 그러면 반달연골의 손상은 어떤 경우에 수술해야 하는 건가요?

A: 손상 후 24시간 이내에 통증과 부기가 심해지고 쪼그려 앉는 것과 걷는 것이 힘들어지는 등의 증상이 있으면 수술을 고려합니다. 또한, 통증으로 무릎을 구부리거나 펴는 것이 힘들어지고 무릎을 움직일 때 '뚜둑' 하는 느낌과 함께 심한 통증이 발생하여, 무릎 사용에 제한을 많이 받을 때에는 수술을 고려해야 합니다.

　　퇴행성 반달연골 손상은 대부분은 치료가 필요 없지만, 외상으로 인해 갑자기 손상된 경우에는 치료를 받아야 할 경우가 많다. 외상으로 반달연골이 손상됐을 경우 초기치료로 PRICE를 우선 시행한다. PRICE는 protection(보호), rest(휴식), ice(냉찜질), compression(압박), elevation(다리 들기)을 의미하는 것으로서, 스포츠 손상이나 근골격계 손상 시 가장 기본적인 초기 치료방법이다. 가장 먼저 해야 할 것은 통증과 부기가 가라앉을 때까지 다친 무릎을 쉬고 보호해주는 것이다. 쪼그려 앉기, 무릎 꿇기 등 무릎을 굽히고 펴는 활동은 하지 않는다. 그리고 손상된 다리를 베개 등에 올려놓고 냉찜질을 1~2시간마다 15~20분 정도 시행해준다. 1~2일이 지난 후 시간 간격을 늘려가며 4~6시간마다 약 15~20분 정도 시행해준다. 통증이 심하지 않다면 가벼운 보행은 괜찮지만, 통증이 심하면 목발을 사용하여 다친 다리에 체중이 실리지 않도록 해준다. 통증과 부기가 해결될 때까지 무릎을 굽히면서 하는 운동이나 계단 오르내리기, 자전거 타기 등은 피해야 한다.

　　초기 PRICE 치료 후의 반달연골 손상 치료의 핵심은 크게 두 가지이다. 첫째는 재활치료로 무릎을 지지하고 있는 근육들을 강화시키고, 고유위치감각과 균형훈련을 시행하는 것이다. 둘째는 연골 파열의 형태와 정도를 파악하고, 환자의 연령과 여러 환경을 고려하여 수술을 할 것인지 말 것인지를 결정하는 것이다.

반달연골 손상에서의 재활운동치료는 수술 여부와 상관없이 모든 사람에게 중요하다. 정확하게 설명할 수는 없지만 대략적으로 손상 후 하루 이틀에 걸쳐 서서히 통증과 부기 등의 증상이 나타나는 반달연골 손상의 경우, 체중을 싣고 걷는데 큰 어려움이 없으며 붓기가 적은 경우, 그리고 무릎의 관절운동범위가 정상과 거의 비슷할 때는 수술하지 않고 보존적 재활치료를 시행해도 좋은 효과를 기대해볼 수 있다.

만일 손상 후 24시간 이내의 짧은 기간에 무릎에 통증과 부기가 심해지고 걷는 것이 힘들어지는 경우, 그리고 무릎관절 운동이 정상보다 심하게 제한될 경우에는 수술적 치료가 필요한 경우가 많다. 또한, 무릎을 움직이다 보면 특정 각도에서 날카로운 통증이 발생하면서 무언가 걸리는 듯한 느낌이 들고, 무릎을 완전히 펴거나 굽히지 못하는 경우에는 수술적 치료를 고려해야 한다. 의학적으로 두루 인정되는 의견은 건강한 반달연골이 급성으로 손상되어 그에 해당하는 명확한 증상이 발생하는 경우, 수술치료가 더 적절하고 퇴행성 변화와 함께 동반된 손상은 수술을 하지 않는 것이 좋다는 것이다.

기계적 증상이 염증성 증상보다 뚜렷할 경우에 수술로 호전될 수 있는 가능성이 높다. 기계적 증상이라는 것은 무릎관절의 주로 안쪽 부위에 국한되는 통증이 있어 부위를 손가락으로 가리킬 수 있으며, 무릎이 특정한 각도와 자세에서 잠겨 움직임일 수 없는 현상이 발생하거나 운동 시 걸리거나 어긋나면서 발생하는 통증이 있을 경우를 말한다. 기계적인 통증이 발생한 경우에는 반달연골 손상이 통증의 원인일 경우가 많아서 수술로 호전될 확률이 높다. 염증성 통증의 경우에는 수술치료의 효과가 떨어질 확률이 높은데, 이 경우는 퇴행성 관절염의 증상과 비슷한 경우를 말하는 것으로 걸을 때 무릎 한 곳이 국소적으로 아픈 것이 아니라 두리뭉실하게 아프고 계단을 오르내릴 때(특히, 내려올 때), 등산을 할 때 무릎이 아픈 경우에 해당한다.

한 가지 덧붙여 상대적으로 젊어서 연골 자체가 건강한 사람이 축구 같은 격렬한 운동이나 활동을 하다가 외상으로 반달연골을 다친 경우, 위에서 언급한 것처럼 기계적 증상이 나타날 확률이 높고 수술을 하면 호전될 확률이 높다. 그러나 상대적으로 연세가 있어서 연골 자체가 건강하지 못한 분이 정확한 외상의 기억은 없으면서 무릎에 통증이 발생하는 경우, 퇴행성으로 반달연골이 손상된 경우로 수술 치료로 효과를 보지 못할 확률이 높다.

반달연골이 무릎 통증의 주된 원인인지 아니면 무릎 안의 다른 구조물이 통증의 원인인지를 정확히 밝히는 것은 쉬운 일이 아니다. 일단 반달연골 손상이 의심될 경우에는 전문의를 찾아가 진료를 보고 정확한 진단을 받고 적절한 치료를 시행 받는 것이 중요하다.

Q: 반달연골 손상의 수술방법에는 어떤 것들이 있나요?

A: 반달연골 파열의 수술치료에는 크게 연골 절제술, 봉합술, 이식술의 세 가지 방법이 있습니다. 일반적으로 연골 절제술의 경우 봉합술에 비해서 퇴행성 관절염이 발생할 위험성이 높습니다.

반달연골 파열의 수술치료에는 크게 연골 절제술, 봉합술, 이식술의 세 가지 방법이 있다. 근육, 인대, 힘줄 등의 조직에 손상이 발생했을 경우 이 조직을 재생시키는 데에 가장 중요한 것은 혈류공급이다. 조직 재생을 위한 모든 원료가 혈액 안에 있기 때문이다. 혈관과 혈액이 풍부한 근육이 찢어질 경우에는 몇 주 안에 잘 회복되지만, 혈액 공급이 적은 인대나 힘줄이 손상된 경우는 근육보다 치유에 훨씬 많은 시간이 걸리고 제대로 치유되지 않는 경우가 많다.

반달연골은 바깥쪽 10~25%에만 혈관이 있다. 바깥쪽에만 혈액 공급이 풍부하다 보니 반달연골의 바깥쪽의 파열은 잘 치유가 되는 편이지만, 혈관이 없는 연골의 안쪽은 치유가 잘되지 않는다. 수술의 경우도 비슷하다. 혈관이 풍부한 곳을 봉합하면 잘 치유가 되지만, 혈관이 없는 안쪽을 봉합했을 때는 치유가 안 되고 다시 파열될 확률이 높아진다. 반달연골 봉합술을 시행한 경우 10명 중 2~4명에서 수술한 반달연골은 잘 붙지 않아 다시 파열된다.

반달연골 절제술과 봉합술을 비교했을 때는 봉합술이 더 좋은 결과를 보여준다. 절제술이란 것은 손상된 반달연골을 수술적으로 제거하는 것이고, 봉합술은 찢어진 헝겊을 실로 꿰매듯이 손상된 부분을 수술적으로 다시 붙여주는 것을 말한다. 파열된 반달연골을 그냥 둔 것과 봉합술을 한 것은 무릎에 가는 하중이 비슷하였으나, 반달연골 절제술을 한 무릎은 무릎에 충격흡수를 담당하는 구조물이 제거되었기 때문에 하중이 많이 걸려 관절염의 위험성이 높아진다. 반달연골 절제술과 봉합술 두 수술의 결과를 비교해 본 연구에서는 절제술을 한 사람들이 봉합술을 시행한 사람들보다 퇴행성 관절염이 더 많이 발생하였다. 즉, 가능하면 절제술로 반달연골을 없애는 것보다는 봉합해 주는 것이 장기적으로 더 좋은 수술방법이라고 보면 되겠다.

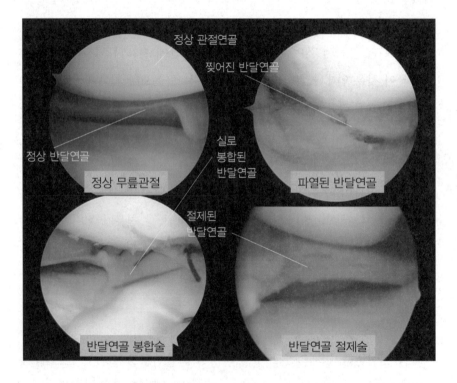

Q 관절경으로 본 무릎 안의 사진들. 연골봉합술은 찢어진 반달연골을 붙여주는 것이고 연골절제술은 찢어져서 너덜거리는 반달연골을 제거해주는 것이다. 반달연골을 제거하였을 경우 무릎의 충격흡수에 문제가 발생해 퇴행성 관절염이 발생할 위험성이 높아진다.

03

전방십자인대 손상

"29세 남자입니다. 축구를 하는 도중 급정지를 하면서 몸을 회전시
키려고 하는 순간 땅에 닿은 무릎에서 '뚝' 하는 느낌이 들면서 심한
통증이 발생하더니, 무릎이 붓기 시작했습니다. 물론 축구는 그 순간
부터 할 수 없었습니다."

Q & A

Q: 무릎 전방십자인대가 하는 역할은 무엇입니까?

A: 무릎의 안정성을 유지하는 역할을 합니다. 더 자세히 얘기하면 무릎
   아래 다리뼈가 앞으로 밀려나는 것을 막아주고, 발에 대해 허벅지가
   시계방향으로 돌아가는 것을 제한시켜 주며 무릎이 과하게 펴지는 것
   을 막아줍니다.

경첩이 망가진 문을 계속 사용하게 되면 경첩은 더 느슨해지고, 결
국 문은 망가져서 떨어지게 될 것이다. 망가진 경첩을 가진 문처럼 무
릎이 연골, 인대가 손상된 경우에는 무릎의 안정성이 떨어지고, 결국
엔 무릎을 망가뜨리게 된다. 무릎의 안정성은 연골, 근육, 인대 등에
의해서 유지된다. 이 중 안정성에 가장 중요한 것이 인대인데 무릎에

는 내측부인대, 외측부인대, 전방십자인대, 후방십자인대의 4개의 중요한 인대가 있다. 그 어느 하나 중요하지 않은 인대가 없지만, 그중에서도 가장 중요하면서도 가장 잘 손상되는 인대는 전방십자인대이다.

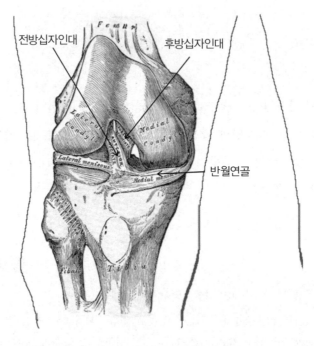

🔍 전방십자인대는 무릎의 안정성에 매우 중요한 역할을 담당한다. 아래 다리뼈가 앞으로 밀리는 것과 무릎이 과신전되는 것을 막아주며, 발에 있어서 다리가 시계방향으로 외회전하는 것을 제한해주는 역할을 한다.

전방십자인대는 무릎 아래의 다리가 앞으로 밀리고 과하게 펴지는 것을 제한해주며, 허벅지가 발에 대하여 시계방향으로 돌아가는 동작을 제한해주어 무릎관절의 안정성에 중요한 역할을 담당한다. 축구, 농구 등의 활동적인 운동 중 점프 후 불안정한 착지를 한 경우,

무릎에 체중이 많이 실리면서 무릎이 과신전되거나 방향을 갑작스럽게 바꾸는 경우에 십자인대의 손상이 발생하게 된다. 우리나라의 경우에는 동네 축구회와 직장의 축구동호회 등을 통해서 축구를 즐기는 사람들이 많아서인지, 축구를 하는 도중에 십자인대파열이 발생하는 경우가 많다. 이 외에도 농구, 테니스, 스키 등의 스포츠 활동에서 십자인대 손상이 발생할 수 있다. 꼭 스포츠가 아니더라도 일상생활 도중에 무릎에 순간적으로 과부하가 많이 걸리게 되면 얼마든지 발생할 수 있다. 평소 들지 않던 무거운 물건을 들고 옮기면서 전방십자인대에 손상이 발생하기도 한다.

전방십자인대가 버틸 수 있는 스트레스 강도는 걸었을 때에 발생하는 긴장 강도의 6배 정도까지이다. 보통 축구처럼 방향전환이 많고 무릎에 체중이 많이 실리는 운동은 전방십자인대가 정상적으로 버틸 수 있는 한계의 60~70% 정도의 부하가 걸리게 된다. 이 강도를 넘어서는 힘이 걸리게 되면 전방십자인대에 손상이 발생하게 된다.

Q: 농구를 하다가 착지하면서 무릎에 '뚜둑' 하는 느낌이 들었는데, 1~2분 후부터 무릎이 붓고 통증이 심해져 걷는 것이 어려워졌습니다. 전방십자인대가 파열되었을 때의 증상은 무엇인가요?

A: 전방십자인대 급성 파열의 경우는 손상되는 순간을 보통은 본인이 인지하게 됩니다. 그리고 곧 수분 안에 무릎 안에 심한 통증이 시작하고 걷는 것이 힘들어집니다.

전방십자인대 손상은 보통 스포츠를 하면서 발생하게 되는데, 완전

파열이 되는 경우에는 부상당하는 그 순간 '뚜둑' 하는 느낌이나 소리를 본인이 인지하게 된다. 수분 안에 무릎에 통증이 발생하게 되면서 무릎을 잘 사용할 수 없게 돼, 운동을 지속하지 못하고 중단하게 된다. 수 시간이 지나면서 관절 내에서의 출혈에 의해서 서서히 관절이 붓기 시작한다. 반면에 전방십자인대가 부분적으로 찢어지는 손상이 있는 경우에는 다치는 순간을 인지하지 못하는 경우가 많으며, 특별한 통증이 없이 약간의 불편감만 느껴질 수도 있다. 또한, 무릎이 붓지 않는 경우가 많다.

　전방십자인대가 완전 파열된 경우 전방십자인대만 다치는 경우는 흔하지 않다. 전방십자인대를 손상시킬만한 큰 스트레스가 무릎에

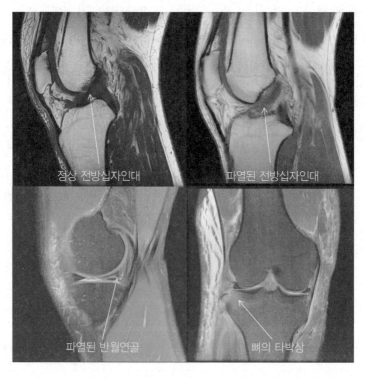

Q. 전방십자인대의 파열: 외상으로 전방십자인대가 파열되는 경우에 흔하게 뼈의 타박상과 반월연골 손상이 동반된다.

가해진 상황이라 무릎뼈가 멍들거나(골수병변), 반월연골 손상, 내측 부인대 손상이 흔하게 동반된다. 전방십자인대가 파열된 10명 중 9명에서 대퇴골에 뼈가 멍든 소견(골수병변)이 발견되고, 10명 중 7명 정도에서는 반달연골 손상이 동반된다.

  손상당한 후 무릎이 특정 각도에서 걸리면서 날카로운 통증이 느껴지거나 무릎 움직임이 현저하게 제한되는 경우 반월연골의 손상이 동반되었을 확률이 크다. 또한, 무릎 바깥쪽 뼈를 눌렀을 때 통증이 유발되는 경우에는 대퇴골의 외상과(무릎 바깥쪽 뼈)가 멍들었을 확률이 높다. 무릎 안쪽에 통증이 있고 눌렀을 때 아픈 경우에는 내측 부인대와 내측반월연골이 같이 손상되었을 확률이 크다.

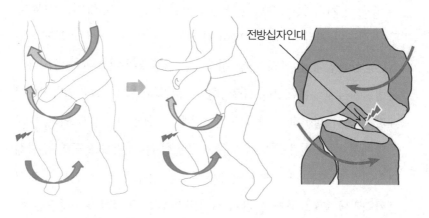

전방십자인대

  Q 전방십자인대는 위의 그림처럼 발이 바닥에 붙어 있는 상태에서 몸을 밖으로 회전하는 힘을 주었을 때 파열될 위험성이 높아진다.

Q: 전방십자인대가 파열되었습니다. 재활치료를 해야 할까요, 아니면 수술치료를 해야 할까요?

A: 재활이냐 수술이냐의 선택에 있어서 가장 중요한 것은 본인의 활동 정도입니다. 걷거나 가벼운 조깅 정도만을 하는 활동이 상대적으로 적은 사람들은 보조기와 적극적인 재활치료로 치료할 수 있습니다. 그러나 활동이 많은 젊은 사람들에서 전방십자인대가 완전히 끊어진 경우에는 전방십자인대 재건수술을 시행하는 것이 바람직합니다.

처음 부상을 당한 당시에는 발목염좌와 마찬가지로 냉찜질을 시행하고, 압박붕대를 사용하며, 발을 위로 올려놓아 붓기를 최소화시켜 염증 반응을 최소화해야 한다. 또한, 무릎 보조기와 목발을 사용하여 무릎을 보호해줄 수도 있다. 부분파열의 경우에는 통증이나 붓는 등의 증상이 거의 없을 수도 있다. 완전파열이 있는 경우도 수일에서 일주일 정도가 지나면, 붓기가 많이 감소하면서 통증도 감소하게 된다.

전방십자인대 손상의 경우 집중적인 재활운동치료냐 수술이냐의 갈림길에서 100% 확실한 치료방법이 확정되어 있지 않다. 전방십자인대가 완전히 끊어진 사람들도 급성기에 통증이 가라앉게 되면, 일상생활에서 큰 불편감을 느끼지 않고 생활할 수 있다. 노인들은 전방십자인대가 완전히 파열되어 있지만 특별한 증상이 없어 전혀 모르고 생활하기도 한다. 무릎을 많이 사용하지 않는 평범한 일상생활을 하는 데 있어서 전방십자인대의 파열은 그렇게 큰 문제가 되지 않는다.

전방십자인대 재건술, 즉 수술적 치료를 결정하는 가장 큰 근거는 본인의 일상생활에서의 활동 정도이다. 축구, 농구 등의 운동을 좋아하거나 등산을 좋아하는 경우는 전방십자인대가 기능을 못할 시, 퇴행성 관절염을 비롯한 각종 무릎에 질환을 일으킬 위험성이 높기 때문에 수술을 받는 것이 선호된다. 상대적으로 젊은 사람들에서 발생한 전방십자인대 완전파열의 경우에는 대체로 수술을 시행한다. 또한, 전방십자인대의 손상과 함께 반월연골 손상, 내측부인대의 손상이 같이 동반된 경우에는 수술적 치료를 더 선호하게 된다.

수술을 결정하였다고 하여 재활치료가 필요 없는 것은 아니다. 수술 전과 후의 무릎의 집중적인 재활운동치료는 매우 중요하다. 사람들은 보통 수술 후의 재활치료가 중요하다는 것은 잘 알고 있지만, 수술 전의 재활운동치료도 중요하다는 사실은 잘 알지 못한다. 수술 전의 재활운동은 다친 그 시간부터 시행되어야 한다. 통증이 허락하면 관절운동은 빨리 시작하여주는 것이 좋다. 무릎을 부상당하면서 발생하는 염증반응은 무릎에 섬유화를 진행시킨다. 과도한 섬유화는 무릎의 강직과 관절운동제한을 가져오게 된다. 따라서 부상 초기 염증반응을 잘 조절하고 조기 관절운동을 시작해야 한다. 수술 전 관절의 움직임이 좋을수록 수술 결과는 더 좋다.

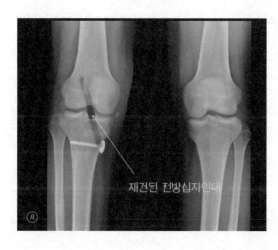

재건된 전방십자인대

Q 재건수술을 시행한 후의 엑스레이 사진.

주로 앉아서 일하거나 일상생활에서 무릎을 많이 사용하지 않는 경우, 그리고 산책이나 가벼운 조깅 운동을 즐기는 경우에는 전방십자인대의 완전파열이 발생해도, 수술을 시행하지 않고 집중적인 재활치료로 좋은 효과를 거둘 수 있다. 집중적인 재활치료를 통해 만족할 만한 증상 호전을 보지 못하는 경우에는 수술을 시행할 수 있다.

Q & A

Q: 활동이 많지 않으신 56세 된 여자 분이 전방십자인대가 완전파열 되었습니다. 수술을 안 하고 재활운동치료를 하면 퇴행성 관절염이 더 잘 발생하나요?

A: 전방십자인대가 손상되면 퇴행성 관절염의 발병 위험성이 더 높아집니다. 그러나 전방십자인대 재건수술을 받아도 손상으로 인해 높아진 퇴행성 관절염 발병 위험성을 줄인다는 근거는 확실하지 않습니다.

외상으로 인한 전방십자인대 급성 파열의 경우 10명 중 8명 이상은 뼈가 멍들거나(뼈의 타박상) 반월연골이 같이 손상된다. 반월연골과 전방십자인대는 모두 무릎의 안정성과 충격흡수에 중요한 역할을 담당하는 구조물이다. 이 구조물이 손상되면 무릎의 안정성과 충격흡수능력에 문제가 발생하여, 관절연골이 파괴되는 퇴행성 관절염의 발병 위험성이 높아지게 된다. 그러나 전방십자인대 파열 자체가 퇴행성 관절염의 위험요인이 될 수 있는지는 확실하지 않다. 전방십자인대가 완전히 끊어져 있어도, 걷는 정도의 활동만 하며 잘 살아가는 사람들도 있기 때문이다. 전방십자인대 파열이 있었던 환자 10명 중 2~5명은 15년 안에 퇴행성 관절염이 발생하는 것으로 알려져 있다.

전방십자인대 재건술은 찢어지고 망가진 전방십자인대를 건강한 조직으로 재건해주는 수술이다. 새로운 전방십자인대는 사용이 많지 않거나 떼어내어도 큰 문제가 발생하지 않을 본인 몸의 힘줄 일부를 사용하기도 하고, 여러 생화학적 처리를 통해 면역반응이 없게 만든 타인의 전방십자인대를 사용하기도 한다. 이러한 전방십자인대 재건술이 전방십자인대 손상으로 인해 높아진 퇴행성 관절염의 위험성을 줄여준다는 근거는 없다. 활동이 활발하여 무릎을 많이 사용하는 사람들에서는 재건수술이 퇴행성 관절염을 줄여주는 효과가 있을 확률이 높다. 그러나 반대로 무릎을 많이 사용하지 않은 주로 노인층에서는 전방십자인대 재건수술이 퇴행성 관절염의 발병을 줄여주는 효과가 별로 없을 것이다.

부상 당시 뼈에 타박상을 입으면서 연골이 같이 부상당한 것이 퇴행성 관절염 발병의 하나의 큰 원인이 될 수 있다. 그리고 체중부하를 많이 주어 활발한 활동을 하게 되면 수술 여부와 상관없이 무릎에 스트레스가 많아져, 퇴행성 관절염의 빈도가 높아질 것이다. 걷거나 계단을 오르내릴 때 등 일상생활을 하면서 특정 각도에서 무릎에 불안정한 느낌이 들거나, 갑자기 무릎이 꺾이는 듯한 느낌이 있는 경우에는 퇴행성 관절염이 발병할 위험성이 증가하게 된다. 이런 증상이 자주 있으면 전방십자인대 재건술의 시행을 고려해보아야 한다.

전방십자인대 재건술을 받았더라도 퇴행성 관절염을 유발하기 쉬운 무릎에 스트레스가 가는 활발한 활동을 한다면, 퇴행성 관절염이 발생할 위험성이 높아진다. 따라서 격렬한 스포츠를 좋아하는 사람은 이 점을 명심하여 스포츠에 임하여야 할 것이다.

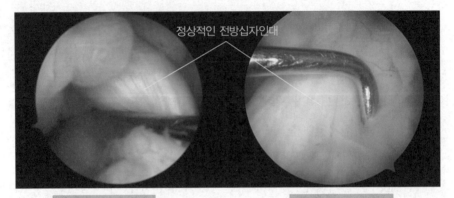

정상적인 전방십자인대

정상 전방십자인대

정상 전방십자인대

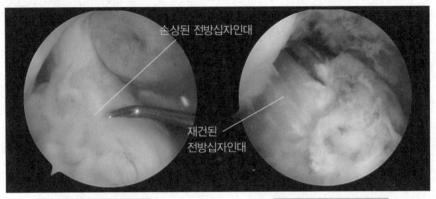

손상된 전방십자인대

재건된
전방십자인대

손상된 전방십자인대

손상된 전방십자인대

🔍 관절경으로 본 무릎 안의 사진들. 정상적인 전방십자인대와 손상된 전방
십자인대, 그리고 재건수술 후의 모습들을 보여준다.

Q: 전방십자인대 파열로 재건수술을 받았습니다. 다시 뛰어다니면서 하는 운동이 가능할까요? 언제부터 운동을 시작할 수 있나요?

A: 수술 후의 재활운동치료를 잘 시행하면 스포츠로의 복귀도 가능합니다. 보통 6개월 이상이 지나게 되면 스포츠 운동을 시작할 수 있습니다.

　　전방십자인대 재건수술 전과 후의 재활운동치료는 매우 중요하다. 수술 전 다친 다리의 무릎관절운동 각도가 좋을수록 근력이 좋을수록 수술의 결과도 더 좋다. 다치지 않은 다리 근력의 80% 이상이 될 때까지 기다렸다가 수술을 하기도 한다. 전방십자인대의 수술은 절대로 응급하게 시행하지 않는다. 무릎의 붓기가 거의 다 빠지고 무릎 관절운동 각도가 정상적으로 나오며 걸을 수 있을 때 수술하는 것이 좋다.

　　수술을 시행하고 나서 재건된 전방십자인대가 제대로 생착되어 튼튼해지는 데에 보통 6개월 정도의 시간이 걸린다. 수술 후 재활치료를 잘해서 다리의 근력과 고유위치감각, 균형감각 등을 잘 키우게 되면 3개월에 가벼운 조깅을 시행할 수 있다. 6개월 정도 후에는 이전에 하던 스포츠 운동을 시행할 수 있다. 그러나 스포츠 운동으로의 복귀 시간은 사람에 따라 달라서 1년의 시간이 걸리는 사람들도 있다. 손상된 다리의 근력이 다치지 않은 다리의 90% 정도 되고 무릎의 정상 관절 각도가 다 나오고, 뛰어도 통증이 없을 때 이전에 하던 스포츠 운동으로 복귀할 수 있다.

Q: 68세인 아버지가 퇴행성 관절염으로 MRI를 찍었더니 전방십자인대가 손상된 소견이 보인다고 합니다. 무릎을 심하게 다친 적은 없는데, 왜 그런가요? 이것을 치료해야 할까요?

A: 퇴행성 관절염이 심한 사람에서는 전방십자인대의 이상소견이 동반되기 쉽습니다. 이런 전방십자인대의 손상에는 특별한 의미를 부여하지 않아도 되며 물론 전방십자인대에 대한 특별한 치료는 필요 없습니다.

전방십자인대 역시 무릎 안에 있는 구조물이다. 무릎의 퇴행성 관절염이 심해지면 무릎 안에 있는 구조물인 전방십자인대의 퇴행성 변화도 심해져 파열 소견을 보일 수 있다. 그렇지만 무릎의 퇴행성 변화가 먼저인지 전방십자인대의 퇴행성 변화가 먼저 발생해서 무릎의 퇴행성 변화가 오는 것인지에 대한 것은 불명확하다.

무릎 퇴행성 관절염 환자 10명 중 2~3명에서는 MRI에서 전방십자인대에 파열이 관찰된다. 이것은 퇴행성 관절염이 있는 환자에서 보이는 전방십자인대 손상 소견은 의미를 둘 필요가 없다는 것을 말해준다. 앞서 말한 바와 같이 외상으로 전방십자인대가 파열되어 이에 합당한 통증과 증상이 발생한 경우에는 치료가 필요하지만, 퇴행성 관절염이 있는 환자에서 MRI상 전방십자인대가 손상된 모습이 보여도 이것을 문제시하여 치료하거나 수술할 필요는 없다.

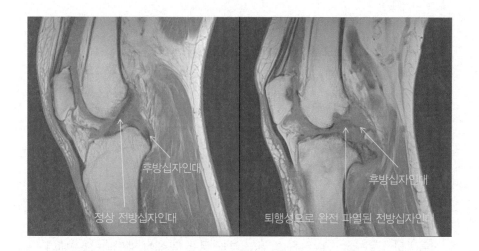

후방십자인대

정상 전방십자인대

후방십자인대

퇴행성으로 완전 파열된 전방십자인대

Q 전방십자인대의 퇴행성 파열: 무릎의 퇴행성 관절염이 심한 사람은 전방
십자인대도 퇴행성 파열이 있을 확률이 높다. 왼쪽 사진은 61세의 여자의 정
상 무릎 MRI 사진이며 오른쪽 사진은 퇴행성 관절염이 심한 79세 여자 환자
의 무릎 MRI 사진이다. 전방십자인대와 후방십자인대 모두 거의 보이지 않는
소견을 보인다.

04

앞무릎의 통증(슬개대퇴 증후군)

"27세 여자입니다. 운동은 별로 좋아하지 않아 잘 하지 않습니다. 특별히 다친 적이 없는데 몇 주 전부터 무릎 앞쪽이 계단을 오르내리거나 걸을 때 둔하게 아프기 시작했습니다. 영화관에서 한 2시간 정도 영화를 볼 때에도 무릎 앞쪽에 어디라고 딱 짚기는 어렵지만, 기분 나쁜 불편감과 통증이 발생합니다."

Q&A

Q: 슬개대퇴 증후군이라는 질환은 어떤 질환인가요?

A: 무릎 앞에 있는 슬개골과 뒤에 있는 대퇴골 사이가 자극되면서 통증이 발생하는 질환입니다. 젊은 사람들에서 흔하게 발생합니다. 특별히 다친 기억이 없는데 이유 없이 무릎에 통증이 발생하게 되는 경우가 많으며, MRI 등의 검사를 해도 특별한 이상을 발견하지 못할 때가 많습니다.

젊은 사람들이 무릎이 아파서 병원을 찾게 되는 질환 중 가장 흔한 것은 슬개대퇴 증후군이다. 무릎 통증으로 병원을 찾는 사람 10명 중 2~4명에 해당할 정도로 흔한 질환이다.

수개월 전까지 같은 병원에서 일하는 20대 중반의 여자 치료사 선생님이 왼쪽 무릎 앞쪽으로 통증을 호소하며 진료실을 찾아왔다. 계단을 오르내릴 때 통증이 발생하였고 증상이 심할 때는 가만히 있어도 무릎 앞쪽에 통증이 발생하였다. 특별히 다친 적은 없었다. 증상이 1~2개월 이상 지속되어 MRI를 찍었지만, 무릎에는 별다른 이상이 관찰되지 않았다. 증상이 심할 때는 걷는 것이 힘들었기 때문에 주사치료도 1~2회 정도 시행하였다. 그러나 결국 제일 중요한 것은 재활치료였고 현재는 증상이 많이 가라앉아 큰 불편감 없이 생활하고 있다.

사람의 무릎은 안쪽 허벅지뼈-종아리뼈(대퇴골-경골) 사이 관절, 바깥쪽 허벅지뼈-종아리뼈 사이 관절, 무릎뼈-허벅지뼈(슬개골-대퇴골) 사이 관절의 크게 세 개의 관절면으로 이루어져 있다. 일반적으로 사람들이 연골이 닳아 퇴행성 관절염이 왔다고 하는 무릎관절은 허벅지와 종아리를 잇는 허벅지뼈-종아리뼈 관절을 말하는 것이다.

그러나 실제로 대퇴골(허벅지뼈)과 경골(종아리뼈)이 이루는 관절보다 더 퇴행성 관절염이 먼저 발생하여 통증을 유발하게 하는 관절은 무릎뼈-허벅지뼈(슬개골-대퇴골)간 관절이다. 이 관절은 무릎뼈(슬개뼈)와 뒤에 있는 허벅지뼈(대퇴골)가 만드는 관절이다. 무릎 퇴행성 관절염도 여기에서 먼저 발생하여 통증을 만드는 경우가 더 많다. 젊은 사람들의 무릎 통증의 원인으로 가장 흔한 슬개대퇴 증후군도 무릎뼈-허벅지뼈 사이 관절에서 문제가 발생하여 통증을 만드는 질환이다.

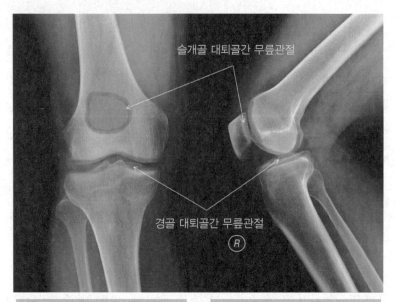

슬개골 대퇴골간 무릎관절

경골 대퇴골간 무릎관절

Ⓡ

| 오른쪽 무릎을 앞에서 찍은 사진 | 오른쪽 무릎을 옆에서 찍은 사진 |

🔍 슬개골–대퇴골간 무릎관절: 사람의 무릎은 두개의 관절로 이루어져 있다. 보통 사람들은 경골과 대퇴골간 관절만 알고 있으며, 여기에서 주로 연골이 닳아서 퇴행성 관절염이 발생하는 것으로 알고 있다. 그러나 슬개골–대퇴골간 무릎관절도 여러 통증을 만들고 퇴행성 관절염을 잘 만든다.

무릎뼈–허벅지뼈 관절은 체중이 실린 상태로 무릎을 구부렸을 때 관절면에 압력이 높아져 스트레스가 많이 가게 된다. 평지를 걸을 때는 체중의 0.5배에 해당하는 부하가 관절에 걸리지만, 계단을 오르내릴 때는 체중의 4배의 부하가 걸리게 된다. 또한, 쪼그리고 앉는 동작을 했을 때는 체중의 8배에 해당하는 부하가 걸리며, 등산을 하면서 무거운 배낭을 지고 쪼그려 앉는 식의 동작은 체중의 10배를 훌쩍 넘는 부하를 관절면에 주게 된다.

적절한 근력과 유연성, 정상적인 구조를 가진 무릎이라면 쪼그려 앉는 운동으로 큰 문제가 발생하지 않는다. 그러나 여러 가지 이유로 무릎의 근력, 유연성이 저하되고 뼈의 구조에 선천적인 변형이 있는 경우 무릎을 과사용 하거나 충격이 가해지면, 무릎뼈-허벅지뼈 사이 관절에 스트레스가 가고 손상이 발생하게 된다. 이로 인해 무릎에 통증이 발생하는 질환이 바로 슬개대퇴 증후군이다.

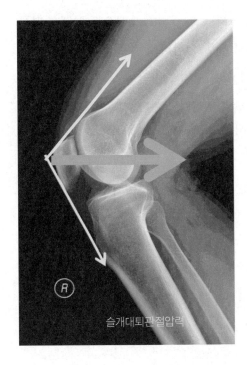

슬개대퇴관절압력

🔍 슬개골-대퇴골간 무릎관절에 미치는 힘(파란색 화살표).

Q: 슬개대퇴 증후군의 증상은 어떤가요?

A: 계단을 오르내리거나 등산을 하면서 무릎을 굽히는 활동을 할 때마다 무릎 앞쪽으로 경계가 명확하지 않은 둔한 통증이 발생하게 됩니다. 또한, 영화관에서 영화를 볼 때처럼 오랫동안 앉아 있을 때 통증이 발생하기도 합니다.

슬개대퇴 증후군은 서서히 발생할 수도 있고 외상으로 인해서 단시간에 발생할 수 있다. 보통은 특별한 외상의 이벤트 없이 서서히 발생하는 경우가 많다. 그러나 외상 무릎을 땅바닥에 찧은 식의 외상이나 무릎 수술 후에 이차적으로 발생하기도 한다.

가장 중요한 증상은 무릎 앞쪽에 경계가 명확하지 않은 둔한 통증이다. 주로 무릎을 굽히는 동작에서 통증이 유발된다. 특히, 무릎을 굽히는 동작에서 슬개대퇴관절에 부하가 더 많이 걸리게 되므로 통증이 잘 유발된다. 계단을 오르내릴 때, 달릴 때 통증이 발생하게 되며 증상이 심한 경우 평지를 걸을 때도 통증이 발생한다. 그리고 가만히 쉬고 있을 때도 통증과 불편감이 발생할 수 있다. 또한, 오랫동안 앉아 있는 자세를 취하게 될 때 통증이 발생할 수 있는데, 오래 앉아 있는 가장 흔한 경우가 극장에서 영화를 보는 경우라서 '영화관객의 무릎'이라는 별칭이 붙은 질환이다.

Q: 슬개대퇴 증후군의 원인은 무엇인가요?

A: 슬개대퇴 증후군은 외상, 선천적인 무릎 모양의 이상, 평발, 무릎 주위 근육의 뻣뻣함 등으로 발생할 수 있습니다. 그러나 정확한 원인을 발견하지 못할 경우도 있습니다. 그래서 증후군이라는 이름이 붙은 것입니다.

슬개대퇴 증후군을 일으킬 수 있는 원인은 다양하다. 무릎뼈-허벅지뼈 사이 관절에 자극을 줄 수 있는 그 모든 것이 원인이 될 수 있다. 무릎을 굽힐 때 무릎뼈(슬개골)는 허벅지뼈(대퇴골)의 앞쪽에서 정해진 길을 따라 부드럽게 움직이면서 관절연골에 가는 스트레스를 최소화시킨다. 여러 원인으로 인하여 무릎뼈의 부드러운 움직임에 이상이 생기면, 무릎관절에 스트레스를 주게 되면서 슬개대퇴 증후군이 발병하게 된다. 제일 흔한 경우는 무릎뼈의 바깥쪽에 있는 인대의 뻣뻣함으로 무릎을 굽힐 때 무릎뼈가 정상적인 경로를 이탈하여 바깥쪽으로 쏠리면서 움직이는 경우이다. 정상적인 움직임을 하지 않게 되면서 무릎연골에 스트레스를 주게 되고 손상이 발생하면서 통증이 생긴다.

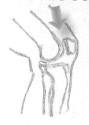

엑스레이 촬영 방향

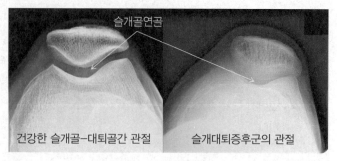

슬개골연골

건강한 슬개골-대퇴골간 관절 　　　　슬개대퇴증후군의 관절

🔍 슬개골-대퇴골간 무릎관절: 무릎을 굽힐 때 슬개골은 대퇴골 중간의 홈 사이를 부드럽게 움직이게 된다. 그러나 근육약화나 인대의 유연성 저하로 인해서 슬개골의 위치가 비정상적으로 되면 슬개대퇴증후군이 발병할 위험성이 높아진다. 오른쪽의 사진은 슬개골이 바깥쪽으로 쏠려 있는 병적이 모습을 보여주고 있다. 그러나 오른쪽 사진처럼 슬개골이 바깥쪽으로 밀려 있어도 무릎에 통증이 없는 사람도 많다. 엑스레이에서만 가지고 질환으로 생각하면 안 된다.

슬개대퇴 증후군은 외상으로 무릎뼈 연골에 손상이 발생했을 때에도 발병할 수 있고, 전방십자인대 재건술 등의 무릎 수술을 시행한 후에도 발생할 수 있다. 또한, 평발, X자형 다리, 안짱다리 등 선천적으로 다리의 형태에 구조적인 문제가 있을 경우에도 발병할 수 있고 근력약화 및 근육 유연성의 문제로도 발병할 수 있다. 선천적으로 슬개골의 위치가 너무 높거나 낮은 경우에도 정상적인 관절의 움직임이 안 되면서 질환을 유발할 수 있다. 근본 원인을 정확하게 발견해내는 것은 매우 어려운 일이다. 무릎을 전문적으로 보는 전문의들도 슬개대퇴 증후군의 정확한 원인을 밝혀내는 것이 쉽지 않을 때가 많다.

Q: 무릎이 아파서 병원에 갔더니 슬개대퇴 증후군이라고 합니다. 무릎 MRI 검사를 시행해봐야 할까요?

A: 슬개대퇴 증후군 치료의 핵심은 근본 원인을 찾아내어 교정하는 것입니다. 외상으로 인한 경우라면 MRI에서 이상이 있을 확률이 큽니다. 그러나 특별한 이벤트가 없이 무릎이 서서히 아파진 경우라면 MRI가 정상일 확률도 많습니다. MRI를 꼭 찍을 필요는 없습니다. 증상을 보고 전문의의 판단에 따라 시행하는 것이 옳을 것 같습니다.

슬개대퇴 증후군은 여자들에게 훨씬 더 많이 발생한다. 그것은 골반과 다리의 구조의 차이 때문에 무릎뼈-허벅지뼈 사이 관절에 스트레스가 갈 확률이 훨씬 높기 때문이다. 근력이 남자들보다 많이 부족한 것도 한 원인이 될 수 있다.

슬개대퇴 증후군의 치료에 있어서 가장 중요한 것은 관절에 스트레스를 주게 만든 근본 원인을 찾아내어 교정해주는 것이다. 발과 다리의 모양이나 무릎뼈(슬개골)의 위치 등 구조적인 문제로 인한 경우가 흔하므로, 무릎 엑스레이 정도는 시행해보는 것이 좋다. 무릎 MRI는 사례별로 그 필요성이 있는 경우도 있고 없는 경우도 있다. 통증이 심하지 않고 서서히 발생한 슬개대퇴 증후군의 경우에는 MRI에서 특별한 소견이 없을 확률이 크다. 이런 경우에는 재활운동치료를 하며 수개월 간 경과 관찰을 해본 후에 증상의 호전이 없으면 MRI를 찍어보는 것이 좋다. 그러나 무릎을 땅바닥에 찧는 등의 외상으로 인한 경우에는 MRI를 빨리 찍어보는 것도 나쁘지 않다. 결론적으로 MRI의 시행은 전문의의 판단에 맞게 하면 된다.

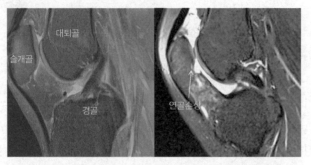

24세 여자 환자의
정상 MRI 소견

20세 여자 환자의
손상된 슬개골 연골

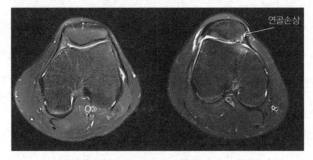

24세 여자 환자의
정상 MRI 소견

20세 여자 환자의
손상된 슬개골 연골

🔍 슬개대퇴증후군 MRI 사진: 왼쪽사진의 24세 여자 환자는 특별한 외상의 이벤트가 없었던 환자로 통증은 있었으나 MRI는 정상이었으며, 오른쪽 사진의 20세 여자 환자는 무릎을 바닥에 찧으면서 외상을 입었던 환자로 MRI상에서 슬개골 연골이 손상된 모습이 관찰된다.

Q: 슬개대퇴 증후군의 치료 방법은 무엇입니까? 치료될 수 있을까요?

A: 슬개대퇴 증후군의 가장 중요한 치료방법은 근본 원인을 찾아서 교정하는 것입니다. 그러나 특별한 근본 원인을 발견하지 못하는 경우도 많으며, 그럴 경우에는 무릎 주위에 재활운동을 시행하면서 지켜보면 10명 중 7명은 시간이 지나면서 증상이 호전됩니다.

슬개대퇴 증후군을 일으키는 원인은 다양하기 때문에 모든 슬개대퇴 증후군 환자들에게 공통적으로 똑같은 치료를 할 수는 없다. 각각의 원인에 맞게 환자들마다 치료방법을 달리해야 성공적인 치료가 될 수 있다. 성공적인 치료를 위해서는 무릎을 잘 보는 재활의학과나 정형외과 전문의를 찾아가 근본 원인을 찾아내는 것이 가장 중요하다고 할 수 있다.

일단 무릎에 통증이 발생하면 슬개골-대퇴골간 관절에 스트레스를 주는 일체의 활동을 조심해야 한다. 무릎에 체중을 실어 굽히는 동작을 할 때 주로 관절에 부하가 걸리고 무릎 연골의 손상이 진행되므로, 이런 동작들을 피하고 쉬어 관절연골이 자극되고 손상되는 것을 막아야 한다. 필요한 경우 냉찜질이나 약을 복용해볼 수 있다. 그리고 테이핑 방법을 사용하여 비정상적인 슬개골의 움직임을 제한하게 되면, 쪼그려 앉을 때 무릎 앞쪽에 발생하는 통증이 무릎 테이핑을 시행한 즉시 없어질 수도 있는 드라마틱한 효과를 볼 수도 있다.

휴식과 약물치료를 통해 무릎의 급성기 통증이 가라앉게 되면 다음 순서는 근본 원인을 찾아 교정해주는 것이다. 발이나 다리의 구조적인 문제가 원인이 되는 경우에는 깔창이나 신발 교정을 통해 다리의 구조에 변화를 줄 수 있다. 또한, 특정한 근육이 약하다거나 인대가 뻣뻣한 경우에는 스트레칭 운동과 근육 강화운동을 시행해준다. 슬개대퇴 증후군의 뚜렷한 원인을 찾지 못한 경우에는 재활운동을 통해 무릎 주위 근력을 강화시키고, 무릎뼈(슬개골) 주위의 인대 근육 조직의 유연성을 기르고 무릎뼈(슬개골)의 움직임을 자연스럽게 만들어주게 되면, 시간이 지나면서 서서히 증상이 호전되는 경우가 많다.

　슬개대퇴 증후군은 원인이 명확하지 않은 경우가 많고 복합적인 요인들에 의해서 발병하기 때문에 확실한 치료, 또한 어려운 질환이다. 그러나 안 좋은 동작을 피하고 재활운동을 꾸준히 시행하면 대부분은 시간이 지나면서 점차 증상이 좋아진다. 슬개대퇴 증후군 환자들은 정확한 원인이 밝혀지지 않고 빨리 통증이 호전되지 않아 답답하고 조급할 때가 많다. 그러나 그렇다고 이 병원 저 병원을 다니며 스테로이드 주사치료를 수차례 시행하거나 검증되지 않은 치료들을 받게 되면, 무릎의 건강을 도리어 해칠 수도 있다. 슬개대퇴 증후군에 대한 기본적인 지식들을 알고 재활운동을 하면서 기다릴 수 있는 참을성도 필요하다.

　아직도 의학적으로 정확한 원인과 기전을 밝혀내지 못한 질환들이 많다. 아픈 환자분들의 답답함이야 오죽하겠느냐만, 그런 환자분들을 치료하는 의사들도 답답할 때가 많고 믿고 찾아온 환자분들에게 본의 아니게 미안할 때도 있다. 이런 상황에서 내가 알고 있는 선까지, 그리고 현재 알려져 있는 최신의 의학 정보를 알기 쉽게 환자들에게 설명을 해드리고, 검증된 범위 안에서 치료에 최선을 다하는 것이 나의 기본적인 책무이다.

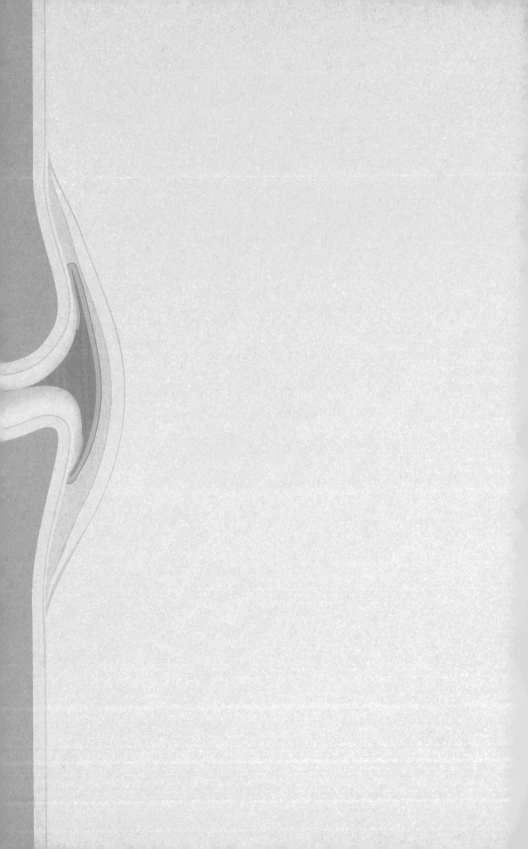

PART 4

어깨

01

회전근개(어깨 힘줄) 파열

"팔을 들어 일하려고 하면 어깨가 아프고 통증이 심할 때는 팔을 들어 올리는 힘도 좀 약해진 것 같습니다. 싱크대 찬장에서 그릇을 꺼내기 어려워졌어요. 아픈 어깨 쪽으로는 통증 때문에 모로 누워 잘 수가 없습니다."

Q&A

Q: 최근 어깨를 써서 일하려고 하면 통증이 심해집니다. 어깨 관절도 무릎 퇴행성 관절염처럼 관절염이 쉽게 발생하나요?

A: 퇴행성 관절염은 흔하지 않습니다. 그렇지만 어깨 관절을 둘러싸고 있는 힘줄이 찢어지는 퇴행성 변화가 흔하게 발생합니다.

어깨 관절은 엉덩이관절, 무릎, 발목 관절처럼 걷거나 뛸 때 체중이 걸리는 관절은 아니지만, 움직임은 가장 많은 관절이다. 관절의 자유로운 움직임이 큰 대신 관절의 모양이 불완전하여 근육, 힘줄, 인대에 의해 그 안정성이 유지된다. 어깨 주위 근육과 인대가 아무 문제 없이 제대로 작동해야만, 통증 없는 자연스러운 어깨의 움직임을 만들어낼 수 있다.

어깨는 관절 자체의 안정성이 많이 떨어지고 움직임이 크다 보니 근육과 인대에 문제가 발생할 확률이 높다. 게다가 기대여명이 점점 늘어나 노인 인구가 늘어나게 되면서 퇴행성 변화로 인한 손상도 더 많아지게 되었다. 어깨는 체중이 전달되는 관절이 아니어서 어깨 연골에 퇴행성 변화가 흔하게 발생하지는 않는다. 그러나 어떤 이유에서이든지 어깨 힘줄이 끊어져 어깨가 불안정한 상태로 오래 사용하다 보면 관절염이 발생할 수 있다.

새 옷을 사서 아무리 아껴 입어도 십수 년이 지나면 옷이 해져 뜯어지는 것처럼, 우리 어깨를 둘러싸고 있는 근육과 힘줄도 오랜 시간 동안 어깨를 사용하다 보면 퇴행성 변화로 뜯어지는 현상이 흔하게 발생하게 된다. 회전근개 파열이라고 불리는 어깨 힘줄의 찢어짐은 나이가 들어감에 따라 어깨에서 흔하게 보이는 소견이다. 사람들 대부분에게서 찢어져 있어도 특별한 증상을 만들지 않지만, 일부 사람에서는 통증을 유발하게 되고 일상생활에 장애를 주게 된다.

회전근개는 어깨 관절을 둘러싸는 근육으로서 극상근, 극하근, 견갑하근, 소원근의 4개로 이루어져 있다. 어깨 관절 주위를 둘러싸면서 어깨 관절의 안정성을 유지시켜주고 어깨 관절을 움직이게 해준다.

회전근개 파열은 어깨를 감싸고 있는 위의 네 근육들의 힘줄이 찢어지는 것을 말한다. 대부분은 팔을 머리 위로 올릴 때 작용하는 극상근의 힘줄이 잘 손상된다. 힘줄은 근육과 연결되어 뼈에 달라붙는 구조물로서, 이 힘줄의 파열은 통증과 근력의 저하로 관절운동에 제한을 가져오게 된다.

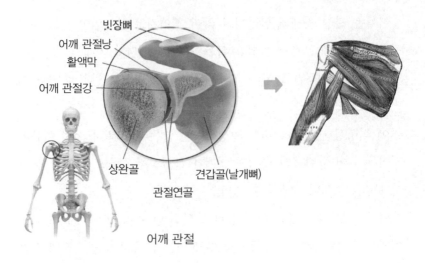

빗장뼈
어깨 관절낭
활액막
어깨 관절강
상완골
관절연골
견갑골(날개뼈)

어깨 관절

Q 어깨 관절은 움직임이 가장 자유로운 관절로 관절 자체는 그만큼 불안정
하다.
관절의 안정성에 어깨 주위의 근육, 힘줄, 인대가 중요한 역할을 한다.

Q & A

Q: 어깨 힘줄(회전근개 파열)이 찢어지면 어떤 증상이 나타나나요?

A: 머리 손질을 하거나 찬장에서 그릇을 꺼낼 때처럼 팔을 어깨 위로 올
리는 동작에서 어깨에 통증이 발생하게 됩니다. 심하게 되면 밤에 어
깨에 통증으로 잠을 이루지 못할 때도 있습니다.

어깨 힘줄이 찢어졌을 때의 주된 증상은 어깨를 움직일 때 통증이
발생하는 것이다. 팔을 어깨높이보다 위로 들어서 하는 활동 시에 통
증이 발생하게 되는데, 찬장에서 그릇을 꺼내거나 머리를 빗을 때에

통증이 발생하는 경우 등에서 통증이 발생한다. 팔을 어깨보다 낮은 위치에서 쓰는 일을 하면 통증이 거의 없지만, 팔을 어깨 위로 들어 올리는 동작을 하면 통증이 심해지는 것이 특징이다. 또한, 팔을 굽혀서 물건을 들면 괜찮은데 팔을 쭉 뻗어서 물건을 들어 올리면 통증이 발생하게 된다. 힘줄이 파열이 심한 경우에는 가만히 쉬고 있을 때에도 통증이 발생하게 된다. 가만히 있을 때도 통증이 발생할 수 있다. 증상이 심한 경우에는 밤에 수면을 취하는데 어려움을 겪게 된다. 또한, 수면 중에 자신도 모르게 아픈 어깨 쪽으로 모로 누우면서 심한 통증이 발생하여 잠을 깨기도 한다.

Q. 포크레인이 팔을 펼치게 되면 당연히 많은 힘이 걸릴 것이다. 이와 비슷하게 회전근개 파열이 있을 경우 팔을 뻗어서 물건을 잡을 경우에 극상근에 걸리는 하중이 커지면서 통증이 발생하게 된다.

팔을 어깨 위로 움직일 때 어깨에 통증이 발생하는 경우는 오십견 환자들에서도 흔하다. 일반인이 증상으로만 힘줄의 파열과 오십견을 구분하는 것은 어렵기 때문에 정확한 진단을 위해서는 전문의사의 진료를 꼭 봐야 한다.

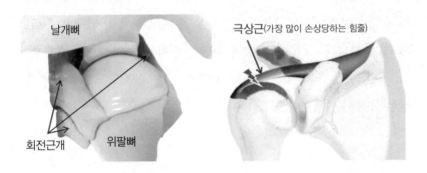

🔍 어깨 관절은 회전근개라는 4개의 근육으로 둘러싸여 있다. 회전근개 파열은 어깨를 위로 올리게 하는 극상근에서 주로 발생하게 된다.

Q: 63세이신 어머니가 어깨가 결려서 병원에 갔더니 어깨 힘줄이 찢어졌다고 합니다. 이건 심각한 상태인가요?

A: 대부분의 경우 심각한 것이 아닙니다. 어깨 힘줄의 찢어짐은 퇴행성 소견으로 나이가 들어가면서 흔하게 보일 수 있는, 어찌 보면 정상적인 소견입니다. 60세 이상인 분들은 통증이 없어도 10명 중 6명 정도에서 어깨 힘줄이 찢어져 있습니다. 검사하기 전까진 모르고 살아간다는 말입니다.

어깨 힘줄 파열은 퇴행성 변화로 발생하는 경우가 가장 많다. 기대여명이 늘어나고 노인인구가 많아지면서 퇴행성 변화로 인한 어깨 힘줄 파열은 더욱더 많아지고 있다.

어깨 힘줄이 찢어져 있어도 통증이나 특별한 증상이 없는 경우는 매우 흔하다. 어깨 통증이 전혀 없는 40세 이하의 사람들에서 어깨 힘줄이 찢어지는 경우는 거의 없다. 그러나 어깨에 통증이 전혀 없어도 40~60세인 사람들 10명 중 3명 정도에서는 어깨 힘줄이 찢어진 소견이 관찰된다. 60세 이상의 사람들에서는 무려 10명 중 6명에서 어깨 힘줄이 찢어진 소견이 보인다. 70대의 사람들에서는 10명 중 7명 이상, 80대에서는 10명 중 8명 이상에서 무증상 힘줄 파열의 소견이 보인다. 즉, 60대 이상에서는 어깨에 힘줄 파열이 없는 경우가 어찌 보면 더 이상한 것이다. 노인들에서는 어깨 힘줄이 찢어져 있어도 의미가 없는 자연 퇴행 변화인 경우가 많다.

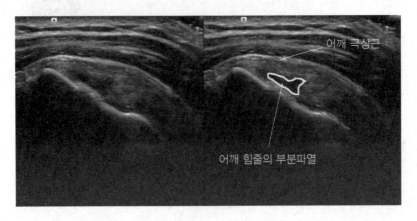

어깨 극상근

어깨 힘줄의 부분파열

Q 통증이 없는 66세 남자의 초음파 사진: 극상근 안에 부분적으로 찢어진 힘줄의 모양이 관찰된다.

어깨 힘줄 파열의 크기가 커지게 되면 통증이 발생할 확률이 좀 더 커질 수는 있으나, 회전근개 파열이 크다고 해서 꼭 통증이 발생하는 것은 아니다. 초음파 검사에서 어깨 힘줄에 전층 파열이 관찰되지만, 통증이 없는 사람들이 많다. 심지어 어깨 힘줄이 완전히 끊어져도 큰 통증 없이 사는 노인들도 있다.

Q&A

Q: 어깨 힘줄은 왜 찢어지게 되나요?

A: 어깨 힘줄의 파열은 어깨 힘줄에 손상을 주는 뼈구조의 문제, 과사용으로 인해 힘줄에 가해지는 스트레스와 노화로 인한 퇴행성 변화가 복합적으로 작용하여 나타나게 됩니다.

통증이 있든 없든 어깨 힘줄의 파열을 만드는 가장 큰 원인은 과사용에 의한 퇴행성 변화이다. 오래된 헝겊이 해져 찢어지는 것과 같이 어깨를 많이 사용할수록 어깨 힘줄의 퇴행성 변화는 진행한다. 여기에 덧붙여 어깨뼈구조의 이상으로 어깨 힘줄이 뼈에 계속 부딪히게 된다면, 어깨 힘줄이 찢어질 가능성은 더 높아진다. 50대 이상의 사람들에서는 과사용으로 인한 퇴행성 변화로 어깨 힘줄의 찢어진 경우가 제일 많다.

30~40대의 경우에는 외상과 심한 과사용에 의해서 발생하게 된다. 이 연령대에는 퇴행성 변화가 거의 발생하지 않는 시기로 힘줄 자체는 건강한 시기이다. 따라서 이 나이에서 힘줄이 찢어졌다면 원인은 대부분 외상성이다.

최근에는 레저, 스포츠 등의 취미활동을 하는 사람들이 많다. 배드민턴, 헬스, 야구, 배구 등 어깨를 주로 사용하는 운동을 하면서 어깨에 스트레스가 가는 경우가 많다. 스트레스가 심해지면 어깨 힘줄의 파열과 함께 어깨 통증이 발생하게 된다. 바쁜 현대인들은 헬스를 이용해서 운동하는 경우가 많다. 바벨을 머리 위로 들어 올리는 근력 운동은 조화로운 상체의 근력 강화를 위해 중요하다. 이때 중요한 것은 무리가 없도록 가볍게 시작하여 점진적으로 무게를 늘려가며, 근육이 적응할 시간을 주는 것이다. 숄더 프레스 운동은 잘못 시행하게 되면, 어깨 회전근개에 가장 좋지 않은 운동이 된다. 혹시 이 숄더 프레스 운동을 하면서 어깨에 통증이 있다면 일단은 쉬는 것이 좋다. 꼭 이 숄더 프레스 운동이 아니더라도 헬스 운동을 하면서 통증이 있다면, 그 운동은 잠시 쉬었다가 통증이 가라앉게 되면 가볍게 시작해서 점진적으로 강도를 높여 가며 시행해주어야 한다. 통증은 우리 몸이 손상되리라는 것을 알려주는 중요한 경보시스템이다.

어깨 힘줄 파열은 노화로 인한 퇴행성 변화, 과사용, 외상, 어깨뼈구
조물의 이상으로 발생할 수 있으며, 한 가지 원인에 의해서 발생하기보
다는 여러 가지 원인이 복합적으로 작용하여 발생하는 경우가 많다.

우리가 어깨를 옆으로 들어 올릴 때(외전)에는 위팔뼈와 함께 날개
뼈도 같이 움직이게 된다. 위팔뼈가 어깨 관절에서 120도 위로 회전
할 때 날개뼈는 60도 정도 회전하여 팔을 귀에 붙일 수 있게 된다. 어
깨 회전근개 근육이 작용하여 위팔뼈를 회전시킬 때, 날개뼈도 회전
해주어야 어깨에 손색없이 정상적인 움직임이 가능하다. 그러나 근력
과 유연성이 부족한 현대인들은 톱니바퀴가 맞물려 돌아가는 식의
부드러운 움직임이 잘 일어나지 않는 경우가 많다. 이럴 경우, 어깨를

둘러싸고 있는 근육과 힘줄에는 과도한 스트레스가 일어나게 되고, 결국 윤활낭염 및 파열 등의 어깨 질환이 발생할 위험성이 높아지게 된다. 고무줄을 과하게 잡아당기면 끊어지는 것과 같다.

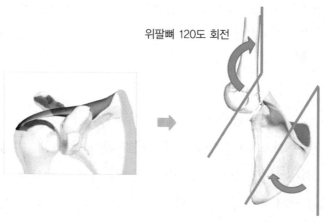

위팔뼈 120도 회전

날개뼈 120도 회전

Q. 팔을 옆으로 들어올릴 때 정상적으로 위팔뼈가 120도 날개뼈는 60도 회전해야 한다.
근육의 뻣뻣함으로 날개뼈의 움직임이 잘 되지 않으면 어깨 힘줄에 스트레스가 가고 찢어짐이 발생할 확률이 높아진다.

Q: 올해 62세인 어머니는 어깨가 아프다며 항상 어깨를 마사지 하십니다. 초음파 검사를 해보니 어머니의 어깨 힘줄이 찢어져 있는 소견이 보인다고 합니다. 치료를 해야 하나요?

A: 어깨 힘줄이 찢어져 있다 해도 어깨 통증의 대부분은 근육이 뭉쳐서 아픈 근육통일 경우가 대부분입니다. 여러 가지 검사와 전문의의 소견 상 어깨 힘줄의 파열이 어깨 통증의 원인이 확실할 때만 치료를 해야 합니다.

어깨가 아픈 사람들 중의 대다수는 소위 근육이 뭉쳐서 아픈 증상인 근육통이다. 그리고 위에 설명한 것과 같이 어깨 힘줄이 찢어져 있는 소견은 퇴행성 변화로 인하여 무증상으로 흔하게 보일 수 있는 소견이다. 60대 이상에서는 오히려 어깨 파열이 없는 사람이 있는 사람보다 그 수가 더 적다. 따라서 초음파나 MRI에서 발견된 어깨 힘줄의 파열이 어깨 통증과 어깨관절운동장애의 원인이 확실한 경우에 한해서 어깨 힘줄(회전근개) 파열에 대한 치료를 시행해야 한다. 이 경우 치료의 목적은 통증감소와 일상생활을 하는 데 있어 기능을 회복시키는 것이다. 어깨 통증이 있는 사람에게 검사 시, 어깨 힘줄 파열이 발견되었다 하더라도 통증의 원인이 어깨 힘줄 파열이 아닐 경우가 많다. 따라서 어깨를 잘 보는 전문의의 정확한 신체검진이 필요하다. 정상적인 퇴행성 변화의 과정으로 파열되어있는 것을 문제시 삼아 필요 없는 치료를 받게 되면, 오히려 멀쩡한 어깨에 긁어 부스럼을 만들 수도 있다.

Q 어깨가 아파서 진료실을 찾는 사람들의 제일 많은 원인은 등세모근에서 오는 근육통이다.

Q & A

Q: 찢어진 어깨 힘줄은 저절로 붙을 수 있나요?

A: 찢어진 어깨 힘줄의 경우 대부분은 시간이 흘러도 그대로의 모양을 유지하게 됩니다. 저절로 붙는 경우도 있을 수는 있으나 많지는 않습니다.

살갗이 찢어진 경우 1~2주의 시간이 지나면 대부분 붙고 뼈가 부러져도 3~4개월의 시간이면 다시 붙는다. 우리 몸은 자가치유력이 있다. 그럼 어깨 힘줄은 자가치유력이 있을까, 없을까? 그리고 찢어진 어깨 힘줄은 시간이 지나면 어떻게 변하는 것일까?

어깨 힘줄의 파열은 크게 그 정도와 형태에 따라, 부분층 파열과 전층 파열 두 가지로 나누어진다. 전층 파열이라고 해서 완전히 끊긴 것이 아니라, 힘줄의 맨 위부터 맨 아래까지 찢어진 부분이 있는 것을 말하는 것이다.

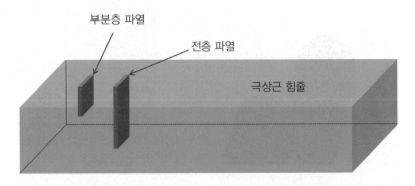

🔍 극상근의 부분층 파열, 전층 파열의 모식도: 극상근의 전층 파열이라고 힘줄이 완전히 끊어진 것을 말하는 것은 아니다. 힘줄의 일부분이 제일 위쪽 층에서 제일 아래 층까지 찢어진 곳이 있으면 전층 파열이라고 한다.

어깨힘줄 부분파열의 경우에 10명 중 9명에서는 찢어진 크기에 큰 변화가 없다. 10명 중 1명 정도에서는 찢어진 크기가 증가하며, 20명 중 1명 정도에서는 크기가 감소한다. 전층 파열의 경우에는 10명 중 4명 정도에서는 크기에 변화가 없다. 10명 중 5명에서는 찢어진 크기가 증가하며, 10명 중 1명에서는 찢어진 크기가 감소한다.

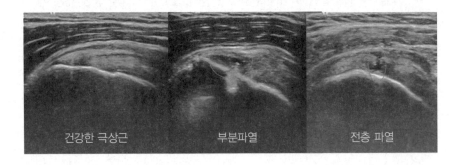

Q: 어깨 힘줄이 찢어졌을 때는 어떤 치료를 받아야 하나요?

A: 대부분의 경우 비수술적 치료로 재활치료, 약물치료, 주사치료를 시
   행하게 됩니다. 어깨 근육들의 유연성을 회복시켜 주고, 근육을 강화
   시키고 근육들의 협응능력을 키워주게 되면 통증과 어깨의 기능들에
   많은 볼 수 있습니다. 물론 가장 중요한 것은 어깨에 스트레스를 주었
   던 일을 중지하는 것입니다.

어깨 힘줄의 파열이 통증의 원인으로 진단되고 치료가 필요한 것으
로 결정되었을 경우에는 치료 방법의 결정에 있어서 신중해야 한다.
어깨 힘줄의 정상적 퇴행성 변화와 시간의 흐름에 따른 변화, 재활치
료와 수술치료에 대한 기본적인 지식들을 알고 있어야 최선의 치료
를 받을 수 있다. 어깨질환에 전문가인 재활의학과와 정형외과 의사
들이 많은 지식과 정보를 제공하겠지만, 치료 방법의 결정에 있어 환
자 본인의 의지와 판단도 어느 정도 필요하다.

치료에서 무엇보다도 가장 중요한 것은 어깨에 스트레스를 주었던
일을 중단하는 것이다. 병을 만든 근본적 원인의 교정이 없는 치료는
허상일 뿐이다. 어깨의 질환을 가지고 병원을 방문하게 되었을 때 치
료는 1) 재활운동치료 2) 약물치료 3) 주사치료 4) 수술의 단계로 진
행된다. 대부분의 경우 비수술적 치료인 재활운동치료, 약물치료, 주
사치료를 먼저 시행한다. 어깨의 통증을 조절하기 위해 약물치료와
주사치료를 시행하며, 재활운동치료를 통해 어깨를 둘러싸고 있는
근육들(회전근개)의 유연성과 근력을 강화시킨다. 어깨 주위 근육들
의 유연성과 근력이 적절하고 협응능력이 잘 유지되었을 때 어깨 관
절은 안정화된다. 어깨 관절이 안정화가 이루어지면 어깨를 사용할

때 위팔뼈와 날개뼈가 정상적으로 움직이게 되어, 향후 어깨 손상이 위험성이 줄어들며 통증의 호전과 함께 기능의 호전을 볼 수 있다.

Q&A

Q: 어깨 힘줄 파열로 어깨에 스테로이드 주사를 맞았는데, 자주 맞아도 괜찮은 건가요?

A: 어깨 힘줄의 파열이 있을 경우 통증 조절을 위해 보통은 국소 스테로이드 주사를 하게 되며 단기적 효과는 좋습니다. 스테로이드 주사는 강력하게 염증을 가라앉혀 줍니다. 잘 사용하면 명약이고 마구잡이로 쓰면 독약이 됩니다. 보통 일 년에 4~5회의 주사치료는 괜찮으며, 보통 2~3개월의 간격을 두어야 합니다.

스테로이드 주사는 우리 몸의 관절, 근육, 인대 등의 통증에 가장 많이 사용하는 약물 주사이다. 많은 사람들이 소위 '뼈주사'라고 부르는 것이 바로 스테로이드 주사이다. 많은 사람들이 뼈주사 성분이라고 하면 굉장한 거부감을 갖는다. 이것은 예전 몇몇 돌팔이들이 무분별하게 스테로이드 약을 사용하여 많은 부작용을 만들었던 것이 이슈화된 적이 있었기 때문이다.

스테로이드는 강력한 항염증 약물로서 염증을 가라앉힘으로 통증을 확연하게 없애준다. 우리 몸에 적절하지 않은 염증은 제거해주어야 한다. 염증은 불난 것에 비유할 수 있다. 우리 몸에 병적인 염증반응이 일어나서 조절되지 않으면, 결국 주위의 조직을 파괴하여 병을 더 심하게 만들 수 있다.

스테로이드 주사는 강력하게 염증을 가라앉히는 작용을 하는 약으로 횟수를 잘 조절해서 알맞게 사용하면 명약이다. 그러나 통증 감소 효과만을 생각해서 무분별하게 사용하면, 많은 부작용을 나타낼 수 있는 독약이 된다. 스테로이드 성분은 면역을 억제하는 작용을 하며, 단백 형성을 억제하는 작용을 한다. 적절히 면역을 억제하여 염증 반응을 조절하는 것은 좋지만, 과하게 억제하면 정상적인 면역기능을 떨어뜨려 균감염의 문제가 발생할 수 있다. 또한, 단백 형성을 억제하기 때문에 손상된 조직이 정상적으로 회복되는 데에 악영향을 줄 수도 있다.

어깨 힘줄 파열로 인한 통증이 잘 조절 되지 않을 경우에는 일 년에 4회 정도까지는 스테로이드 주사를 맞아도 괜찮다. 그러나 다시 주사를 맞을 때는 최소 1~3개월의 간격을 두는 것이 좋다.

스테로이드의 부작용에는 피부 탈색, 피하 지방 위축, 안면 홍조, 혈당 증가, 불면증, 소화불량, 무기력 등이 있다. 너무 피부에 가깝게 주사하였을 때에는 피부가 하얗게 탈색되는 변화가 단 한 번의 주사에도 나타날 수 있다. 또한, 스테로이드 성분에 의해 지방이 위축되어 뼈의 모양이 피부에 고스란히 드러나게 되어, 보기에 좋지 않은 모양을 만들 수도 있다. 보통 테니스 엘보우(팔꿈치 외상과염)의 치료로 스테로이드 주사치료를 시행하는 경우 잘 나타나게 된다. 팔꿈치의 경우 피부밑 지방조직이 적고, 뼈와 피부가 가깝게 위치하여 이런 부작용들이 잘 나타나게 된다.

스테로이드의 진짜 무서운 부작용은 무분별하게 조절하지 않고 과도하게 사용할 경우, 우리 몸의 정상적인 스테로이드 호르몬 조절 기능이 상실되면서 발생한다. 식욕을 증가시키고 지방 분포를 변화시켜 복부비만을 만들 수 있으며, 얼굴은 달처럼 동그래지고, 피부는 약해져서 자주 멍이 들고 벗겨지게 된다. 또한, 골다공증, 당뇨병, 백내장, 고혈압 등이 발생할 수도 있다. 드물긴 하지만 스테로이드 근육병증이라고 하여 근육이 마비되어 걷지 못하는 병이 발생할 수도 있다. 이런 여러 합병증들은 쿠싱병이라고 해서 우리 몸 안에 스테로이드의 양이 조절되지 못하고, 부신의 종양 등으로 해서 과다하게 분비될 때 나오는 부작용들이다. 이 쿠싱병의 가장 큰 원인이 외인선 요인으로 약으로 스테로이드를 무분별하게 많이 사용하여 발생하게 된다. 다행히도 최근에는 의사들이 제대로 된 정보를 제공하고 환자들도 스테로이드에 대해서 어느 정도의 지식을 갖게 되면서, 위의 부작용들은 많이 줄어들고 있다.

　다시 강조하지만, 스테로이드는 잘 사용하면 명약이 되고 잘못 사용하면 독약이 된다. 무분별하게 사용하여 몸에 악영향을 주면 안 되겠지만 필요함에도 불구하고 좋지 않은 선입견으로 인해, 무조건 사용을 피하는 것도 몸을 망가뜨리는 것이다.

Q&A

Q: 어깨 힘줄 파열로 어깨에 스테로이드 주사를 맞고 통증은 거의 다 없어졌습니다. 재활운동치료는 안 해도 괜찮은가요?

A: 재활운동치료는 꼭 해야 합니다. 주사치료는 일단 급한 불을 끄는 것입니다. 어깨의 건강을 되찾기 위해서는 근본적으로 재활운동치료를 꼭 시행해야 합니다.

　어깨 힘줄 파열로 인한 통증으로 주사치료를 시행 받은 경우, 사람들 대부분은 수일 내에 확연하게 통증이 감소하게 된다. 약이나 주사치료를 통한 통증감소는 급성 염증반응의 감소로 인한 것으로, 근본적으로 파열된 힘줄의 치료를 의미하는 것이 아니다.

위에서 설명한 것과 같이 어깨 힘줄 파열은 그 원인이 있다. 과사용으로 인한 경우에는 일단 어깨의 사용을 줄이는 것이 가장 첫 단계의 치료이며, 향후 재발 방지에 있어서 중요하다. 그리고 이와 함께 어깨 주위 근육의 유연성, 근력 및 협응능력을 회복하여 정상적이고 부드러운 어깨의 움직임을 만들어주는 것이 근본적인 치료가 된다. 향후 재발하게 될 어깨 힘줄 파열의 예방을 위해서 재활운동치료는 매우 중요하다. 위팔뼈와 날개뼈 그리고 많은 인대와 근육으로 이루어진 어깨 관절은 관절의 움직임이 자유롭고 큰 만큼 어깨를 움직일 때 안정성이 중요하다. 각각의 근육이 적절한 근력과 유연성을 가지고 있어야 어깨는 부드럽게 정상적으로 움직이게 된다. 운동부족과 안좋은 자세 등 여러 원인에 의해서 근육이 뻣뻣해져 유연성이 떨어지고 협응능력이 떨어지게 되면, 어깨를 움직이면서 근육과 힘줄에 스트레스가 가고 심하면 파열이 발생하게 된다.

주사치료로 인한 통증 완화는 단기간이다. 근본 원인을 해결해주지 않으면 또 어깨 힘줄은 다시 스트레스를 받게 되고 통증은 다시 재발하게 된다. 주사치료로 통증을 해결했다면 재활운동치료를 통하여 어깨의 정상적인 움직임을 만들어, 어깨 힘줄에 걸리는 스트레스를 줄여주어야 한다.

Q: 어깨 힘줄에 부분파열이 있습니다. 수술을 해야 할까요?

A: 부분파열의 경우 대부분 수술이 필요 없습니다. 재활운동치료와 약물, 주사치료를 같이 하면 대부분은 많은 호전이 있습니다.

30년 전까지만 해도 어깨는 오히려 수술 전보다 수술 후의 결과가 좋지 않아서 수술을 잘 시행하지 않는 관절이었다. 의학의 발달로 현재 어깨 수술에서도 많은 발전이 있었지만, 아직도 어깨관절은 다른 관절에 비해 수술의 효과가 좋지 못한 것 같다.

어깨 힘줄 파열로 치료를 받을 때는 정상적인 퇴행 소견에 대한 지식을 알고 치료가 꼭 필요한 것인지, 치료가 필요하다면 어떤 치료를 받아야 하는지, 치료를 통해서 얼마나 회복할 수 있는 것인지에 대한 충분한 심사숙고가 있어야 한다. 그리고 치료의 최후 단계인 수술을 결정하는데 있어서는 더욱 많은 고민이 필요하다. 수술이 아닌 여러 치료들을 충분히 시행해보았는지, 수술 없이 치료될 수 없는 것인지, 수술로서 더 좋은 효과를 볼 수 있는지, 수술 후에 어깨에 발생할 수 있는 합병증은 어느 정도인지, 다양한 정보를 수집하고 전문가들의 의견을 들어서 신중히 판단해야 한다. 재활치료, 주사치료 등의 비수술적 치료와 수술치료에 있어서의 선택은 여러 가지 요소를 고려해서 결정해야 한다. 환자의 나이, 외상의 유무, 환자의 전신상태, 파열의 크기, 파열의 원인 등을 종합적으로 고려해야 한다.

우리 몸의 근육, 힘줄, 인대 등 많은 구조물들은 나이가 들어감에 따라 아무런 증상이 없어도, 퇴행적으로 찢어지거나 병적 소견을 보이는 경우가 많다. 곧 인체 구조물의 모양은 찢어지고 가늘어지고 해도, 이것은 노화에 의한 정상적인 소견일 경우가 많다는 것이다. 위에서 말한 것처럼 아무 증상이 없어도 어깨 힘줄에 부분파열이 있는 경우는 대략적으로, 60대는 10명 중 6명, 70대는 10명 중 7명, 80대는 10명 중 8명에 해당한다.

노인의 어깨 힘줄 파열은 특별한 경우가 아니라면 재활운동, 약물치료, 주사치료로 통증을 조절하는 것이 좋다. 퇴행성 변화로 증상이 없어도 어깨 힘줄이 찢어져 있는 사람이 많기 때문에 부분파열 같은 경우, 통증만 조절되고 기능적으로 사용하는데 큰 무리가 없으면 된다.

운동을 좋아하는 활동적인 젊은 사람에서 발생한 회전근개 부분파열의 경우에도 일단은 재활운동을 통하여 치료를 해보는 것이 적절하다. 3~6개월 이상 비수술적인 여러 치료에 반응이 없어 증상이 지속되거나 악화되면 수술적 치료를 고려해볼 수 있다. 전층 파열이 됐다 하더라도 재활치료와 약물치료를 잘 받으면 10명 중에 6~7명은 통증과 어깨의 기능이 많이 회복되어 만족하게 된다.

Q&A

Q: 28세 남자입니다. 스키를 타다가 넘어지면서 어깨 힘줄에 큰 파열이 발생했습니다. 수술을 해야 할까요?
A: 젊은 활동적인 사람의 경우에는 수술치료를 적극적으로 고려해보는 것이 좋습니다.

2008년 NEJM(New England Journal of Medicine)에는 어깨 힘줄 파열 시 치료에 대한 가이드라인을 제시하고 있다. 회전근개 파열 시 즉각적인 수술을 권고하는 경우는 젊고 활동적인 사람이 외상으로 인하여 어깨 힘줄을 다쳤을 경우이다. 향후에도 어깨를 많이 사용할 것이고 젊은 사람들의 힘줄은 건강하기 때문에 서로 이어붙였을 때 수술치료의 결과가 좋기 때문이다.

그렇지만 활동적인 젊은 사람이라 할지라도 작은 부분파열은 먼저 3개월 이상의 보존적 치료를 시행하는 것이 바람직하다. 크기가 큰 부분파열이나 전층 파열이 있을 경우에는 3주 이내에 힘줄의 봉합 수술을 시행하는 것이 수술 후 기능과 통증에 더 좋다. 수술의 시기가 너무 지체되었을 경우에는 파열이 더 커지고 힘줄과 근육이 찢어진 자리에는 지방조직으로 채워지게 된다. 한 번 지방으로 변하면 다시 회복될 수 없다. 어깨 힘줄이 크게 파열되면 어깨의 안정성이 무너지면서 어깨에 퇴행성 관절염이 발병할 확률이 높아진다. 활동적인 젊은 사람들에서 발생한 급성 외상성 어깨 힘줄 파열의 경우에는 수술적 치료를 적극적으로 고려해야 한다.

Q & A

Q: 어머니가 어깨 힘줄의 파열로 봉합 수술을 하려고 합니다. 수술의 합병증은 없을까요? 수술 후에 재활치료는 해야 합니까?

A: 봉합 수술 후 다시 찢어지는 경우는 10명 중 2~5명 정도에서 발생하게 되며, 어깨가 굳어 관절운동의 제한이 발생하는 경우는 10명 중 1명 정도 됩니다. 봉합된 어깨 힘줄을 더 건강한 조직으로 치유시키고 어깨관절의 자연스러운 운동기능 회복과 향후 재발 예방을 위해, 수술 후 재활 치료를 필수적으로 시행해야 합니다.

관절경으로 어깨 힘줄 봉합술을 시행한 후에 어깨 힘줄의 재파열은 10명 중 2~9명까지 발생하는 것으로 알려져 있다. 재발률은 힘줄의 찢어진 크기와 어깨 힘줄의 건강한 정도, 환자의 나이에 따라 다르게 나타난다.

위에서 언급했듯이 노인들에게서 어깨 힘줄은 자연적 퇴행 변화로 찢어지는 경우가 많다. 퇴행성 변화로 인한 파열은 찢어진 그 부분에서만 문제가 있는 것이 아니고, 어깨 힘줄 전체가 퇴행성 변화로 약해져 있는 경우가 대부분이다. 추운 겨울이 지나고 날이 풀리면서 호수의 얼음이 녹기 시작했고, 호수 가운데 얼음이 다 녹아서 물이 보이기 시작한 경우를 생각해보자. 상식적으로 얼음이 녹아 버린 딱 그 호수 가운데 부위만 얼음이 약해졌을 리는 없다. 호수를 얼렸던 모든 얼음이 녹아서 약해졌고, 가장 약했던 가운데 부위가 먼저 녹아 얇아졌음을 생각해보면 쉽게 이해할 수 있다. 나이가 많을수록 어깨 힘줄은 약해진다. 따라서 어깨 힘줄을 봉합해도 다시 찢어질 위험성이 높다. 노화의 과정으로 무증상으로도 흔하게 찢어지는 힘줄 조직이 수술로 봉합해놓는다고 해서 붙을 리 없다.

어깨 수술 후에는 봉합된 어깨 힘줄의 보호를 위해 일정 기간 동안 어깨 관절의 고정이 필요하다. 그러나 문제는 일정 기간 동안의 어깨 고정 자체가 어깨관절을 굳게 만들며 통증을 유발하게 된다는 것이다. 수술 전보다 통증과 어깨의 움직임이 더 심해졌다고 말하는 사람들도 심심치 않게 있는 것이 사실이다. 관절경으로 어깨 수술을 시행한 후에 발생하는 어깨가 굳는 소견(오십견 소견)이 100명당 3~15명에 이르는 것으로 알려져 있다.

어깨 수술 후의 재활치료는 수술치료의 성공을 위해서 매우 중요한 부분이다. 아무리 수술을 잘해도 재활치료가 적절하게 이루어지지 않으면 어깨의 관절은 굳어 제 기능을 수행하기 어려워진다. 또한,

어깨의 주위의 근력이 약해지고 어깨 관절의 안정성이 저하되어 향후에 또 다른 어깨 힘줄의 파열을 비롯해서 여러 질환을 만들게 될 것이다.

재활치료의 목적은 봉합된 어깨 힘줄이 조직학적으로 건강하게 치유되게 돕고 통증 없는 관절운동을 가능하게 하여, 최종적으로 어깨 관절의 기능을 회복시키는 것이다. 수술 후 재활치료는 본인이 힘을 주지 않고 치료사가 움직여주는 수동 관절 운동부터 시작하여, 서서히 강도와 관절 각도를 늘려나가고 본인이 직접 힘을 주어 움직이는 능동 관절 운동 및 근력 강화운동, 견갑 안정화 운동으로 진행하게 된다. 다시 일상의 모든 동작이 가능하고 스포츠가 가능하기 위해서는 보통 수술 후부터 5~6개월의 시간이 걸린다.

Q: 68세인 아버지가 어깨 힘줄 파열로 진단받았습니다. 수술은 하지 않기로 하였는데, 어떻게 관리를 해야 할까요?

A: 일단 다친 어깨의 과사용을 피해야 하며 머리 위로 손을 올리는 동작이나 일을 최대한 피해야 합니다. 동시에 어깨 유연성 운동과 근력 운동을 통하여 어깨 관절의 안정성을 높여야 합니다. 통증이 심할 때는 가끔씩 주사치료를 받는 것도 좋은 방법입니다.

신체적으로 활동적인 젊은 사람이 외상으로 인하여 급성으로 어깨 힘줄이 찢어진 경우에는 수술치료를 해야 되는 것이 비교적 명확하지만, 노령층에서는 보다 많은 고민이 필요하다. 평균 65세 나이에 힘줄이 많이 찢어진 환자들을 대상으로 4년 동안 수술 없이 비수술적 치료를 시행한 경우, 어깨의 기능적 움직임과 통증에 있어서는 만족할 만한 결과가 있었다. 다만, 힘줄이 많이 찢어진 경우 어깨 안정성의 문제로 퇴행성 변화는 증가하게 된다.

특별한 외상으로 끊어지는 것이 아니라면 어깨 힘줄의 건강을 유지하기 위해 과사용을 피해야 한다. 그리고 위팔을 어깨보다 올려 머리 위에서 어떠한 동작을 할 때 어깨 힘줄에 걸리는 스트레스가 심해지므로, 가능하면 머리 위로 손을 올리는 동작이나 일은 피해야 한다. 머리 뒤로 빗질을 하거나, 찬장에 물건을 꺼낸다든가, 머리 위로 물건을 들어 올린다든가 하는 일들이 피해야 하는 그런 예이다.

어깨를 많이 쓰는 일이든 운동을 할 때에는 점진적으로 조금씩 양과 강도를 늘려가면서 시행해야 한다. 어깨 관절의 움직임과 날개뼈의 움직임이 조화롭게 잘 이루어질 수 있도록 어깨 근육들의 유연성을 잘 유지하고, 어깨를 안정하게 만들 수 있을 만큼의 근력 유지는 해야 한다. 통증은 심해질 때도 있고 나아질 때도 있다. 통증이 심해질 때는 초음파를 보면서 정확한 부위에 국소 스테로이드 주사를 맞으면 된다. 물론 위에서 말했듯이 과도하게 스테로이드 주사치료를 받는 것은 금물이다. 회전근개 파열 시 증식치료나 자가혈치료, 충격파치료 등은 시행해볼 수는 있지만, 그 근거는 확실하지 않다.

02

어깨 오십견(유착성 관절낭염)

"어깨를 움직일 때마다 통증이 발생하고 심하게 아플 때는 위팔까지도 통증이 뻗칩니다. 어깨 통증이 심해서 머리 손질하기가 힘들고 옷을 입을 때도 힘드네요. 최근에는 밤에 잘 때도 어깨가 아파서 수면을 제대로 취할 수가 없습니다."

Q&A

Q: 오십견의 주 증상은 무엇입니까?

A: 오십견의 주된 증상은 서서히 심해지는 어깨의 통증과 어깨 움직임의 제한이다. 심하면 위팔에도 통증이 방사되며 잠을 못 잘 정도로 어깨에 통증이 심해질 수도 있습니다. 빗질을 한다든지 높은 곳에 있는 물건을 꺼내면서 어깨를 움직일 때 통증이 심해지고 어깨를 움직이지 않으면 완화됩니다.

어깨의 통증으로 내 진료실을 찾는 사람들에게 있어 가장 많은 통증의 원인은 근육통 또는 근막통 증후군이다. 근육통을 제외하고 어깨 통증을 만드는 원인 중 가장 흔한 회전근개 질환 다음으로 흔한 원인은 '오십견'이라고 불리는 유착성 관절낭염으로 사람들 100명 중

2~5명에서 발생하게 된다.

우리 몸의 모든 관절은 관절낭으로 싸여 있다. 관절낭은 윤활액을 만들고 흡수하는 윤활액 조직으로 덮여있으며, 관절을 부드럽게 움직이게 해주는 관절액이 흘러내리지 않게 관절을 잘 둘러싸고 있다. 이 어깨 관절을 싸고 있는 관절낭에 염증이 발생하면서 어깨 관절이 굳는 병이 바로 유착성 관절낭염이다. 50대에서 많이 발생한다 하여 일반인들은 흔히 '오십견'이라고 부른다.

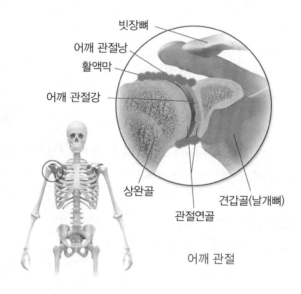

어깨 관절

Q. 오십견은 어깨 관절낭에 염증(빨간색)이 생기면서 유착이 발생하는 질환이다.

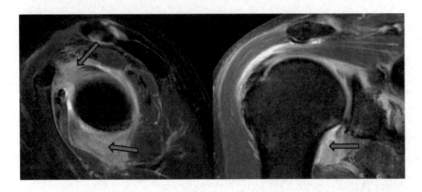

Q 오십견 환자의 MRI 사진: 어깨 관절낭 주위에 흰색으로 염증소견(빨간 화살표)이 보인다.

Q&A

Q: 저는 올해 42세인데 특별한 외상없이 어깨에 통증이 발생하고 어깨 움직임에 제한이 발생하였습니다. 이 나이에도 오십견이 발생할 수 있나요?

A: 오십견이 50대에서 가장 많이 발생하기는 하지만 50대에만 발병하는 것은 아닙니다. 주로 40~60세에서 발생합니다.

오십견은 50대에서 가장 많이 발생하여 '오십견'이라고 불리지만 꼭 50대에서만 발생하는 것은 아니다. 주로 40~60세의 나이에서 발생하며 30대 사람들에서도 발병하는 경우가 종종 있다. 30~40대에 오십견이 발병한 환자들은 내 나이에 웬 오십견이냐고 놀라기도 하지만 오십견은 꼭 50대에만 발병하는 질환은 아니다.

Q: 오십견은 왜 발병하나요?

A: 정확한 원인은 모릅니다. 다만, 어깨를 고정하여 움직이지 못하게 될 경우에 오십견은 잘 발생하며, 당뇨병이 있는 경우 더 잘 발생합니다.

오십견이 발생하는 정확한 원인과 기전은 아직 모른다. 특별한 외상의 병력이 없어도 점차로 서서히 어깨 통증이 발생하면서 어깨 사용이 힘들어지는 경우가 대부분이다. 외상으로도 발생할 수 있으며, 당뇨가 있는 사람들은 10명 중 2명 정도에서 발병하여 당뇨가 없는 사람들보다 더 흔하게 오십견이 발생한다.

오십견을 촉발시키는 가장 큰 위험요인은 어깨의 부동이다. 즉, 움직이지 못하도록 어깨를 고정하거나, 여러 원인에 의해 어깨 사용이 현저하게 줄어들 경우에 발병 위험성이 커진다. 그래서 어깨 힘줄 파열 등으로 어깨 수술을 받고 어깨를 고정한 환자들에서 흔하게 발병한다. 또한, 유방암 수술 시행 후 어깨를 일정 기간 고정하는 경우나, 뇌경색으로 인해 어깨가 마비된 경우에도 흔하게 발병한다.

팔이 골절되었거나, 유방암 수술을 하거나 해서 어깨를 움직이지 말아야 할 경우에는 합병증이 발생하지 않게 하면서 조기 재활치료를 시행해주면, 오십견의 예방에 많은 도움이 된다.

많은 오십견 환자들은 반대쪽 어깨에 오십견이 발병하는 것에 대해 염려한다. 한쪽 어깨에 오십견이 발생했을 경우 10명 중 2~3명에서는 반대쪽 어깨에도 발생한다. 오십견이 발병했던 어깨에 다시 오십견이 재발하는 경우는 흔하지 않은 것으로 되어 있으나, 통증이 나아지다가 다시 심해지는 경우는 종종 있다. 한 번 오십견이 발생하였을 때 잘 치료받는 것이 중요하다.

Q: 오십견은 저절로 나을 수 있나요?

A: 오십견은 일반적으로는 자가치유질환입니다. 2년 정도의 시간이 지나면 10명 중 9명은 저절로 낫게 됩니다. 그렇지만 통증과 어깨 기능의 장애는 치료를 받게 되면 훨씬 더 빨리 좋아지게 됩니다.

오십견은 특별한 치료 없이 지내도 저절로 치유될 수 있는 질환이다. 자연적인 경과를 지켜보면 각 사람들마다 많은 차이를 보여, 치유되는 데에 6개월~3년의 시간이 걸린다. 평균적으로 보통 1년 6개월~2년 후에 저절로 회복되며, 10명 중 9명에서는 자연적으로 특별한 치료가 없이도 자가치유된다. 그러나 2명 중 1명 정도에서 일상생활에 큰 지장을 초래하지는 않지만, 어깨 관절 움직임에 제한이 남게 된다. 20명 중 1명 정도에서는 일상생활이 불편할 정도로 어깨장애가 발생하게 된다.

오십견 증상의 자연 경과는 사람에 따라 다르지만 대략 통증기, 강직기, 회복기로 나누어진다. 2~6개월 정도 지속되는 통증기에는 어깨 통증이 처음 발생하게 되고, 그 강도가 점점 심해지면서 위팔로 뻗치게 된다. 밤에 가만히 누워 있을 때에도 통증이 발생하여, 수면을 취하기가 어려워질 정도로 심해지는 경우가 많다. 보통 환자들은 오십견의 통증기에 심한 통증으로 병원을 찾게 되는 경우가 많다. 통증기가 지나고 강직기가 오게 되는데, 4개월~1년 정도 지속된다. 이 시기에는 통증이 점차로 줄어든다. 그러나 어깨관절 강직이 진행되어 오십견이 발병한 어깨를 사용하여 일상생활하기가 힘들어진다. 머리 손질, 옷 입기, 목욕 중 등 닦기 등 어깨를 많이 움직여야 하는 일상생활이 힘들어진다.

강직기가 지나고 마지막 단계로 1년~2년 동안 지속되는 회복기가 온다. 회복기에는 어깨 통증이 사라지고 관절의 움직임도 정상에 가깝게 회복된다.

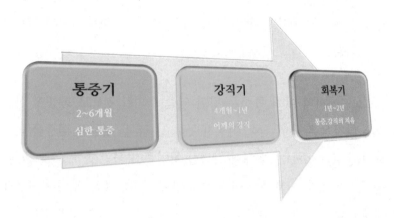

Q 오십견의 자연경과: 보통 1~3년 정도의 경과를 거치게 된다. 대부분은 저절로 치유될 수 있지만, 초기에 심한 통증과 어깨 관절의 강직으로 병원을 찾게 된다. 재활치료와 관절강내 주사치료를 시행하면 수개월 안에 빨리 호전되며, 장애가 남을 확률도 줄어든다.

오십견은 대부분 저절로 낫게 되는데, 환자들은 왜 병원에 와서 치료를 받는 것일까? 병원을 찾게 하는 제일 큰 원인은 잠을 못 이룰 정도로 아픈 어깨의 통증이다. 오십견은 염증으로 어깨에 통증이 발생하고 어깨가 굳는 질환으로 염증을 가라앉혀 통증을 경감시키고, 굳은 어깨를 재활운동을 통하여 풀어주어 정상적인 관절의 움직임을 만들어주는 것이 치료의 핵심이다. 치료를 받게 되면 오십견은 가만히 놔둔 것보다 훨씬 빨리 치료되며, 관절 움직임의 제한 같은 후유증도 현저하게 줄일 수 있다.

Q: 오십견인데 어깨에 스테로이드 주사를 맞아도 괜찮나요? 이번에 주사를 맞으면 앞으로도 계속 이 주사를 맞아야 하나요?

A: 괜찮습니다. 어깨의 관절 내에 정확하게 스테로이드 주사를 맞을 경우에 증상은 1~2일 후부터 확연하게 많이 좋아집니다. 그리고 관절강 내 주사는 환자들 대부분이 1번만 시술하면 충분해서 더 이상 하지 않습니다.

오십견에서의 어깨 통증은 강한 염증에 의한 것으로 통증이 심할 경우 환자들은 밤에 잠을 이루지 못하고 고통을 겪는다. 염증을 억제하여 통증을 줄이기 위해서 강력한 항염증 약물인 스테로이드 약물을 주삿바늘을 이용하여 어깨 관절 안에 주입하게 된다. 어깨 관절강에 주사하는 것은 의료장비 없이 그냥 시술할 수도 있지만, 정확도가 많이 떨어진다. 이때 근골격계 초음파나 엑스레이 투시장비를 사용하면 정확하게 관절 안으로 약물을 주사할 수 있다. 약물이 정확하게 주입되어 관절 안에 골고루 잘 퍼졌을 때 좋은 효과를 나타낸다. 주사치료를 받은 오십견 환자 10명 중 9명 이상은 통증이 확연하게 좋아진다. 밤에 잠을 못 이룰 정도의 통증으로 괴롭던 환자들이 주사 후에는, 이제 살만하다며 훨씬 밝아진 얼굴로 진료실을 찾아온다.

환자분들은 어깨관절에 주사를 맞을 때 향후 반복적으로 주사를 맞아야 하는 것이 아닌가에 대해 궁금해하며 주사치료를 부담스러워 한다. 오십견 환자 10명 중 8명은 1번의 주사치료로 충분하다. 그러나 사람마다 똑같은 성격과 똑같은 외모를 가진 사람이 없듯이 주사치료에 대한 효과가 떨어지는 사람들도 있다. 이런 경우 추가로 1~2회 더 주사치료를 받는 경우도 있다.

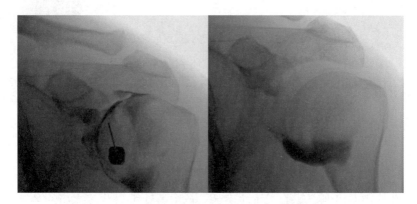

🔍 엑스레이 투시장비를 이용한 어깨 관절강내 스테로이드 주사: 검은색으로 보이는 것은 조영제로서 약물이 어깨 관절강 안에 잘 들어간 것을 보여준다.

강력한 항염증 약물을 어깨 관절 내로 주사함으로 인해 통증은 많이 없앨 수 있지만, 굳은 어깨 관절은 주사치료로 해결될 수 없다. 일단 통증이 줄었기 때문에 분명 주사치료 후 어깨의 움직임이 좋아지지만, 어깨 관절의 유착을 주사치료로만 해결할 수는 없다. 굳은 어깨는 재활치료를 통해 풀어줘야 한다. 오십견 환자 10명 중 9명은 약물치료, 재활치료, 주사치료를 이용하여 3~4개월 정도 치료하면 많은 증상의 호전을 경험하게 된다.

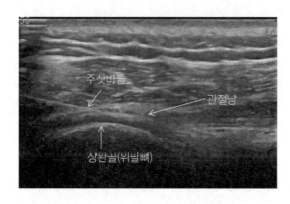

🔍 초음파를 사용하여 어깨 관절강에 주사하는 모습.

Q: 오십견에 걸린 것 같습니다. 수술로 치료하는 것이 좋을까요?

A: 오십견은 주사치료와 재활치료로 대부분 만족스럽게 해결됩니다. 이 외의 다른 치료들은 대부분 필요 없는 경우가 많습니다.

오십견 대부분은 관절강 내 스테로이드 주입술과 재활치료로 치유된다. 이 외에 다른 치료방법으로는 관절낭 팽창술, 마취하 도수치료, 관절경하 어깨관절막 절개술 등이 있다. 오십견 환자들은 유착으로 인해 어깨 관절 안 공간이 현저하게 줄어들게 된다. 관절낭 팽창술은 이 좁아진 어깨 관절 안에 물을 넣어서 팽창시켜 터뜨리는 시술이다. 마취하 도수치료는 어깨를 마취시켜 놓고 센 힘을 주어 굳은 어깨 관절을 풀어주는 것이다. 그러나 마취하에 어깨관절운동을 시키는 것은 그 효과가 다른 치료에 비해 크지 않고, 신경과 근육, 인대 손상 등이 발생할 수 있으므로 그리 많이 시행되지는 않는다. 관절막 절개술은 수술치료로서 어깨 관절막을 잘라내는 것이다. 여러 다른 치료들이 실패했을 경우에 시행하게 되지만, 실제로 수술까지 받는 경우는 매우 드물다.

오십견이 발병한 환자 대부분은 위에서 말한 주사치료와 재활치료로 충분히 만족할 만한 결과를 얻는다. 오십견으로 처음 나의 진료실을 방문한 환자분들 중 수술치료가 필요했던 사람은 단 한 명도 없었다. 환자분들 대부분은 초음파를 보면서 정확하게 관절강 내로 항염증 약물을 주입하는 시술 1~2회와 재활운동치료로 2~4개월 후에는 회복된다. 오십견은 보존적으로 치료(재활치료, 주사치료, 약물치료)하는 질병으로 알고 있으면 틀리지 않다.

오십견 어깨 운동(관절가동 범위 운동 및 근육신장운동)

- 모든 동작은 1회 20~30초 유지 후, 10초 휴식, 10~20회씩 하루에 3회
  실시
- 통증이 없거나 경도의 통증이 있는 범위 내에서만 실시합니다.

Q 어깨가 당겨지는 느낌이 들 때까지 팔꿈치
를 반대방향으로 당겨줍니다.

Q 양 팔꿈치가 지면에 닿도록 서서히 내리고
15~30초 동안 유지합니다.

Q 벽에 다섯 번째 손가락을 대고 천천히 손을
올립니다. 어깨가 외전되어 신장된 통증이 발생
하기 직전까지 손을 올려줍니다.

Q 벽에 손바닥을 대고 손가락을 움직여 손바닥
을 벽을 타고 위로 올립니다. 어깨가 신장되게 합
니다.

Q 책상이나 침대에서 팔을 옆 그림처럼 위치하고 허리를 구부리고 손가락을 움직여 손을 앞으로 움직이게 합니다.

Q 의자에 앉아서 어깨의 뻣뻣함이 느껴질때까지 허리를 앞으로 구부립니다.

Q 손목을 문의 모서리에 그림과 같이 걸치고 어깨에 뻣뻣함이 느껴질 때까지 몸통을 내밉니다.

Q 아픈 팔을 등 뒤 밑쪽에 위치시키고 정상 팔로 수건을 머리 위 방향으로 당깁니다.

Q: 오십견으로 수술을 받았는데, 어깨가 더 안 움직이는 것 같아요. 이럴
수도 있나요?

A: 어깨 수술 후에는 어깨가 굳는 합병증이 꽤 흔하게 발생합니다. 보통
어깨수술 환자 100명당 3~15명에서 어깨가 강직되는 합병증이 발생합
니다. 오십견은 기본적으로 보존적 치료(비수술적 치료)로 낫는 병이
라고 생각하면 됩니다.

어깨 힘줄의 파열, 오십견 등으로 인해 관절경을 사용하여 어깨 수
술을 시행한 경우, 수술부위의 안정과 합병증 예방을 위해 일정 기간
어깨 관절의 고정이 필요하다. 그러나 어깨 고정 자체가 오십견을 유
발하는 강력한 위험요소로써 수술 후 어깨가 굳어 관절운동이 힘든
경우가 꽤 흔하다. 오십견으로 수술 후 수술하기 전보다 통증과 어깨
의 움직임이 더 심해졌다며, 진료실을 찾는 사람들이 종종 있다.

관절경으로 어깨 수술을 시행한 경우 100명당 적게는 3명에서 많게
는 15명에서 오십견의 증상이 발생하는 것으로 알려져 있다. 아이러
니컬하게도 어깨가 강직과 통증이 주증상인 오십견 치료를 위해 시행
한 수술로, 다시 어깨가 강직되는 합병증이 발생할 수 있다는 것이다.
오십견은 일단 비수술적 치료(재활치료, 주사치료, 약물치료)로 완치
될 수 있다고 생각해도 크게 무리가 없다. 6개월 정도의 비수술적 치
료를 시행하기 전에 수술을 먼저 시행하는 것은 바람직하지 않다.

03

어깨 힘줄의 건증, 견봉하 윤활낭염

"팔을 머리 위로 올리는 동작을 할 때마다 어깨에 통증이 생깁니다.
아주 심한 건 아니지만, 매번 통증이 생겨서 신경이 많이 쓰입니다."

Q&A

Q: 46세 여자입니다. 얼마 전부터 배드민턴을 열심히 배우고 있습니다.
그런데 채를 위로 들 때마다 끝에 통증이 발생하기 시작했습니다. 어
깨에 무슨 병이 생긴 걸까요?

A: 갑작스런 어깨의 과사용으로 인하여 윤활낭염이 생겼을 확률이 많습
니다. 병원에 가서 치료를 받아야 합니다. 치료받지 않게 되면, 어깨
힘줄의 파열로 진행하게 됩니다.

4~5년 전 헬스에 재미가 붙어 매일 헬스장에 가서 운동을 했던 적
이 있었다. 근육이 만들어져 가는 재미에 좀 무리해서 역기를 위로
드는 운동을 하였고, 2~3주가 지나면서 어깨에 통증이 발생하기 시
작했다. 위팔이 어깨보다 아래에서 움직일 때는 괜찮은데, 역기를 머
리 위로 드는 운동을 할 때면 끝 부분에서 통증이 발생하였다. 난 직
감적으로 이것이 어깨에 발생하는 견봉하 윤활낭염일 것이라는 생

각이 들었다. 병원의 초음파 장비를 사용하여 내 어깨를 검사하였고, 어깨 극상근 위에 있는 윤활낭에 심하지는 않지만 약간의 물이 차있었다. 초기의 경미한 단계여서 소염제를 수일 복용하였다. 그리고 통증을 유발시키는 동작을 최대한 피했다. 1~2개월 후 통증은 완전히 사라졌고, 그 이후로 난 역기를 머리 위로 들어 올리는 운동은 최소한으로만 시행하고 있다.

재활의학과 전문의인 나는 디스크, 관절염, 근육통, 염좌 등의 근골격계 질환 환자들을 많이 만나게 된다. 이 세상의 질환이 너무 다양하고 많다 보니 의학을 공부하며 얻은 지식과 환자들을 치료하면서 얻은 경험을 바탕으로 환자들을 진료하게 된다. 그 중 몇 가지 질환은 나도 경험하게 되는데, 이 견봉하 윤활낭염이 그 중 하나이다. 이렇게 내가 직접 경험하면 적어도 그 질환에 대해서는 환자들을 더 잘 이해할 수 있고, 그만큼 치료에도 큰 도움이 된다.

어깨를 둘러싸며 관절을 안정하게 만들고 움직이게 해주는 근육을 회전근개라고 한다. 이 중에서 일상생활을 하거나 일을 하면서 가장 많은 스트레스가 걸리는 근육은 극상근이다. 이 극상근에서 힘줄의 파열도 가장 많이 발생하고 석회 침착도 가장 많이 발생한다. 극상근의 윗부분은 날개뼈의 견봉이라는 뼈 구조물과 인대와 접촉하게 된다. 빈번하게 움직이는 근육이다 보니 이 뼈 구조물, 인대와 극상근의 사이에는 부드럽게 미끄러질 수 있도록 해주는 윤활낭이 존재하게 되는데 바로 이것이 견봉하 윤활낭이다.

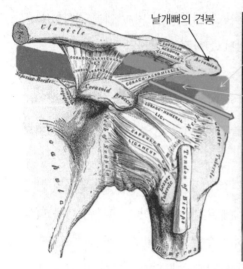
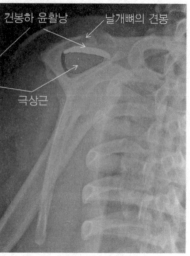

날개뼈의 견봉

건봉하 윤활낭   날개뼈의 견봉

극상근

Q. 팔을 위로 올릴 때 극상근은 견봉 밑을 지나게 된다. 이때 뼈, 인대와 마찰을 줄여주기 위해 견봉하 윤활낭이 뼈와 근육 사이에 위치하게 된다. 여러 원인에 의해서 극상근과 윤활낭에 문제가 발생하면 윤활낭에 염증이 발생하게 된다. 오른쪽 사진은 옆에서 본 사진으로 근육이 뼈와 인대로 된 터널을 지나고 있는 보습을 보여준다.

Q&A

Q: 어깨 윤활낭에 염증이 있다고 합니다. 이것 때문에 어깨 힘줄이 찢어지는 것(회전근개 파열)은 아니겠죠?

A: 윤활낭에 염증이 있다고 하는 것은 윤활낭에 병적인 자극이 있다는 것입니다. 윤활낭과 어깨 힘줄은 바로 붙어있기 때문에 이것은 어깨 힘줄에도 스트레스가 가고 있다는 것을 의미합니다. 방치하게 되면 어깨 힘줄 파열이 일어날 수도 있습니다.

어깨의 견봉하 윤활낭에 염증이 있다는 것은 바로 밑에 붙어있는 어깨 힘줄과 근육에도 스트레스가 가고 있다는 것이다. 팔을 머리 위로 들어 올리는 식의 회전 운동을 할 때 주로 작용하는 근육은 극상근과 어깨 세모근이다. 그러나 이 위팔과 날개뼈에 붙어있는 많은 근육들이 조화롭게 작용하였을 때, 부드럽고 무리가 없는 움직임이 가능하다. 평상시 잘못된 자세나 운동의 부족으로 인해 근육들이 약해지고 뻣뻣해지는 경우, 어깨관절을 움직일 때 극상근에는 많은 병적 스트레스가 간다. 이런 스트레스가 지속될 때 제일 처음으로 발생하게 되는 것이 견봉하 윤활낭염이다. 가장 쉽게 손상 받아 증상이 나타나는 구조물인 윤활낭에 먼저 이상이 나타나고 심해지면 어깨 근육의 힘줄이 붓고 약해지는 건증이 나타나게 된다. 스트레스가 지속되고 근본적으로 잘못된 생체역학적인 문제(근육의 뻣뻣함, 근력약화)를 바로잡지 않으면 결국에는 어깨 힘줄이 파열된다.

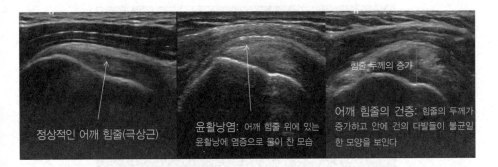

정상적인 어깨 힘줄(극상근)

윤활낭염: 어깨 힘줄 위에 있는 윤활낭에 염증으로 물이 찬 모습

힘줄 두께의 증가

어깨 힘줄의 건증: 힘줄의 두께가 증가하고 안에 건의 다발들이 불균일한 모양을 보인다

Q 어깨 초음파로 어깨 힘줄(극상근)을 관찰한 모습: 왼쪽 사진은 건강한 힘줄로 힘줄의 안쪽이 잘 정리된 국수가닥 성상을 띤다. 가운데 사진은 견봉하 윤활낭염 사진으로 힘줄의 안쪽은 가지런하게 건강한 것 같으나 힘줄 위에 있는 윤활낭에 물이 차이 있는 모습이 관찰된다. 오른쪽 사진은 어깨 힘줄 건병증 사진으로 하얗게 나타나는 석회가 보이며, 힘줄의 두께는 정상보다 많이 증가해 있고, 힘줄의 안쪽은 국수가닥 같은 가지런한 모양은 보이지 않고 불균일한 모양을 보이고 있다.

Q: 어깨 견봉하 윤활낭염, 회전근개 건증의 치료방법은 무엇입니까? 수술이 필요한가요?

A: 재활운동치료와 주사치료로 대부분은 치료됩니다. 그러나 뼈 자체의 구조적인 문제로 뼈를 잘라내지 않고서는 해결이 되지 않는다면, 수술을 해야 할 경우도 있습니다.

어깨 윤활낭염이나 회전근개 건증으로 인한 통증은 견봉하 윤활낭에 국소 스테로이드 주입술을 시행하면 대부분 해결된다. 스테로이드는 강력한 항염증 작용을 하는 약물이다. 강력한 항염증 효과로 대부분 주사치료 후 하룻밤만 지나면 통증을 확연하게 호전시킬 수 있다. 견봉하 윤활낭은 얇은 구조로서 초음파를 이용하지 않고 그냥 주사하게 되면, 10번 시행 중 5~7번 정도만 윤활낭에 약물이 제대로

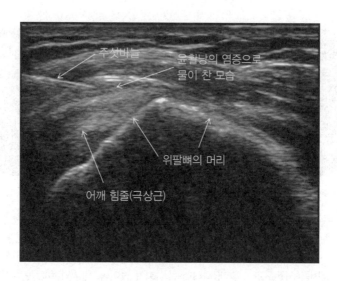

주삿바늘

윤활낭의 염증으로 물이 찬 모습

위팔뼈의 머리

어깨 힘줄(극상근)

Q 어깨 초음파를 이용하여 어깨 윤활낭에 항염증 주사를 하는 모습. 초음파를 이용하여 주사를 하여야 정확한 부위에 주사할 수 있다.

주입된다. 따라서 가능하면 초음파를 이용하여 주사치료를 시행 받는 것이 좋다. 초음파를 사용하므로 비용은 더 들어도 정확한 부위에 주사하게 되어 효과는 더 좋고 부작용은 더 적게 발생한다.

주사치료나 약물치료를 받고 통증이 가라앉았다고 병이 다 나은 것은 아니다. 여기에서 안주하여 다시 이전의 똑같은 생활로 돌아가게 되면 얼마 안 가 어깨의 통증은 재발하고, 결국엔 치료 이전보다 더 안 좋은 결과를 초래하게 된다.

어깨 윤활낭염으로 인한 통증은 조금만 더 어깨에 스트레스를 주면 어깨 힘줄이 찢어지는 큰 손상이 발생하리라는 것의 경고신호이다. 어깨에 가는 스트레스를 줄이게 해서 우리 몸을 보호하려는 것이다. 통증은 기분 좋지 않은 것이지만 일차 목표는 우리 몸을 보호하는 것이다. 이 통증이 조절되지 않고 사람을 너무 고통스럽게 만들기 때문에 약이든 주사든 치료를 받게 되는 것이다. 통증이 가라앉았다는 것은 그 신호의 약화를 의미하는 것이지, 근본적인 문제가 해결됐다는 것을 의미하는 것은 아니다. 이것은 어깨뿐 아니라 우리 몸의 모든 근골격계 질환의 치료에 있어 매우 중요한 점이다. 근본적인 원인 교정이 없을 시에는, 결국 통증은 다시 발생하게 될 것이고, 어깨는 더욱더 망가지는 결과를 초래하게 될 것이다.

국소 스테로이드 주사로 일단 급한 불을 껐다면 이제 정상적인 어깨를 만들기 위해서 남아있는 모든 잔불을 꺼야 한다. 그것은 팔을 움직일 때 위팔과 날개뼈로 이루어지는 어깨가 정상적이고 부드러운 운동을 하게 만들어주는 것이다.

위팔과 날개뼈를 움직여서 팔을 머리 위로 들거나 하는 등의 동작을 하게 만드는 것은, 결국 근육이다. 따라서 적절한 유연성 운동을 통하여 어깨 주위의 모든 뻣뻣한 근육들의 유연성을 회복시켜 주어야 한다. 또한, 근육들이 적절하게 힘을 낼 수 있도록 골고루 모든 근육들의 근력을 회복시켜 주어야 하며, 움직일 때 여러 근육들이 조화롭게 작동할 수 있는 협응능력을 길러주어야 한다. 이런 재활 운동을 견갑안정화 운동이라고 한다. 모든 환자분들의 근육 문제들이 똑같지 않기 때문에 재활의학과의 전문적인 운동치료를 받아야 한다.

아무리 재활운동을 열심히 하고 여러 치료들을 잘 받아도 통증의 호전이 없거나 계속 반복적으로 윤활낭염이 발생하는 사람들이 있다. 이런 경우에는 날개뼈 견봉의 뼈구조 자체에 문제가 있을 확률이 있다. 위의 그림에서처럼 어깨 힘줄(극상근)은 견봉과 인대 밑을 지나가게 되는데, 견봉뼈 밑으로 튀어나온 뼈가 있거나 견봉 모양이 이상한 경우에는 어깨를 움직일 때마다 힘줄이 위팔뼈 머리와 견봉뼈 밑에서 끼이게 되고, 이로 인해 윤활낭염이나 건증이 발생하게 된다. 이 경우에는 구조적인 문제이므로 견봉성형술 등의 수술을 통해서 치료를 받아야 한다.

04
석회성 건염

"어제저녁부터 갑자기 어깨가 아파졌어요. 통증이 너무 심해서 잠을 한숨도 못 잤어요. 누가 어깨를 슬쩍 건들기만 해도 눈물이 날 정도로 아프고, 어깨 움직이는 것은 상상도 못합니다."

Q & A

Q: 석회성 건염의 주 증상은 무엇인가요?

A: 석회성 건염의 주요 증상은 극심한 통증입니다. 그것도 아주 극심한 통증으로 어깨에 발생하는 여러 질환 중에 가장 통증이 심합니다. 눈물이 날 정도로 아파서 밤을 꼬박 새우게 되며, 어깨는 통증 때문에 거의 움직이지 못하게 됩니다.

어깨 힘줄파열(회전근개 파열), 오십견, 견봉하 활액낭염, 관절와순 손상 등 어깨에 발생할 수 있는 질환 중에 가장 심한 통증을 만드는 질환은 석회성 건염이다. 석회성 건염이 발병한 사람은 눈물이 날 정도로 극심한 통증을 호소하며 잠을 못 이루게 된다. 어깨를 움직이지 않아도 불이 난 것 같고, 콕콕 쑤시는 것 같은 극심한 통증이 지속된다. 조금만 어깨를 건드려도 통증이 너무 심해서 누가 건드릴까 걱정되어, 반대쪽 손으로 어깨 부위를 본인도 모르게 감싸 보호하는 자세를 취하게 될 경우가 많다.

석회성 건염의 주된 증상은 가만히 있어도 어깨에 발생하는 극심한 통증이다. 밤에 아픈 경우에는 극심한 통증으로 응급실을 찾게 되는 경우가 많다. 석회성 건염은 극심한 통증이 특징이다. 어깨의 통증으로 병원을 내원해서 엑스레이를 찍었을 경우에 어깨에 석회가 있는 경우는 매우 흔하다. 어깨에 석회가 있다고 석회성 건염이라고 말하면 안 된다. 위에서 언급한 것 같은 증상이 있을 때만이 진정한 석회성 건염이라고 할 수 있다.

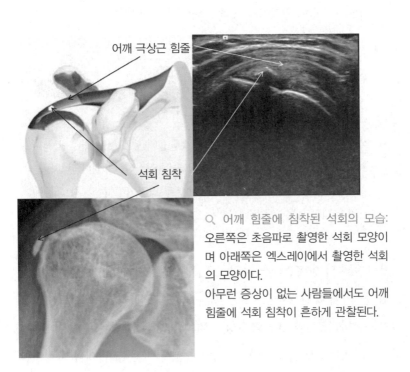

어깨 극상근 힘줄

석회 침착

Q 어깨 힘줄에 침착된 석회의 모습: 오른쪽은 초음파로 촬영한 석회 모양이며 아래쪽은 엑스레이에서 촬영한 석회의 모양이다.
아무런 증상이 없는 사람들에서도 어깨 힘줄에 석회 침착이 흔하게 관찰된다.

Q: 어깨 통증이 있어서 엑스레이를 찍어봤더니 석회가 보입니다. 석회가 어깨 통증의 원인일까요?

A: 침착된 석회가 어깨 통증의 원인이 아닐 확률이 높습니다. 물론 진정한 석회성 건염으로 심한 통증이 발생할 수도 있지만, 석회보다는 근육통, 오십견, 견봉하 윤활낭염 등 다른 원인으로 어깨 통증이 발생했을 가능성이 훨씬 높습니다.

어깨 통증으로 병원을 찾게 되었을 때 보통 엑스레이 정도는 찍는 경우가 많다. 그리고 엑스레이 상에 어깨에 석회가 침착된 경우가 꽤 흔하다. 어깨에 발생하는 석회성 건염에 대한 증상을 잘 알지 못하면, 석회가 보인다는 이유만으로 이것을 원인으로 생각하여 그것을 긁어내거나 하는 시술이나 수술을 받을 수도 있다. 노인들에서는 통증이 전혀 없어도 정상적으로 어깨 힘줄이 찢어진 소견이 관찰될 수 있는 것과 같이, 어깨에 통증이나 이상이 전혀 없어도 석회의 침착은 흔하게 관찰될 수 있다. 어깨통증이나 이상소견이 전혀 없는 사람들 10명 중 1~3명에서 석회 침착이 관찰된다. 오히려 어깨 통증이 있는 사람들에서 10명 중 1명 이하에서 석회 침착이 발견된다. 어깨에 통증이 없는 사람들 중에 석회가 보이는 경우가 더 많은 것이다. 1999년 NEJM(New England Journal of Medicine)에서는 어깨 통증이 있었던 환자 100명 중 6.8명에서 석회 침착이 있었다고 발표하였다. 그러나 이 6.8명의 석회 침착이 어깨 통증의 원인이었다는 얘기는 아니다.

석회 침착은 주로 40~50대에서 많이 관찰되며, 여자에서 남자보다 더 많이 발생한다. 30세 이하나 70세 이후에는 드물다. 당뇨병 환자의 경우에서는 일반 사람들보다 3배나 더 많이 발생하며, 10명 중 8명은 어깨 회전근개 중 극상근 힘줄에 발생한다. 회전근개 중에서 가장 많이 손상 받고 문제가 발생하는 힘줄이 극상근이다.

엑스레이에서 석회가 발견되었다고 해서 그 석회가 어깨 통증의 원인일 경우는 그 가능성이 많이 떨어진다. 석회는 무증상으로 많이 있을 수 있기 때문에 어깨 통증 환자에서 석회가 있다 하더라도 보통 어깨에 흔하게 발생하는 질환인 근막통 증후군, 근육통, 오십견, 회전근개 파열(어깨 힘줄 파열), 견봉하 윤활낭염이 어깨 통증의 원인일 가능성이 훨씬 더 크다. 물론 위에서 언급한 것과 같은 석회성 건염에 준하는 증상이 있고 석회가 있는 경우에는 석회가 원인이 된다.

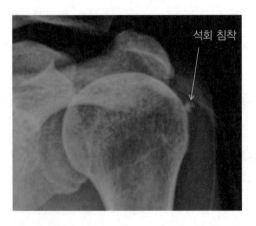

석회 침착

Q 46세 여자 환자 어깨 힘줄에 침착된 석회: 이 환자의 어깨 통증은 석회가 원인이 아닌 오십견에 의한 것이었다.

Q: 어깨에 석회 침착은 왜 생기는 것인가요?

A: 석회 침착의 원인은 정확하게 알려져 있지 않습니다. 두 가지 방법으로 발생한다고 추정됩니다. 중요한 것은 석회 대부분은 결국에는 저절로 흡수된다는 사실입니다.

어깨 힘줄에 석회가 침착되는 이유는 아직 정확하게 모른다. 30세 이하에서는 드물고 나이가 증가함에 따라 증가하는 것으로 보면 퇴행성인 병인이 영향을 주기는 하는 것 같지만, 70세 이상에서는 드물기 때문에 이 설명도 완벽하지 않다. 석회가 침착에 2가지 가설이 있다. 첫 번째는 어깨 힘줄의 퇴행성 변화에 의해 석회가 침착된다는 설명이다. 힘줄은 국수 가닥처럼 여러 힘줄 가닥이 모여 이루어진다. 퇴행성 변화에 의해서 몇몇 가닥이 끊어지고 말리게 되고, 이것이 굳어져 석회화가 된다. 두 번째 가설은 힘줄 안에 힘줄 세포가 석회를 만들어내는 다른 세포로 변하여 석회를 만들어낸다는 설명이다.

석회 침착의 원인이 어떻든 간에 중요한 것은 대부분의 석회 침착은 어깨에 문제를 일으키지 않는다는 것이다. 그리고 전부는 아니지만, 석회 대부분은 저절로 흡수되어 사라진다는 것이다. 그래서 30~60대의 나이에서는 무증상이어도 10명 중 1~3명에서 석회가 발견되지만, 70대 이상에서는 거의 발견되지 않는다.

어깨의 석회 침착의 자연 경과는 3단계로 구분된다. 첫 번째는 석회가 형성되어 만들어지는 형성기이며, 두 번째는 형성된 석회가 안정적으로 모양을 유지하면서 지속되는 유지기, 그리고 마지막으로 침착된 석회가 다시 흡수되어 없어지는 시기이다. 석회가 형성되는 시기와 석회 모양이 유지되는 시기에는 석회가 어깨에 있다 하더라도 보통은 증상을 만들지 않는다. 그러나 흡수되는 시기가 되면 석회는 치약과 같이 점성이 높은 물질로 변하게 된다. 진정한 석회성 건염의 참을 수 없는 통증은 석회가 흡수되는 이 시기에 주로 발생하게 된다.

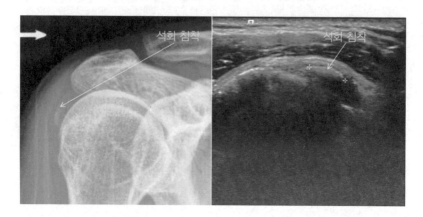

Q 어깨 힘줄(극상근)에 석회가 침착된 45세 여자 환자로 극심한 통증을 호소하면서 외래를 방문하였다. 0.8cm 정도 크기의 석회가 녹아들어 가고 있는 모습이 관찰된다(왼쪽은 엑스레이 소견, 오른쪽은 초음파 소견).

Q: 석회성 건염으로 어깨에 심한 통증이 있습니다. 어깨에 스테로이드 주사를 맞으려고 하는데 좋은 치료인가요?

A: 석회성 건염으로 인해서 오는 잠을 못 이루게 하는 극심한 통증은 강력한 항염증 약물인 스테로이드 주사로 확연하게 좋아집니다. 석회성 건염의 가장 효과적인 치료는 스테로이드 주입술입니다.

진정한 석회성 건염으로 병원을 찾는 사람들은 극심한 통증으로 매우 힘들어하기 때문에 통증의 경감이 급선무이다. 그리고 다행히도 이 극심한 통증은 강력한 항염증 약물인 스테로이드 국소 주입술을 통하여 대부분 소실된다. 환자분들은 하루 이틀 사이에 천국과 지옥을 오가는 경험을 하게 된다.

주사 시에 보통은 초음파를 보면서 주사하게 되는데, 어깨 힘줄을 손상시키지 않고 적절한 위치에 약물을 주입할 수 있는 장점이 있다. 보통은 항염증 약물을 주사할 때 국소 마취제를 같이 섞어서 주입하게 되는데, 염증이 있는 부위에 약물이 들어가서 국소마취 효과가 발생하면 주사를 맞은 수 초 후에 확연하게 통증이 줄어드는 것을 느끼게 된다. 물론 국소마취의 효과는 1~2시간 후면 사라지게 되지만, 1~2일 후에는 스테로이드의 효과로 통증은 대부분 소실된다.

흡수기에 있는 석회는 치약처럼 말랑해져서 굵은 바늘을 이용해서 흡인할 수도 있다. 그렇지만 꼭 흡인을 해야 되는 것은 아니다. 과도하게 시도하다가는 힘줄 안에 있는 석회를 흡인하려다가 힘줄에 손상을 일으킬 수도 있으니, 꼭 필요한 경우에 시행해야 한다. 반드시 석회를 제거할 필요는 없다.

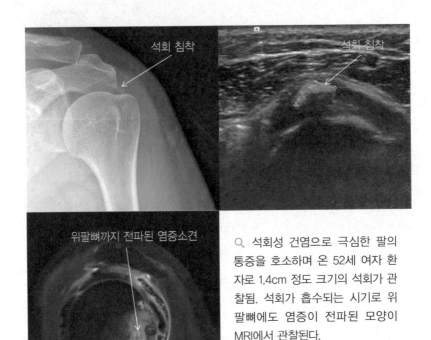

석회 침착

석회 침착

위팔뼈까지 전파된 염증소견

Q. 석회성 건염으로 극심한 팔의 통증을 호소하며 온 52세 여자 환자로 1.4cm 정도 크기의 석회가 관찰됨. 석회가 흡수되는 시기로 위팔뼈에도 염증이 전파된 모양이 MRI에서 관찰된다.

Q&A

Q: 어깨에 0.5cm 크기의 석회가 있습니다. 이것을 제거해야 할까요?

A: 제거하지 않는 것이 더 좋습니다. 석회 대부분은 1~1.5cm 정도 이상이 되어야 어깨에 통증 등의 증상을 만들게 되며, 큰 석회로 인해 기계적인 손상을 받는 경우에만 제거하는 시술을 합니다. 석회 대부분은 저절로 흡수되어 없어질 확률이 높습니다.

어깨에 있는 석회는 보통은 우연히 발견된다. 어깨에 오십견, 힘줄 파열 등의 다른 질환으로 와서 엑스레이를 찍어보다가 우연히 발견하는 경우가 많다. 석회 대부분은 그냥 놔두어도 괜찮다. 향후 크게 문제가 되지 않을 확률이 높고, 또한 놔두었을 경우 대부분은 저절로 흡수된다.

물론 크기가 큰 단단한 석회로 인해서 기계적으로 스트레스를 주는 증상이 있는 경우에는 석회를 제거해야 한다. 보통 석회는 1~1.5cm 이상의 크기가 되면 주위 조직에 스트레스를 주어 견봉하 윤활낭염이나 충돌 증후군을 만들 수 있다. 힘줄 안에 큰 돌멩이가 있으니, 힘줄이 움직이면서 주위 조직에 안 좋은 자극을 주게 되는 것이다.

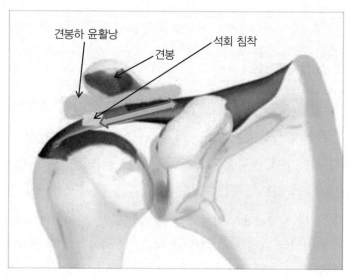

Q 어깨 힘줄에 1.5cm 이상의 큰 석회가 발생하게 되면 팔을 위로 들때 힘
줄이 날개뼈의 견봉 밑을 지나가면서 윤활낭에 스트레스를 주게 되고 충돌
증후군 유활낭염 등의 질환을 유발하게 된다

크고 단단한 석회로 인하여 어깨에 스트레스가 발생하여 윤활낭염이나 충돌 증후군 등의 질환이 발생하는 경우, 석회를 제거해주는 것이 좋다. 굵은 주삿바늘과 초음파를 사용하여 제거하는 시술을 시행하거나, 체외충격파를 이용하여 석회의 흡수를 유도해볼 수 있다. 비수술적인 치료에 석회가 제거되지 않을 경우에는 수술로 제거할 수도 있다.

Q&A

Q: 어깨의 석회성 건염으로 체외충격파 시술을 권유받았습니다. 이 시술은 어떤 시술이며, 효과가 있나요?

A: 체외 충격파는 말 그대로 충격파를 이용하여 비침습적으로 석회를 깨고 흡수를 유도하게 하는 시술입니다. 석회성 건염에 체외충격파 시술은 효과가 좋은 시술입니다.

체외충격파 시술이 수년 전부터 우리나라에 많이 보급되어 치료가 많이 이루어지고 있다. 그렇지만 체외충격파가 무분별하게 쓰이는 면이 없지 않아 있다. 체외충격파에 대해서 기본적으로 알아야 할 내용들을 짧게 서술하도록 하겠다.

체외충격파 시술은 1971년에 콩팥에 생긴 신석을 깨는 치료에 적용되면서 사람에게 처음 사용되기 시작하였고, 여러 질환에 효과가 있음이 증명된 치료이다. 체외충격파는 매질을 통해서 파형을 통해 전달되는 강한 기계적 압력을 이용하는 치료로서, 주삿바늘이나 칼 없이 몸 안의 여러 질병을 치료할 수 있는 비침습적인 치료이다.

체외충격파 시술은 기계적으로 석회를 깨부수고, 뼈에는 미세한 골절을 만들게 된다. 그리고 염증반응을 유발시켜 신혈관 형성을 촉진시키고 성장인자들을 증가시킨다. 이러한 작용들로 인해 체외충격파 시술은 손상된 조직의 재생을 촉진시킨다. 그러나 체외충격파 시술은 염증반응을 유도하여 손상된 조직을 재생시키는 치료이므로 급성염증기에는 시행하면 안 된다. 급성염증으로 조직이 파괴되고 통증이 심한 상황에서의 체외충격파 시술은 불난 데에 기름을 붓는 것과 비슷하다고 볼 수 있다. 대부분 인대나 힘줄 등에 문제가 발생했을 때 이 치료를 적용하게 되는데, 적어도 3~6개월은 다른 치료를 시도해보고 실패했을 경우 급성기가 지나고 체외충격파 치료를 시도해보아야 한다.

체외충격파의 주요 효과 중 하나는 석회 침전물을 파괴하고 재흡수시키는 것이다. 그래서 제일 처음 콩팥에 생긴 돌을 깨는 데에 이 치료를 이용하였고, 현재도 비뇨기과에서 많이 사용하고 있다. 어깨에 생긴 석회 침착의 경우에도 유용한 치료이다.

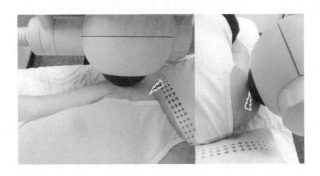

Q. 석회성 건염 환자를 충격파를 이용하여 치료하고 있는 모습.

체외충격파의 효과가 확실한 것으로 인정된 질환은 족저근막염, 아킬레스건염, 팔꿈치의 외상과염(테니스 엘보우), 어깨의 석회침착, 어깨 힘줄 파열, 뼈의 불유합 및 지연유합, 피로골절 등이다. 다시 한 번 강조하지만 중요한 것은 처음 질환이 발생한 급성기에는 시행하는 치료가 아니라는 것이다. 적어도 3~6개월 동안 다른 보존적 치료를 시행한 후에 호전이 없는 경우 체외충격파 치료를 시행해야 한다.

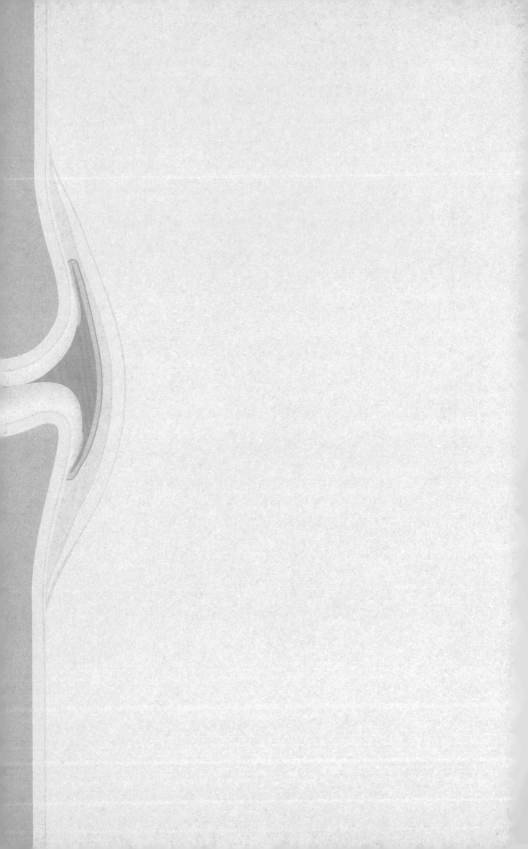

PART 5

발과 발목

01
발목염좌(발목 삠)

"며칠 전 계단을 내려올 때 발을 헛디디면서 발목이 순간적으로 꺾인 뒤로, 발을 땅에 디딜 때마다 발목 통증이 발생해서 제대로 걸을 수가 없습니다."

Q&A

Q: 발목이 삐었다는 것은 구체적으로 뭐가 문제인 것인가요?

A: 발목 삔 것을 의학적으로는 발목염좌라고 부릅니다. 종아리뼈(비골)와 발뼈(거골)를 연결하는 발목인대(전거비인대)가 손상을 받아 발생합니다. 심하게 삐는 경우는 발목인대가 부분적으로 찢어지거나 완전히 끊어질 수도 있습니다.

운동을 하다가 다리를 다친 경우 10명 중 3명은 발목을 삔(염좌) 부상을 당한 것이다. 발목에서 발생하는 질환의 90%는 발목염좌이다. 많은 사람들이 인생을 살면서 1~2번 정도 발목을 삐는 경험을 한다. 나도 초등학생 때 발목을 삐었던 기억이 있다. 발목을 삔 그 즉시 발목을 땅에 딛는 것이 힘들어질 정도로 발목 통증이 발생하였다. 수주일 동안 많이 불편했지만, 결국엔 완전히 회복되었다. 내 발목을 초음파로 여러 번 관찰한 결과 내 발목의 인대는 완전히 정상적인 모습을 유지하고 있다.

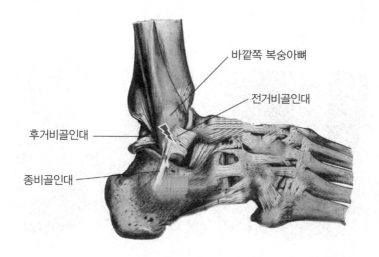

Q 발목을 바깥쪽에서 보았을 때의 모습. 발목을 삐었을 때 대부분의 경우 전거비골인대가 손상을 받게 된다.

발목의 바깥쪽에는 전거비골인대, 종비골인대, 후거비골인대의 3개의 인대가 발목의 안정성을 유지해주고 있다. 걷고 뛰면서 몸의 거의 모든 체중은 두 발목에 실리게 된다. 발목은 체중을 받는 고관절, 무릎관절과 비교해서 관절의 면적이 작아서 단위면적당 힘이 훨씬 더 많이 간다. 많은 부하가 발목에 가게 되므로 발목의 안정성이 깨지면 그만큼 발목 관절에 손상도 많아진다. 따라서 발목 관절의 안정성을 유지해주는 인대들은 중요한 역할을 담당하게 된다.

발목을 삐게 되면 보통은 안쪽으로 발이 꺾이면서 발생하게 된다. 이때 발목 바깥쪽의 여러 인대 중 전거비골인대에 가장 많은 장력이 걸리면서 가장 흔하게 손상이 발생하게 된다. 인대의 파열은 발생하지 않았지만 늘어나는 손상을 받는 경우를 1단계 염좌라고 한다. 1단계 염좌는 2~3주 정도 지나면 대부분 회복되어 정상적인 일상생활을 할 수 있다.

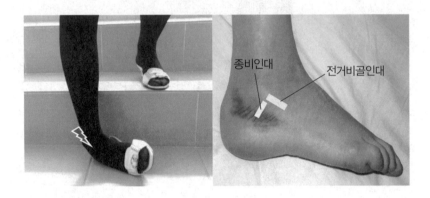

종비인대

전거비골인대

🔍 발목염좌. 보통은 발이 안쪽으로 꺾이면서 발목염좌가 발생하게 된다. 실제로 멍이 든 부분은 인대가 손상된 부분이 아니다. 손상된 인대 주위에서 발생한 출혈이 중력의 영향으로 흘러서 발생한 것이다.

인대의 파열이 부분적으로 발생한 경우는 2단계 염좌라고 하며, 완전히 끊어진 경우를 3단계 염좌라고 한다. 인대의 파열이 발생한 경우에는 발목이 붓는 증상과 압통이 저명하게 나타난다. 파열의 정도가 심할수록 내부 출혈 가능성도 커져 중력에 의해서 복숭아뼈 밑으로 피가 흐르고 고여 멍이 든 소견이 관찰될 수도 있다.

발목염좌 시 대략 10명 중 7명은 전거비골인대만 손상되며 10명 중 3명은 전거비골인대와 종비골인대가 같이 손상된다. 종비골인대만 손상되는 경우와 후거비골인대가 손상되는 경우는 드물다. 발목염좌

시 전거비골인대와 종비골인대를 눌렀을 때 심한 통증이 발생할 경우 인대 파열이 동반되었을 확률이 높다.

경미한 발목염좌인 경우에는 엑스레이를 비롯한 초음파, MRI, CT 등의 영상 검사들이 효용성이 크지 않다. 검사에서 이상소견이 나타나지 않을 가능성이 높고, 경미한 경우에는 대부분 인대가 부어 두께가 두꺼워진 정도만 관찰된다. 1단계의 경미한 염좌인 경우 영상검사에서 경미한 이상소견이 관찰되어도 치료에 있어서는 달라질 것이 없다. 그러나 본인의 발목 상태를 정확히 알아보고 싶다면 상대적으로 저렴하고 방사선의 해가 전혀 없는 초음파 검사가 적절하다. 초음파에 익숙한 의료진이 검사할 경우 초음파 검사의 정확도는 90%를 넘어간다.

증상이 심한 경우에는 인대뿐만 아니라 발목 주위의 연부조직 및 뼈의 손상까지 확인할 수 있는 MRI를 시행하는 것이 좋다. 또한, 발목을 다친 지 6개월이 지났는데, 발목에 불편감과 통증이 있는 경우에는 MRI를 시행하여 정밀하게 발목을 검사해보는 것이 좋다. MRI

는 방사선의 해가 없고 인대, 근육, 힘줄, 연골 등의 연부조직을 가장 정확하게 확인해볼 수 있는 굉장히 유용한 진단 장비이다. 그러나 초음파, CT, 엑스레이에 비해서 비싼 것이 단점이다.

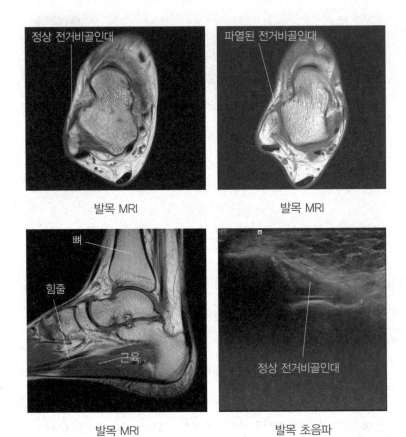

발목 MRI

발목 MRI

발목 MRI

발목 초음파

Q: 발목을 삐었습니다. 피멍이 들지는 않았고 약간 바깥쪽 발목이 부은 정도입니다. 어떻게 치료를 해야 할까요?

A: 발목염좌 시 처음 2~3일 정도는 RICE(rest, ice, compression, elevation)를 시행하며, 발목 보조기를 부상의 정도에 따라 수일에서 3주까지 착용하여 발목을 보호합니다. 경미한 정도를 넘어서는 경우에는 재활운동치료를 하는 것이 재발과 만성 발목불안정증의 예방을 위해 좋습니다.

발목을 삐었을 때는 RICE('밥')를 우선 시행한다. RICE는 rest(휴식), ice(냉찜질), compression(압박), elevation(다리 올리기)을 의미하는 것으로서 모든 의사들은 의대생 때부터 교육받아 기본적으로 알고 있는 용어이다. 처음 발목을 삐었을 때에는 찢어지는 느낌이나 '툭' 하는 느낌이 들면서 날카롭고 심한 통증을 느끼게 된다. 심한 통증은 보통 몇 시간이 지나면 조금은 가라앉는다. 그러나 인대의 파열이 발생하는 2단계 이상의 발목염좌가 발생하면, 내부 출혈이 발생하여 6~12시간 지속되어 멍든 자국이 발생하고 부종이 발생하게 된다.

발목염좌 시 초기 치료의 목표는 통증과 부기를 줄이고 염증반응을 조절하는 것이다. 특히, 손상된 발목을 압박하여 붓기를 줄이는 것은 통증과 염증반응을 감소시키는 효과가 있어 매우 중요하다. 초기 염증반응이 과하지 않게 잘 조절되었을 때 손상된 인대의 건강한 인대로의 치유도 촉진될 수 있다.

발목염좌가 발생하게 되면 보통 2~3일 정도는 다친 발목에 체중부하를 하지 않고 쉬어야 한다. 처음 3~4일은 발목에 냉찜질을 해준다. 냉찜질은 얼음을 수건에 쌓아 1~2시간마다 15~20분 정도 부은 발목에 시행하면 된다. 발목의 압박은 압박붕대나 압박 스타킹 등을 이용해서 해주면 된다. 병원을 찾게 되면 석고 가루가 묻어있는 붕대를 쓰기도 하는데, 부종의 조절에 매우 효과적이다. 그리고 처음 2~3일 정도는 다리 밑에 베개를 고여, 심장보다 높게 발목을 위치하여 발목 손상 부위의 붓기를 최대한으로 줄이는 것이 좋다.

부상 후부터 염증반응과 함께 손상된 인대를 회복시키기 위해 콜라겐 섬유가 찢어진 부위에 채워지기 시작한다. 새로 채워진 조직은 3주 정도에 거의 성숙하게 된다. 인대의 성숙시기에 시행하는 재활운동은 건강하고 강한 인대로의 재생을 위해 매우 중요하다. 재활운동을 하지 않을 경우 강도가 약한 건강하지 못한 인대로 치유될 확률이 높다.

경도의 발목염좌의 경우는 부상 후 2~3일 정도 후에 통증을 고려해가면서 체중부하를 하여 걷기 등을 시행하고, 발목의 관절운동을 시작해야 한다. 조기에 운동을 하는 것이 발목염좌 치료의 결과도 더 좋고 향후 발목의 건강을 위해서도 더 좋다. 발목을 보호하기 위해서 공기발목보조기를 보통 사용하게 되는데, 경미한 발목염좌의 경우 수일~1주일 정도 착용하면 된다. 인대가 파열된 염좌의 경우에는 길게는 3주까지도 착용하게 된다.

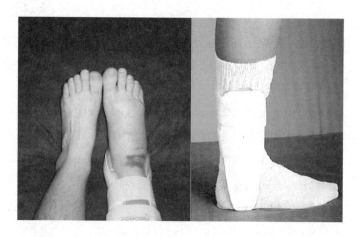

Q 공기발목보조기: 발목을 보호해주는 역할을 하며 수일에서 3주 정도까지 착용하게 된다.

처음 발목이 삐었을 때부터 발에 멍이 들었거나 다치고 2~3일이 지나도 통증이 가라앉지 않고 계속 지속되는 경우, 발목의 불안정한 느낌이 처음부터 크게 느껴지는 경우에는 전문의를 찾아가 정확한 진단을 받고 적절한 재활운동치료를 받아야 한다. 발목인대의 유연성과 근육 강화운동은 손상된 인대가 건강한 인대 조직으로 재생되는 데에 도움이 된다.

Q: 63세이신 어머니가 계단을 내려오면서 발목을 접질렀습니다. 초음파로 확인해보니 전거비골인대가 완전파열로 끊어졌다고 합니다. 수술을 받아야 할까요?

A: 발목염좌 1, 2단계의 경우에는 대부분 재활치료로 치료합니다. 그러나 인대가 완전히 끊어진 3단계 발목염좌의 경우에는 치료가 확실히 정립되지 않았습니다. 완전히 끊어졌다고 해도 꼭 수술하지는 않습니다. 나이, 활동 정도, 증상 등 여러 가지를 고려해서 재활치료 시행과 수술을 결정합니다.

1단계의 경미한 발목염좌와 인대의 부분파열이 있는 2단계 발목염좌의 경우는 재활운동치료를 시행하게 됩니다. 그러나 인대가 완전히 끊어진 3단계의 발목염좌는 재활운동치료를 시행할 수도 있고, 젊고 활동적인 경우에는 수술적 치료를 시행할 수도 있다.

인대가 완전히 끊어진 경우의 치료는 수술치료냐 기능재활치료 중 어떤 방법을 선택해야 하는지에 대한 의견이 모아지지 않은 상태로 환자에 따라, 그리고 의사들에 따라 그 선호하는 방법이 틀리다.

환자가 비교적 젊은 나이이며 활동이 많고 2개 이상의 인대가 끊어진 경우에는 수술이 더 선호된다. 수술은 끊어진 인대를 재건해주는 것이다. 반면에 나이가 많으며 활동이 적고 1개의 인대만 끊어진 경우에는 재활운동치료가 더 선호된다. 물론 수술치료를 받아도 건강한 발목을 만들어주기 위해 당연히 재활치료를 시행해주어야 한다. 재활치료 없는 수술치료는 발목의 기능을 더 망가뜨릴 수도 있다.

보통 인대 재건술을 시행한 경우 재활치료를 한 사람들보다 회복 속도가 빨라 2~3배 일찍 원래의 일상생활과 직장으로 복귀할 수 있는 것으로 알려져 있다. 그러나 3단계 발목염좌의 경우 수술치료와 재활치료의 효과를 비교한 많은 연구들을 보면, 어떤 연구에서는 재활치료가 어떤 연구에서는 수술치료가 더 효과가 좋은 것으로 보고되고 있다. 수술치료와 비수술치료 중 어느 하나가 더 좋다고 확실하게 단정할 수는 없어도, 재활운동치료이든 수술치료든 환자의 회복에는 좋은 효과를 주는 것은 분명하다.

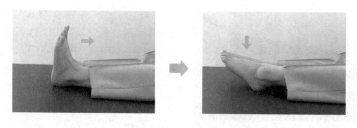

Q 관절운동 1: 발목 아래에 수건을 놓고 발끝을 최대한 위로 당기고 미는 자세를 취하고 10초 유지한다(10~15회 반복, 하루 3회 이상).

Q 관절운동 2: 발끝을 사용하여 한글의 자음을(ㄱ,ㄴ,ㄷ,ㄹ,ㅁ,ㅂ,ㅅ,ㅇ,ㅈ,ㅊ,ㅌ,ㅍ,ㅋ) 차례대로 써본다.

Q 관절운동 3: 바닥에 수건을 깔고 발바닥과 발목을 이용하여 수건을 앞뒤로 당기고 미는 운동을 반복한다(10~15회 반복, 하루 3회 이상).

Q 관절운동 4: 바닥에 수건을 깔고 발바닥과 발목을 이용하여 수건을 양 옆으로 당기고 미는 운동을 반복한다 (10~15회 반복, 하루 3회 이상).

Q 스트레칭운동: 무릎을 펴고 앉은 상태에서 수건을 사용하여 발바닥을 감싸고 두손을 사용하여 수건을 최대 한 잡아당기고 20~30초 정도 자세를 유지한다(10~15회 반복, 하루 3회 이상).

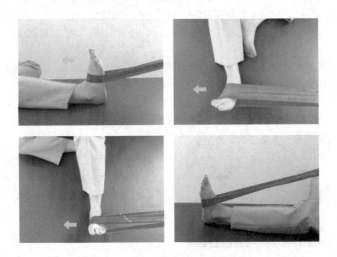

Q 근력강화운동: 탄성이 있는 고무밴드를 이용하여 옆 그림처럼 발에 위치 시키고 화살표 방향으로 발목을 움직여서 저항이 걸리게 하고 5초 유지한다. 발목만을 사용하는 것이 중요하다(10~15회 반복, 하루 3회 이상).

🔍 균형운동1: 뒤꿈치를 들어 5~10초간 유지하고 발의 앞부분을 들어 5~10초간 유지한다(10~15회 반복, 하루 3회 이상).

🔍 균형운동2: 매트나 두꺼운 이불 위에 다친 발로 균형을 잡고 서서 30초 ~1분 정도를 유지한다. 숙련이 되면 베개 위에서 시행을 하고 더 숙련이 되면 베개 위해서 눈을 감고 시행한다(3~5회 정도 반복).

🔍 균형운동 3: 매트나 두꺼운 이불 위에서 다친 발의 뒤꿈치를 들어 5초간 유지하고 발의 앞부분을 들어 5초간 유지한다(10~15회 반복, 하루 3회 이상).

Q: 동네 조기축구회에서 축구를 하다가 발을 삐었습니다. 인대가 거의 끊어져서 3단계 염좌라고 진단을 받았는데, 발등이 저릿하고 화끈거리는 통증이 있습니다. 발목을 삔 건데 이런 증상이 생기는 이유가 무엇인가요?

A: 발목을 안쪽으로 삐면서 발목과 발등을 지나는 신경(비골신경)이 같이 늘어나는 손상을 받았을 확률이 큽니다.

인대가 완전히 끊어질 정도로 심하게 발목이 꺾인 경우에는 발목과 발등을 지나는 피부감각신경(비골신경)도 늘어나게 되어 손상을 받을 확률이 높다. 3단계의 심한 발목염좌가 발생한 환자들 10명 중 8명 정도가 비골 및 경골 신경 손상이 동반된다.

신경 손상이 동반되면 발목염좌에 의해서 발생하는 발목 통증 외에도 신경이 분지하는 피부에 화끈거리거나 저릿한 통증이 발생하게 된다. 보통 발등에 주로 감각기능을 담당하게 하는 표재비골신경이 많이 손상당하게 된다.

신경 손상에 의해서 발생하는 신경병성 통증은 보통 약으로 조절하며 시간이 지나면서 서서히 없어진다. 통증이 심할 경우에는 초음파를 이용하여 신경주위에 스테로이드를 이용한 신경차단술을 시행할 수 있다.

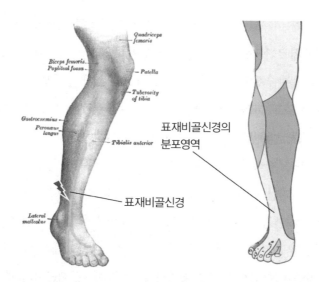

표재비골신경의
분포영역

표재비골신경

Q 인대가 끊어질 정도로 심하게 발목을 삐게 되면 피부 가까운 곳을 지나가는 표재비골신경이 같이 손상될 경우가 있다. 이 경우 발목과 발등에 통증이 발생하게 된다.

Q&A

Q: 발목을 삐고 나서 4~5개월이 지났는데 삐었던 발목의 통증이 완전히 없어지지 않았습니다. 고르지 못한 땅을 걷게 되면 자주 삐고, 발목에 뻐근한 통증이 자주 발생합니다. 무엇이 문제인가요?

A: 발목이 삐었을 경우 대부분은 수주 안에 회복되지만, 10명 중 2~4명은 만성 발목불안정증으로 진행하여 통증이 남게 되고, 발목이 불안정한 상태로 됩니다. 발목을 삔 부상 당시에 적절한 보호와 재활치료가 잘되지 않아서 발생한 것입니다.

1, 2단계의 발목염좌가 발생한 사람들 대부분은 6~8주 정도가 지

나면 다치기 이전의 발목 근력을 회복하며, 특별한 어려움 없이 이전의 일상생활로 돌아가게 된다. 그러나 인대에 부분파열이 있으나 초기치료와 재활운동치료 등을 제대로 시행하지 않은 경우, 3단계 염좌로 인대의 완전 파열이 발생한 경우, 계속 반복해서 발목을 삐게 되는 경우 만성 발목불안정증이 발생할 확률이 높아진다.

발목염좌가 발생한 사람들 10명 중 2~4명에서는 발목을 삐고 난 후 6개월이 지난 시점에도 지속적으로 발목의 불편한 느낌과 통증을 호소한다. 계단을 오르내리거나 고르지 못한 길을 걷거나 뛸 때, 발목에 불안정한 느낌을 받게 되며 실제로 자주 발을 삐게 된다. 만성 발목불안정증이 발생하게 되면 뛰거나 운동을 할 때 뻐근한 통증이 발생하여 일상생활에 지장을 주게 된다.

발목 인대에는 고유위치감각과 균형감각에 중요한 신경들이 분포해있다. 고유위치감각이라는 것은 몸의 보호를 위해서 매우 중요한 역할을 담당한다. 가령 울퉁불퉁한 길을 걸어갈 때 우리 발과 다리의 근육은 발의 위치를 매 순간 인지하여 발목이 꺾이는 순간 여러 근육을 조절하여 발목이 심하게 꺾이는 것을 막게 되는데, 바로 이것이 고유위치감각이라는 것이다. 발목염좌로 인해 인대가 손상되게 되면 고유위치감각기능이 떨어진다. 이로 인해 신경 근육조절에 문제가 발생하게 되면 발목을 더 자주 삐게 된다. 발목이 안쪽으로 꺾이는 순간 발목이 꺾이지 못하도록 하는 근육이 빨리 힘을 주어 꺾이지 못하도록 해야 하는데, 여기에 문제가 발생하는 것이다.

발목염좌가 있을시 발목인대 자체가 늘어나거나 끊어지면서 발목관절이 기계적으로 불안정해질 수 있지만, 신경근육조절 문제와 고유위치감각의 문제가 발생하므로 발목의 동적인 불안정성이 악화된다. 만성 발목불안정증은 발목에 통증과 불편감, 불안정감을 만들게 된다. 발목 기능의 장애로 운동과 일상생활에 많은 지장을 초래하게 되며, 만성이라는 단어가 들어가면 항상 그렇듯이 그 치료 또한 쉽지 않다. 발목염좌가 발생한 초기에 적절한 치료를 받아 발목을 건강한 상태로 만들어주는 것이 매우 중요하다.

Q&A

Q: 3년 전 발목을 심하게 삔 후부터 발목을 수시로 자주 삐고 있으며, 뛰거나 계단을 오르내릴 때마다 발목에 불편감이 있습니다. 만성 발목 불안정증인 것 같은데 어떤 치료를 받아야 하나요?

A: 발목의 유연성 운동, 발목주위 근육의 근력 강화훈련, 고유위치감각 훈련을 중점적으로 시행합니다. 3달 정도 꾸준히 재활운동치료를 받게 되면, 보통 만성 발목 통증으로 고생하던 환자분들의 50% 정도는 기능적으로 만족한 결과를 얻게 됩니다. 재활운동치료로 해결이 되지 않는 경우에는 수술적 치료를 고려합니다.

발목의 불안정성은 크게 기계적 불안정과 기능적 불안정으로 나눌 수 있다. 인대 파열이나 느슨함으로 인하여 발생하는 것은 기계적 불안정이다. 평탄하지 않은 땅을 빨리 걷거나 등산할 때처럼 발목의 움직임이 많을 때 발목 주위의 근육들이 조화롭게 제대로 기능하여 발목의 안정성을 유지해주어야 한다. 발목이 안쪽으로 꺾이게 될 때에는 발목 인대에 있는 간가신경이 이것을 인지하여 발목 바깥쪽에 있는 근육들을 활성화시켜 발목이 안쪽으로 더 꺾이지 않도록 막아주어야 한다. 또한, 발목이 바깥쪽으로 꺾이는 경우에는 안쪽으로 꺾이게 하는 힘이 강하게 들어와 발목 손상을 예방해야 한다. 이것은 우리의 의지대로 조절할 수 있는 것이 아니다. 신경근조절이 반사적으로 잘 이루어져야 하는 것인데 그렇지 못한 경우를 동적 불안정이라고 한다. 정적 안정성과 동적 안정성 모두가 잘 유지되어야 발목의 건강을 지킬 수 있다.

발목 불안정성이 발생한 경우에는 일단 최소 3개월 동안은 발목의 재활운동을 치료를 시행해보아야 한다. 발목의 유연성을 길러주며 발목의 움직임을 제어하는 근육의 근력을 강화시켜 주고, 조화롭고 민첩한 근육의 움직임이 가능하도록 고유위치감각을 향상시켜 주는 재활운동을 중점적으로 시행하게 된다. 3개월 정도 재활운동치료를 하게 되면, 만성 발목불안정성을 가진 환자들 2명 중 1명 이상에서 기능적인 발목의 상태가 호전된다. 발목의 불안정성이 조절되기 시작하면 발목의 통증과 불편감도 보통은 같이 좋아진다. 그러나 인대의 파열이나 늘어남으로 기계적인 불안정성이 있는 경우에는 재활운동 치료에 잘 반응하지 않는다. 3~6개월 이상의 집중적인 재활치료에 반응이 없을 경우 수술적 치료를 고려해야 한다.

02
족저근막염

"2달 전 시민 마라톤 대회가 있어서 친구와 함께 처음으로 마라톤을 해보았습니다. 그런데 다음 날부터 걸을 때 발뒤꿈치가 아프기 시작하였습니다. 걷다 보면 증상이 많이 사라져서 그냥저냥 지낼 수 있었는데, 며칠 전부터는 아침에 첫발을 디딜 때 찢어지는 듯한 통증이 뒤꿈치에 있고 예전처럼 걷는다고 증상이 나아지지도 않습니다."

Q&A

Q: 족저근막염이라는 병은 어떤 병인가요?

A: 우리 발의 발뒤꿈치부터 발가락까지 뻗어 있는 질긴 근막이 있는데 이것이 족저근막이라는 것입니다. 족저근막은 발의 아치를 만들어주며, 걷거나 뛸 때 충격을 흡수해주는 중요한 역할을 합니다. 뒤꿈치 있는 부위에서 이 근막에 문제가 발생하는 질환이 족서근막염입니다.

족저근막염은 평생 동안 10명 중 1명이 앓고 지나가는 흔한 질환으로 발에서 발생하는 질환 중에는 가상 흔하다. 40~60대 여사에서 흔하게 발생하지만 남자 어자를 구별하지 않고 30대 이후의 모든 사람들에서 잘 나타난다. 워낙 흔한 질환이다 보니, 내 지인들 중에서도 여럿이 족저근막염을 앓았다. 마라톤을 취미로 즐기는 친구부터 70세가 다 되신 큰어머니까지 발뒤꿈치의 통증으로 나의 치료를 받았다. 그리고 적어도 나의 지인들은 100% 다 완치되었다.

족저근막은 우리 발바닥의 뒤꿈치뼈에서 다섯 발가락으로 얇고 넓게 퍼져 있는 질긴 인대 조직이다. 족저근막은 우리 발의 아치 모양을 유지시켜 주며, 걷거나 뛸 때 발에 가는 충격을 흡수해주어 발과 우리 몸을 보호해주는 중요한 역할을 하고 있다.

발바닥은 특별히 충격흡수에 강한 조직과 구조로 이루어져 있다. 몸 전체의 2%에 해당하는 작은 면적으로 평생 동안 몸의 모든 체중을 받으며, 우리의 몸을 원하는 곳으로 이동시켜 주며 운동할 수 있게 해주는 중요한 역할을 담당하지만, 사실 우리 몸에서 청결도에서 가장 후순위로 밀리며 가장 관심을 받지 못하는 곳이기도 하다. 만일 물구나무를 서서 양손으로 우리 몸의 온 체중을 싣고 10분 이상만 이동하게 되면, 우리의 손은 만신창이가 될 것이다. 그만큼 우리의 발은 충격흡수에 특화된 곳이다.

우리의 몸은 총 206개의 뼈로 이루어져 있으며, 그 중 52개의 뼈가 양쪽 발을 이루고 있다. 온 체중을 버티며 충격을 흡수하기 위하여 52개의 뼈로 이루어져 걸을 때마다 복잡하지만 조화로운 움직임을 만들게 된다. 발바닥 피부, 족저근막, 뒤꿈치의 지방조직, 발목 및 발의 작은 여러 관절들 하나하나가 건강한 발의 유지와 그로 인한 운동능력을 유지하는 데 있어서 매우 중요하다. 그리고 그중에서도 충격흡수를 위해 특별히 중요한 구조물이 족저근막이다.

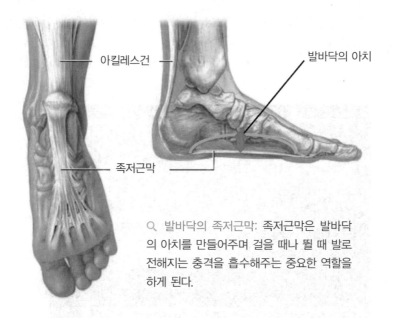

아킬레스건

발바닥의 아치

족저근막

Q 발바닥의 족저근막: 족저근막은 발바닥의 아치를 만들어주며 걸을 때나 뛸 때 발로 전해지는 충격을 흡수해주는 중요한 역할을 하게 된다.

족저근막은 두께가 보통 3~4mm 정도 되는 매우 강하고 질긴 섬유 콜라겐 조직으로 탄성이 있어 최대 4%까지 그 길이가 늘어날 수 있다. 족저근막은 발에 아치를 만들어주어 자동차의 쇼바처럼 발에 가는 충격을 흡수해준다. 우리 체중의 2~3배의 충격을 흡수할 수 있는 매우 중요한 구조물이다.

과사용, 뻣뻣함, 충격 등의 스트레스로 인해 족저근막이 붓거나 찢어지는 등의 손상이 발생되는 질환이 족저근막염이다. 의사들이 환자들의 이해를 돕기 위해 족저근막에 염증이 발생했다고 설명하지만, 정확히 말하면 염증이 발생했다기보다는 과사용으로 인하여 퇴행성 변화가 가속화된 경우이다. 맨눈으로 찢어진 것이 관찰되지는 않지만, 현미경적으로는 미세 파열들이 관찰된다.

족저근막염이 제일 잘 발생하는 곳은 발뒤꿈치 안쪽 부분으로 족저근막이 뒤꿈치뼈에 붙는 곳이다. 발의 중간쯤의 위치에도 족저근막염이 발생할 수 있다.

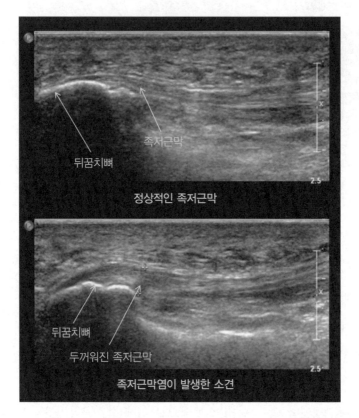

정상적인 족저근막

뒤꿈치뼈

족저근막

두꺼워진 족저근막

뒤꿈치뼈

족저근막염이 발생한 소견

🔍 초음파로 본 족저근막염의 모습: 정상적인 족저근막(윗사진)에 비해 족저근막염이 발생한 발(아래사진)은 근막이 부어서 두꺼워진 모습을 보여준다.

Q: 족저근막염은 왜 발생하게 되나요?

A: 족저근막염에 스트레스를 주는 모든 요인들이 족저근막염을 만들게
됩니다. 스트레스를 주는 위험요인은 쉽게 3가지로 분류하자면 과사
용, 과부하(충격), 뻣뻣함(유연성 저하)입니다.

　족저근막염은 족저근막의 과사용, 과부하(충격), 뻣뻣함(유연성 저
하)의 원인에 의해서 발생하게 됩니다. 이 세 가지 위험요인이 서로 복
합되어 발병할 수도 있고 어느 한 가지 위험요인이 주로 작용해서 발
병하는 수도 있다.

　첫 번째 위험 요인은 족저근막의 과사용이다. 잘 뛰지 않던 과체중
의 사람들이 다이어트를 하겠다면서 갑작스럽게 과도한 조깅 등의 달
리기를 시작하는 경우, 잘 하지 않던 시민 마라톤대회에 참여하여 갑
작스럽게 과도한 달리기를 한 경우, 둘레길 산행이 유행하여 잘 하지
않던 산행을 오랜 시간 동안 한 경우 등에서 과한 사용으로 인하여
족저근막염이 발생할 수 있다.

　족저근막에 충격이 가해지는 경우, 또한 족저근막염의 주요 위험요
인이 된다. 족저근막염은 비만인 사람들에서 많고 과체중인 사람들
에서 회복의 예후도 좋지 않다. 족저근막염에 걸린 사람들 10명 중 7
명은 비만인 사람들이다. 체중이 많이 나가니 걸을 때마다 뒤꿈치에
과부하가 걸리게 되는 것은 당연하다.

　나이가 들면서 퇴행성 변화로 발뒤꿈치의 지방 쿠션 조직은 위축
된다. 이 퇴행성 위축이 심한 경우에는 족저근막에 가는 충격이 커져
족저근막염의 위험요인이 된다. 손가락으로 뒤꿈치를 눌러보면 뒤꿈
치 지방조직이 위축 여부를 쉽게 알 수 있다. 보통 건강한 지방조직은

탱탱하여 손가락으로 눌렀다가 떼면 즉각 그 탱탱한 모양을 회복하지만, 그렇지 않은 경우에는 손가락을 떼어도 그대로 들어간 상태로 있거나 느리게 회복된다.

족저근막염은 신발을 벗고 방바닥 생활을 하는 우리나라 사람들에서 실내화를 신고 카펫 생활을 하는 서양 사람들보다 더 많이 나타난다. 이것 또한 맨발 생활을 즐겨하며 족저근막에 충격이 더 많이 가는 것에서 그 원인이 있다.

길이 험한 등산을 하다가 발바닥이 과하게 꺾이면서 순간적으로 찢어지는 느낌이 들면서 족저근막염이 발생하기도 하며, 발의 모양이 요족(발의 아치가 높은 경우)이나 평발(발의 아치가 낮은 경우)인 경우에도 발뒤꿈치에 충격이 증가하기 때문에, 족저근막염이 손상되어 족저근막염이 발생 위험이 높아지게 된다.

족저근막에 과부하를 주어 족저근막염을 유발시키는 흔한 원인 중 하나는 신발이다. 쿠션이 안 좋은 신발을 신는 경우 족저근막염의 위험성이 높아진다. 플랫슈즈나 하이힐은 족저근막에 과부하를 주어 좋지 않다. 특히, 여름에는 남녀노소 모두 샌들을 많이 신게 된다. 샌들 대부분은 운동화에 비해 쿠션이 좋지 못하고 착용하였을 때 발에 딱 맞아서 잘 고정이 되지 않는다. 또한, 발이 샌들 안에서 움직이는 경우가 많아 족저근막염 발병 위험성을 높이게 된다. 특히, 여름철에 보면 많은 여성들이 굽이 낮고 쿠션이 없는 샌들을 많이 신고 다니는데 발의 건강에는 별로 좋지 않다. 발바닥에 적당한 쿠션이 있어야 한다. 그렇다고 무조건 쿠션이 좋은 것이 꼭 발의 건강에 좋은 것은 아니다. 쿠션만 생각해서 너무 푹신푹신한 것을 신으면 발이 쉽게 피로해지고 다리의 근육과 힘줄에 무리를 주게 된다. 굽은 너무 높지도 않고 너무 낮지도 않아야 하는데, 보통 2~3cm가 적당하고 역시 적절한 쿠션감이 있어야 한다. 이 조건을 가장 잘 만족시키는 것은 운동화이다.

족저근막이나 아킬레스건의 유연성이 저하되어 뻣뻣한 경우에도 족저근막염이 발생하기 쉽다. 운동을 하거나 뛸 때 족저근막은 최대 4%까지 늘어날 수 있는 유연성을 가지고 있다. 족저근막이 너무 뻣뻣하면 미세파열이나 맨눈에 관찰될 수 있는 정도의 파열이 발생하게 된다. 오래되어 뻣뻣해진 고무줄이 쉽게 끊어지는 것을 생각하면 이해하기 쉽다. 또한, 발목의 유연성이 많이 저하되어 발목을 위로 올리는 관절운동이 잘되지 않을 때, 족저근막이 과도하게 스트레칭 되면서 손상되기 쉬워 족저근막염 발병 위험성이 높아진다.

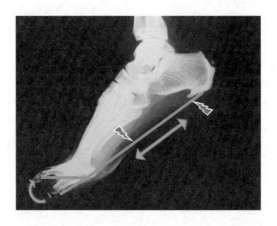

Q. 족저근막의 유연성이 떨어져 뻣뻣해지면 발가락이 신전되었을 때 족저근막을 늘어나게 하는 스트레스가 전해져 족저근막이 손상되기 쉽다. 족저근막염은 뒤꿈치뼈에 붙는 부위, 중간 부위에 주로 발생한다.

아킬레스건은 족저근막과 조직학적으로 연결되어 있다. 아킬레스건이 뻣뻣하게 되면 족저근막에 과부하를 주어 족저근막염의 발병 위험을 증가시키게 된다. 그래서 족저근막염이 있는 환자들에게는 항상 족저근막의 스트레칭 운동과 함께 아킬레스건의 스트레칭 운동을 같이 교육시킨다.

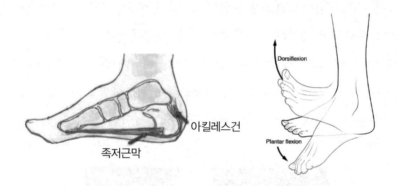

Q 족저근막과 아킬레스건은 조직학적으로 서로 연결되어 있다. 발을 위로 올리는 운동을 하였을 때 아킬레스건의 유연성이 부족하여 뻣뻣하면 족저근막에 과부하를 주게 된다.

Q: 족저근막염 치료는 어떻게 해야 하나요? 잘 낫는 질환인가요?

A: 족저근막염은 치료가 잘 되는 질환입니다. 환자 10명 중 9명은 보존적 치료로 6개월 이내에 회복됩니다. 유발요인이 있는 만큼 가장 중요한 치료는 유발 요인을 제거해주는 것입니다. 이와 함께 뒤꿈치에 쿠션 패드를 착용하고 족저근막과 아킬레스건의 유연성 운동을 하는 것이 치료입니다. 통증이 심할 경우 스테로이드 주사치료를 시행할 수 있으며, 3~6개월 치료했는데도 잘 낫지 않는 경우에는 충격파치료를 시행 받습니다.

족저근막염은 치료를 받으면 6개월 안에 10명 중 9명에서 회복되는 비교적 치료 결과가 좋은 질환이다. 치료를 받지 않아도 유발 요인만 잘 조절하면 6개월~1년 안에 10명 중 8명은 치유가 된다. 단, 족저근막도 팔꿈치 테니스 엘보우처럼 회복되는 기간에 있어서 조급한 마음을 가지면 안 된다. 족저근막은 혈관이 풍부하지 않은 인대 조직으로 족저근막염이 발병하면, 치유까지 대부분 3개월~1년 정도의 시간이 걸린다. 병이 발생하고 2~3주 치료 후 회복이 더디다고 이것저것 가리지 않고 근거 없는 여러 치료를 받게 되면, 회복의 가능성은 점점 더 떨어지고 족저근막염은 더 악화된다.

치료에 있어서 가장 기본이며 중요한 것은 병을 유발한 위험요인들을 제거해주는 것이다. 갑자기 체중이 불었던 사람은 즉각 다이어트에 돌입하여 체중감량을 해야 한다. 평상시 하지 않던 조깅을 갑작스럽게 과도하게 한 사람은 족저근막염의 통증이 가라앉게 되면, 뛰는 양을 서서히 늘려가면서 뛰는 운동을 실시해야 한다. 플랫슈스나 굽의 구선이 거의 없는 샌들을 신었던 사람은 쿠션이 좋은 운동화류의 신발을 신고 다녀야 함은 물론이다. 족저근막염 치료 기간 동안은 뒤꿈치에 충격을 주는 뛰거나 오래 걷는 운동은 피하는 것이 좋다. 그렇다고 운동은 안 할 수 없으니, 뒤꿈치에 충격이 적은 수영이나 자전거 운동으로 유산소 운동을 하면 된다.

족저근막염이 뒤꿈치에 발생했을 경우에는 뒤꿈치 쿠션 패드를 신발 안에 넣어서 간단하게 뒤꿈치를 보호해줄 수가 있다. 이 쿠션은 양말 안에 넣어 실내에서도 착용하면 치료 효과가 극대화된다. 실내에서도 실내화를 신어 뒤꿈치에 충격을 최대한 없애준다.

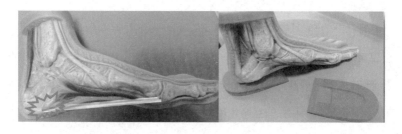

Q 족저근막염 시 뒤꿈치 쿠션 패드를 착용하고 다니는 것이 좋다.

이와 함께 족저근막과 아킬레스건의 유연성 운동을 시행한다. 하루에 3~5회 정도를 자가로 시행하면 된다. 족저근막 스트레칭(유연성 운동)을 한 양과 증상의 호전 사이에는 확실한 연관성이 있다. 시간을 더 투자하여 스트레칭 운동을 많이 하면 할수록 통증은 줄어들게 된다.

족저근막염의 통증은 보통 자고 일어나서 첫발을 디딜 때, 오래 앉아 있다가 처음 걷기 시작할 때 많이 발생하게 되므로, 자고 일어나서 첫발을 내딛기 직전에 스트레칭 운동을 해주면 효과가 극대화될 수 있다. 족저근막이나 아킬레스건의 뻣뻣함이 과도한 경우에는 발목보조기를 착용할 수도 있다. 밤에 자는 시간동안 발의 아킬레스건과 족저근막이 스트레칭 되도록 발목을 위로 5~10도 정도 고정한 자세로 유지시키는 보조기이다. 이런 발목보조기를 착용하면 불편감이 심하므로 매우 심한 경우에 한해서 시행하게 된다. 환자 대부분에게는 이 보조기를 잘 적용하지 않는다.

🔍 발가락과 발목 무릎쪽으로 젖혀 올리기: 앉아서 발바닥과 발가락을 무릎쪽으로 젖혀 올려 족저근막이 뻣뻣해지게 만들어준다. 엄지손가락으로 족저근막을 지그시 눌러 스트레칭한다(15~20초 유지, 5회 반복, 1일 3~5회).

　# 자고 일어나서 첫발을 딛기 전에 시행해주면 효과가 좋다.

🔍 발바닥으로 수건 몸쪽으로 당기기: 발 아래 수건을 놓고 발바닥으로 수건을 끌어당기는 것을 10회 반복한다. 수건을 다시 펴는 회수가 10회.

Q 캔을 이용한 족저근막 마사지(우측): 발바닥 아래에 캔이나 병을 놓고 굴려 족저근막을 마사지해준다. 냉장고에 넣어두어 차갑게 만들면 더 효과가 좋다. 또한 아침에 일어나자마자 시행해주면 효과가 좋다.

Q 벽에 기대고 앞쪽 무릎 구부리기(좌측): 상체를 벽에 기대고 뒷다리는 펴고 앞무릎을 구부려 뒷다리를 스트레칭하며 좌우 번갈아 한다(15∼20초 유지, 5회 반복, 1일 3∼5회).
 # 두 발은 11자로 평행하게 바닥에 위치시킨다.

치료를 잘 받게 되면 보통 3개월~1년 정도에 족저근막염은 치유될 수 있다. 치료 기간에 대한 지식이 없으면, 보통 사람들은 지속되는 통증과 잘 걷지 못하는 것에 대한 불안감으로 검증되지 않은 치료들을 받게 된다. 여기저기 여러 병원을 전전하며 불필요하게 검사를 많이 하게 되고 과잉된 치료를 받기가 쉽다. 과유불급이라고 지나치면 오히려 치유에 해가 될 수 있다.

Q: 발뒤꿈치가 아파서 엑스레이를 찍어봤는데 뒤꿈치에 뼈가 자라 있다고 합니다. 이것이 족저근막염의 원인인가요? 그리고 이것을 제거하는 시술이나 수술을 해야 할까요?

A: 뒤꿈치에 자란 뼈(골극)는 족저근막염과의 관계가 거의 없습니다. 이것을 충격파나 수술 등을 통해 제거하는 치료를 하는 것은 바람직하지 않습니다.

족저근막염 환자 2명 중 1명에서는 발뒤꿈치뼈 앞에 뼈가 튀어나와 있는 모습(골극)이 엑스레이상에서 관찰된다. 몇몇 환자분들은 이 튀어나온 뼈가 족저근막염의 원인이고 이것을 제거해야 한다고 생각하지만, 그것은 잘못된 생각이다. 뒤꿈치뼈 앞에 자라난 뼈(골극)는 퇴행성 변화로 발생한다. 즉, 평상시 뛰거나 걷는 활동을 많이 한 사람들은 발뒤꿈치에 퇴행성 변화가 더 과도하게 발생하면서 뼈가 형성될 수 있어 큰 의미를 부여하지 않아도 된다. 게다가 해부학적으로도 이 뼈는 족저근막에 생기는 뼈가 아니다. 족저근막 더 깊숙한 부위에 위치한 근육에 발생하는 것이다.

뒤꿈치에 자라난 뼈(골극)가 족저근막염을 유발하지는 않으며 족저근막염이 이 골극을 만드는 것도 아니다. 발바닥에 아무런 증상이 없는 사람들 10명 중 2명 정도에서 뼈가 자라나 있는 모양(골극)이 관찰된다. 족저근막염 환자에서 뒤꿈치에 생긴 뼈를 제거하는 시술이나 수술을 하는 것은 잘못된 것이다.

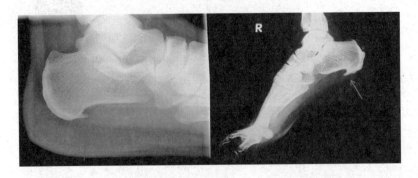

Q 발 뒤꿈치뼈에 생성된 뼈(골극)의 모습: 이 골극은 족저근막염과 관련이 없는 것으로 이것을 제거하는 시술이나 수술을 시행하면 안 된다.

Q&A

Q: 족저근막염으로 발바닥에 스테로이드 주사를 맞으려고 합니다. 스테로이드 주사치료가 효과가 있을까요? 그리고 총 몇 번 주사를 맞게 되나요?

A: 증상이 심할 경우 1~2회에 한하여 스테로이드 주사치료를 받는 것은 괜찮습니다. 주사 후 통증 완화의 효과를 볼 수 있습니다. 그러나 발바닥에 맞는 스테로이드 주사는 우리 몸의 뛰어난 생체 쿠션인 뒤꿈치 지방조직을 위축시킬 수 있으므로, 주사의 위치는 정확해야 하며 꼭 필요한 경우에 한해 시행 받아야 합니다.

보통 족저근막염의 초기치료로 스테로이드, 프롤로를 비롯한 주사치료를 받는 것은 대부분 바람직하지 못하다. 일단 위에서 언급한 보조기 패드와 재활운동을 통해서 치료를 시행한다. 초기부터 걷는 것이 힘들 정도로 통증이 매우 심하거나 1~2개월을 치료해도 증상이 나아지는 소견이 전혀 없는 경우에는 보통 1~2회에 한해 주사치료를 시행해볼 수 있다. 강력한 항소염제인 스테로이드 주사치료를 시행하게 되며, 10명 중 7명에서는 확실한 통증 감소의 효과가 나타난다. 스테로이드 주사치료 후 많은 환자에서 통증이 줄어들게 되지만 효과는 보통 4~8주 정도로 단기간이다. 3~6개월이 지나면 주사치료의 효과는 거의 없어진다.

근골격계 스테로이드 주사치료에 대해서 환자들이 꼭 알아야 할 중요한 점이 있다. 스테로이드 주사치료 후에 통증의 감소는 질환의 치유를 의미하는 것이 아니다. 치유된 것으로 착각하여 주의해야 할 것들을 망각하여 예전의 활동을 다시 시작하고 뒤꿈치 패드의 착용을 중단하는 식의 오류를 범해서는 안 된다. 스테로이드 주사치료를 받는 것도 중요하지만, 주사치료 후 위에 언급한 지식을 가지고 일상생활 중에 지속적으로 주의하는 것 또한 매우 중요하다. 스테로이드 주사 후 통증이 줄어든 것을 치유로 착각하여 족저근막에 충격을 주는 활동을 시작하게 되는 경우를 흔하게 볼 수 있다. 이렇게 생활하다 보면 4주 정도 시간이 지나 약 효과가 떨어지게 되고 통증은 다시 악화된다. 주사치료로 인한 효과는 완전히 사라지고 오히려 더 증상이 악화되는 경우가 많다.

발을 전문적으로 보는 의사들은 족저근막에 스테로이드 주사를 꼭 필요할 때만 시행하고 잘 시행하지 않는다. 그것은 스테로이드 성분은 지방을 위축시키는 부작용을 초래하여, 우리 몸의 매우 훌륭한 생체쿠션인 뒤꿈치 지방 쿠션을 망가뜨릴 수 있는 위험이 있기 때문이다. 지방은 인간의 온몸을 덮고 있다. 그러나 가장 충격흡수를 잘하는 지방조직은 발뒤꿈치에 있는 지방조직이다. 발뒤꿈치의 지방조직은 벌집 식으로 생긴 수많은 격벽에 쌓여 있는 형태를 띠고 있다. 스테로이드 주사액을 정확한 부위에 주입하지 못하고 지방조직에 주사할 경우, 약물은 지방조직이 있는 격벽 안에 갇혀 지방조직의 위축을 가속화시킨다. 한번 위축된 뒤꿈치 지방조직은 다시 재생되지 않기 때문에 발뒤꿈치에 주사치료는 조심해서 시행해야 한다. 보통은 1번 정도 주사치료를 시행하고 심하면 1번 정도는 더 시행해볼 수 있다.

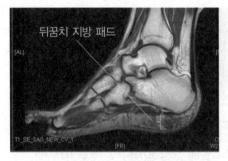
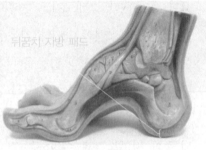

Q 발의 뒤꿈치에는 지방조직으로 이루어진 훌륭한 쿠션 패드가 있다. 이 자가쿠션으로 인해 오랜 시간 먼 거리를 걷거나 뛰어도 발바닥에 문제가 발생하지 않는 것이다. 이 지방 패드가 위축되면 충격흡수에 문제가 발생하여 족저근막염 증상과 비슷한 통증이 뒤꿈치에 발생한다.

지방조직이 없는 정확한 부위에 약물을 주사하기 위해서 보통은 초음파 장비를 사용하게 된다. 초음파는 실시간으로 지방조직과 족저근막을 확인하여 주사하는 바늘을 직접 눈으로 봐가면서 시술할 수 있기 때문에, 정확한 부위에 주사할 수 있는 장점이 있으며, 또한 방사선의 걱정도 전혀 없는 훌륭한 장비이다.

Q: 1달 전부터 아침에 일어나 첫발을 디딜 때 뒤꿈치에 날카로운 통증이
생겼습니다. 족저근막염에 충격파치료가 좋다고 하는데 지금 당장 받는
게 좋을까요? 받게 된다면 얼마나 자주 몇 회를 받아야 하는 건가요?

A: 충격파치료는 족저근막염에 효과가 좋은 치료임은 분명하지만, 첫 발
병 후 6개월이 지난 시점에 시행합니다. 3개월 정도는 보존적인 치료
를 해보고 치료에 실패 시 충격파치료의 시행을 고려해보는 것이 바
람직합니다. 정확한 치료 횟수는 아직 세계적으로 결정된 것이 없지
만, 보통 1주일에 1회, 4~6주 정도를 시행하게 됩니다.

충격파 치료는 족저근막염에서 매우 유용한 치료방법이다. 현재 우
리나라에서 많이 사용되고 있는 체외충격파 치료는 족저근막염을 대
상으로 처음 미국 FDA에서 승인을 받았다. 한 연구에서는 6개월 이
상 증상이 지속된 만성 족저근막염 환자 10명 중 6명에서 충격파치료
를 받고, 통증 없이 걸어 다닐 정도로 증상이 호전되었다고 보고 하
였다. 충격파치료를 받지 않았던 환자들은 10명 중 1명에서만 증상
호전이 있었다.

족저근막염에서의 충격파치료도 테니스 엘보우에서와 마찬가지로
급성기에 시행하는 치료가 아니다. 급성기에 시행하게 되면 좋은 치
료 효과는커녕 오히려 통증을 더 악화시키고 치유를 더 지연시킬 수
도 있다. 충격파의 치료는 증상이 발생하고 나서 3~6개월 이상 뇌었
을 때 시행해야 한다. 최소 3개월 이상은 위에서 언급한 다른 보존적
치료를 시행해보고 증상의 호전이 별로 없는 경우에 시행해야 한다.

충격파 치료는 족저근막에 미세한 찢어짐을 만들고 여러 성장 인
자들을 더 풍부하게 만든다. 또한, 조직을 재생시키기 위한 혈관생성

을 더 활발하게 하여 조직 자체를 재생시킨다. 이런 작용들이 급성기에 나타나게 되면 병변을 더 심하게 만들고 통증을 더 심하게 만들게 된다. 불난 집에 부채질하는 것과 비슷한 역작용이 나타나게 된다.

족저근막염에 있어서 충격파치료의 정확한 강도와 치료 빈도, 횟수는 아직 확정되어 있지 않다. 보통 큰 병원들의 센터들에서는 1주일에 1회, 총 3~6주 시행하고 있으며, 한번 시행 시 1,000~1,500회의 충격파를 주고 있다.

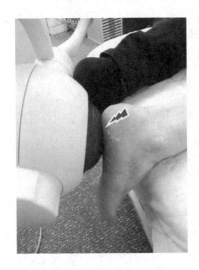

Q 족저근막염 환자에서 체외충격파 치료를 시행하고 있는 모습. 체외충격파는 증상이 처음 발병하고 최소한 3~6개월이 지난 시기에 시행해야 한다.

Q: 족저근막염으로 충격파치료를 받은 지 2주 정도 됐는데, 이전보다 통증이 더 심해진 것 같습니다. 부작용이 발생한 것은 아닌가요?

A: 체외충격파는 거의 부작용이 없는 좋은 치료입니다. 충격파치료를 받기 시작하고부터 2~4주 정도에 통증이 더 심해지는 경우는 흔하게 있습니다. 그것은 충격파치료의 기전 자체가 치료 시행 4~5주 동안은 염증성 반응을 유발하기 때문입니다.

자동차는 고장 난 부품을 교체하면, 그 즉시 수리가 완성되어 이전의 멀쩡한 기능을 되찾을 수 있다. 그러나 우리의 몸은 타박상으로 멍이 들어도 몇 주는 지나야 말끔히 없어지는 것처럼 재생되고 치유되는 데에 시간이 걸린다.

충격파 치료 기전은 쉽게 말해 염증 반응을 유도하는 것이다. 보통 염증이라는 것이 사람들에게 안 좋은 것으로 인식되어 있지만, 우리 몸의 염증반응은 우리 몸의 조직을 치유시키고 외부 균의 공격을 방어하는 데 있어서 꼭 필요하다. 염증으로 치료를 받는다는 것은 건강한 염증이 아닌 병적 염증을 말하는 것이다. 너무 과하게 일어나는 염증이나 박테리아 등 외부 균에 의한 염증, 우리 몸의 조직을 파괴시키는 자가면역에 의한 염증이 병적 염증으로서 의학적으로 우리에게 유익한 몸을 치유시키는 조절이 되는 염증과는 엄연히 다르다.

충격파 치료 시의 염증반응은 조직의 회복과 치유를 유도하는 좋은 염증반응이다. 그렇지만 염증반응이기 때문에 통증을 비롯한 증상들이 단기간 더 심해질 수는 있다. 충격파치료가 다 끝나고 조직의 재생이 제대로 되기 시작하면서 통증은 서서히 감소하게 된다.

충격파 치료 후 4~6주의 시간은 지나야 보통은 치료의 효과를 볼 수 있다. 그래서 여러 근골격질환 재활센터에서는 충격파치료가 완전히 끝나고, 4~6주 후에 외래에서 다시 환자들과 만나는 일정을 잡기도 한다. 충격파치료를 받을 때는 이러한 기본적인 지식을 알고 있어야 필요 없는 걱정을 하지 않게 된다.

충격파 치료는 효과가 없는 경우도 더러 있지만, 부작용이 거의 없는 좋은 치료이다. 충격파치료를 많이 해본 나도 아직 충격파로 인한 부작용은 단 한 건도 경험하지 못했다. 발생할 수 있는 부작용 중 가장 흔한 것은 신경손상이다. 신경이 지나는 길목 가까이에서 충격파를 시행하였을 때, 신경에 직접 충격파가 가해져서 신경병증이 발생하는 것이다. 보통은 시간이 지나면서 회복된다. 발바닥은 충격파로 인해서 손상될 수 있는 신경이 없기 때문에 이러한 부작용은 거의 나타나지 않는다. 이러한 부작용은 팔꿈치 골퍼 엘보우에서 가끔 발생한다. 척골 신경이 충격파를 시행하는 팔꿈치 안쪽의 내상과 부위를 지나기 때문이다.

Q&A

Q: 자가혈치료나 증식치료(프롤로테라피)는 족저근막염에 효과가 좋은가요?

A: 아직 의학적 근거가 명확하지는 않습니다만 여러 초기 보존적 치료에 실패한 경우, 족저근막염에서도 자가혈치료나 증식치료를 시행해볼 수 있습니다.

족저근막염도 자가혈치료나 증식치료를 시행할 수 있으며, 만성화된 족저근막염에서 효과가 있다는 연구결과들이 많다. 증식치료는 손상된 조직에 염증을 만들어 상처 치유를 촉진시키게 하고 새로운 조직의 형성을 촉진시키는 치료이다. 그러나 아직은 그 치료 효과에 확실한 근거가 부족한 상황으로 재활병원들에서는 많이 사용하지는 않는다. 게다가 족저근막염은 예후가 좋아 위에서 언급한 초기 보존적 치료를 6개월 정도 시행하면, 대부분 호전되므로 많이 시행되지는 않는다. 6개월~1년 동안 여러 보존적 치료를 시행해보았으나 통증이 지속되는 경우에는 충격파치료를 시행해보는 것이 더 일반적이라고 할 수 있다. 자가혈치료나 증식치료는 충격파치료에도 반응하지 않는 경우, 수술하기 전 마지막 단계로 시행해보는 것을 권고한다.

Q&A

Q: 족저근막염의 수술치료는 어떤 치료이며, 언제 받아야 하나요?

A: 족저근막을 잘라내거나 늘리는 수술을 하게 됩니다. 그러나 수술까지 가는 경우는 매우 드뭅니다. 충격파치료와 자가혈치료, 증식치료 등을 시행해보고, 1년~1년 6개월 이상의 지나도 통증이 매우 심할 경우 수술 시행을 고려해볼 수 있습니다.

족저근막염은 위에서 언급한 비수술적 치료로 95% 이상은 1년 안에 회복된다. 따라서 수술을 시행하는 경우는 매우 드물다. 내가 본 족저근막염 환자들 중 수술을 받은 환자는 한 명도 없었다.

족저근막은 우리가 걷고 뛸 때 발의 아치를 만들어주고 충격 흡수해주며 소비되는 에너지를 최소화시켜주는 매우 중요한 구조물이다. 족저근막염에서의 수술은 족저근막을 늘려주거나 제거해주는 것이다. 수술을 시행하게 되면 족저근막염의 증상은 좋아질 수도 있겠지만,

발의 정상적인 기능이 망가지면서 다른 여러 가지 문제들을 유발하게 된다. 보통 여러 교과서들에서는 1년~1년 6개월 동안 보존적 치료 방법으로 치료해도 호전이 없는 경우, 수술을 고려해볼 수 있는 것으로 되어 있다. 그러나 우리가 매일 걷는 데에 기본적으로 중요한 족저근막염의 가치를 생각해본다면 수술의 결정은 매우 신중해야 한다.

Q & A

Q: 얼마 전부터 조깅을 시작하였습니다. 힘을 내서 하루에 5km 이상은 뛰고 있습니다. 그런데 땅을 디딜 때마다 통증이 뒤꿈치뼈에 발생합니다. 족저근막염은 처음 디딜 때가 많이 아프고 걷다 보면 괜찮아진다고 하는데, 저도 족저근막염이 발병한 걸까요?

A: 발바닥이 아프다고 모두 족저근막염은 아닙니다. 발에 생기는 질환들 중에 족저근막염이 가장 흔한 것은 사실이지만, 이 외에도 많은 질환이 발생할 수 있습니다. 환자분의 증상만 보자면 뒤꿈치통증 증후군(뒤꿈치지방 위축증)이나 뒤꿈치뼈의 스트레스 골절도 의심됩니다.

족저근막염은 성인들 10명 중 1명에서 발생하는 흔한 질환이다. 그렇지만 족저근막염 말고도 발바닥에 발생할 수 있는 질환은 많다. 부정확한 진단으로 족저근막염이 아닌데 족저근막염 치료를 시행하였을 때는 치료가 안 되는 것이 당연하다. 언제나 그렇지만 치료 이전에 중요한 것은 정확한 진단이다.

족저근막염은 발질환의 대명사이다. 그래서 일반 사람들도 많이 알고 있는 이름이다. 진료실을 찾는 환자들을 보면 다른 병이 원인임에도 족저근막염이라고 생각하는 사람들이 많다. 진단이 명확하지 않다 보니 치료를 받아도 병이 치유될 수가 없다.

발의 뒤꿈치에는 지방조직으로 이루어진 아주 강력하고 훌륭한 우리 몸의 자가 쿠션이 있다. 그러나 이 쿠션도 나이가 들어가고 호르몬의 변화가 오면서 위축이 된다. 자연적인 우리 몸의 쿠션이 위축이 생기다 보면, 걷거나 뛸 때 뒤꿈치뼈에 충격이 더 많이 가게 되어 통증이 발생하는 경우가 있다. 이렇게 뒤꿈치 지방 패드의 위축으로 족저근막염과 비슷한 증상을 만들어낼 수 있는 것이다.

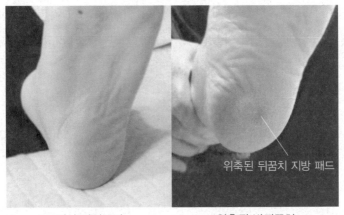

정상 발뒤꿈치　　　　　위축된 발뒤꿈치

Q. 발뒤꿈치에는 충격을 흡수하는 훌륭한 지방 패드가 있다. 이 지방 패드가 위축되면 충격흡수에 문제가 발생하여 뒤꿈치에 통증을 유발할 수 있다. 손가락으로 뒤꿈치 부위를 눌렀을 때 정상적인 발은 탄성이 있어 바로 제 모양을 찾게 되지만, 뒤꿈치 지방 패드가 위축되면 그대로 푹 들어가 있는 모습을 보인다.

발바닥과 발에는 신경문제로 인해서 통증이 발생할 수 있다. 족근관 증후군이라고 해서 발목 안쪽의 신경이 눌리면서 통증이 발생할 수 있고 특별히 뒤꿈치에 감각을 담당하는 신경이 눌려서 통증이 발생할 수도 있다. 또한, 허리의 디스크에 의해서도 발에 통증이 발생할 수 있다.

신경문제 말고도 통풍, 류머티스 관절염 등으로 관절이 아플 수도 있고, 외상으로 인하여 족저근막이 파열되고 뒤꿈치뼈에 스트레스 골절이 발생해서 아플 수도 있다.

발뒤꿈치에 통증이 발생하게 되면 위에서 언급된 기본적인 지식을 가지고 휴식을 취하며, 뒤꿈치에 충격을 줄여줄 수 있도록 2~3주 지켜보는 것도 괜찮다고 생각한다. 그러나 잘 치유되지 않거나 증상이 애매모호 할 때는 전문의를 찾아가 정확한 진단을 내리고, 그 진단에 맞는 올바른 치료를 하는 것이 중요하다.

03

아킬레스건염 / 아킬레스건 파열

"평소에 높은 굽을 많이 신고 다닙니다. 지난주 휴가로 제주도 올
레길을 플랫슈즈를 신고 하루 종일 걸어 다녔습니다. 다음 날 발뒤꿈
치에 당기는 느낌과 불편감이 있었지만 심하지는 않아서 참고 걸었는
데, 이번 주부터는 발목 뒷부분에 걸을 때마다 통증이 발생합니다.

Q&A

Q: 아킬레스건염은 어떤 병인가요?
A: 아킬레스건은 우리 몸에서 가장 굵고 큰 힘줄입니다. 아킬레스건염은
아킬레스건을 여러 활동으로 과사용하게 될 때, 아킬레스건에 염증과
통증이 발생하는 질환입니다.

아킬레스건은 치명적인 약점을 빗대어 이야기할 때 종종 쓰이는 난
어이다. 고대 그리스의 전쟁 영웅 아킬레스는 트로이 전쟁에서 적군
인 파리스 왕자가 쏜 화살을 발뒤꿈치에 맞으면서 전사한다. 여기에
서 유래하여 발뒤꿈치의 이 중요한 인체 구소물은 아킬레스선이라고
명명되었으며, 치명적인 약점을 의미하는 단어로 쓰이게 됐다.

아킬레스건은 장딴지 근육이 뒤꿈치뼈에 붙기 직전에 위치한 우리

몸에서 가장 굵은 힘줄이다. 보통 넓이는 1.2~2.5cm 정도 되며 두께
는 5~6mm 정도이다. 빨리 뛸 때 아킬레스건에는 체중의 대략 10배
에 해당하는 힘이 걸리게 되며, 아킬레스건은 400~500kg의 스트레
스를 버틸 수 있는 강력한 힘을 가지고 있다. 그러나 아이러니컬하게
도 이렇게 굵고 강한 아킬레스건은 우리 몸의 힘줄 중에 가장 잘 끊
어지는 힘줄이다.

아킬레스건에 염증이 발생하는 경우 아킬레스건에 힘이 가해질 때
마다 통증이 발생하게 되는데, 이것이 바로 아킬레스건염이다. 아킬
레스건이 뒤꿈치뼈에 달라붙는 부위에서 2~6cm 사이는 아킬레스건
에서 혈관이 가장 없는 부위로서 퇴행성 손상이나 외상성 손상 모두
이 부위에서 잘 발생한다.

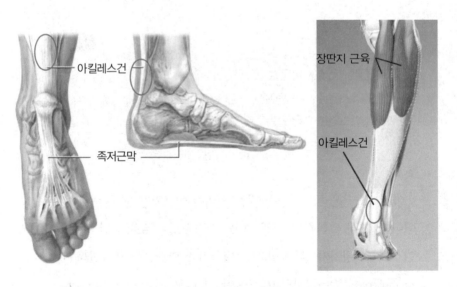

🔍 아킬레스건: 장딴지 근육은 굵은 힘줄인 아킬레스건으로 변하면서 뒤꿈
치뼈에 붙게 된다. 이 아킬레스건에 염증이 발생하여 통증이 발생하는 질환
이 아킬레스건염이다. 발꿈치뼈에서 2~6cm 사이는 혈관이 가장 없는 부위
로서 파열이나 퇴행성 손상은 주로 이 부위(빨간 원)에서 거의 발생하게 된다.

Q: 아킬레스건염은 어떠한 경우에 발생하게 되나요?

A: 아킬레스건염은 아킬레스건의 과한 사용으로 발생합니다. 보통 반복적으로 점프하거나 뛰는 활동이나 운동 시에 아킬레스건에 많은 장력이 걸리게 됩니다.

아킬레스건염은 대부분은 아킬레스건의 과사용으로 인하여 발생하게 된다. 달리기를 하거나 점프를 하게 되면, 아킬레스건에는 체중의 10배까지 스트레스가 걸리게 된다. 갑자기 달리기의 양과 강도를 늘린 경우, 하지 않았던 달리기를 갑작스레 많이 한 경우와 점프동작을 많이 한 경우, 고르지 않은 길을 뛰거나 오래 걸었을 경우, 평상시 높은 굽을 신다가 갑자기 낮은 굽의 신발을 신고 오랫동안 걷거나 뛰는 활동을 했을 경우 등에서 과도한 스트레스가 아킬레스건에 걸리게 되면서 염증이 발생하게 된다. 아킬레스건염은 달리기 선수들 10명 중 1명에서 발생하는 흔한 질환이다.

아킬레스건염은 순간적으로 발생할 수도 있고, 수일에서 수년 사이에 걸쳐 서서히 발생할 수도 있다. 그러나 아킬레스건염은 과사용과 과도한 스트레스(과부하)로 인한 것으로 한순간에 발생하는 경우보다 서서히 발생하는 경우가 많다. 검사를 해보면, 아킬레스건염 환자들 10명 중 2명에서는 아킬레스건의 부분적인 파열이 발견된다.

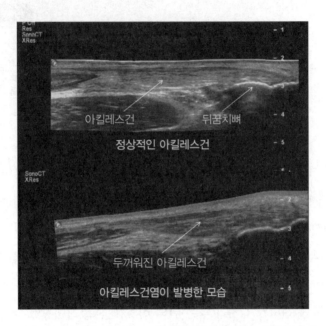

정상적인 아킬레스건

아킬레스건　　　뒤꿈치뼈

두꺼워진 아킬레스건

아킬레스건염이 발병한 모습

🔍 초음파로 본 아킬레스건염의 모습: 정상적인 아킬레스건(윗사진)에 비해 아킬레스건염이 발생한 힘줄은 두께가 두꺼워져 있다.

아킬레스건이 찢어지거나 완전히 끊기는 건파열은 대부분 순간적으로 발생하는 경우가 많다. 활동이 많은 30~50대에서 주로 발생하며, 순간적으로 아킬레스건에 과부하가 걸리면서 파열되게 된다. 보통 운동선수들은 경기의 중반 정도가 됐을 때 근육에 피로가 찾아온다. 이때 점프 등 아킬레스건에 스트레스를 주는 동작을 하면서 발생하는 경우가 흔하다. 일반 사람들은 무거운 짐을 나르거나 이른 아침 일렬주차가 되어 있는 차를 미는 일 등을 하다가 순간적으로 '툭' 하는 느낌과 함께 파열됨을 느끼게 된다. 그 순간 통증이 발생하고 걷는 것에 문제가 발생하기 때문에, 다리에 큰 문제가 발생하였음을 인지하고 병원을 바로 찾게 된다.

Q: 얼마 전 아킬레스건염으로 진단을 받았습니다. 제가 평발인데 평발이
   아킬레스건염이 발병과 관련이 있을까요?

A: 평발도 아킬레스건염과 관련이 있습니다. 평발이나 요족은 모두 아킬
   레스건에 스트레스를 많이 주어 아킬레스건염의 위험 요인입니다.

발에 구조적인 문제가 있을 경우 아킬레스건에 스트레스를 가중시
켜 아킬레스건염을 일으킬 수 있다. 평발이 심한 경우에는 아킬레스
건에 스트레스가 보통 발보다 더 많이 걸린다. 보통 발을 가진 사람
들에서는 문제를 일으키지 않을 만한 일과 운동에 평발이 있는 사
람은 아킬레스건염이 발생할 수 있다. 또한, 아치가 높은 요족의 경우
에는 발의 아치가 높아 구조적인 문제로 발등을 위로 굽히는 동작
에 제한이 발생한다. 이것이 지속되다 보면 발목이 위로 잘 굽혀지지
않아 아킬레스건은 늘어나서 스트레칭 될 수 있는 기회를 잃어버리
게 되고, 결국에는 단축되고 뻣뻣해진다. 따라서 요족이 심한 경우에
도 보통 사람은 문제가 안 생길 정도의 활동에 아킬레스건염이 발생
하게 된다. 요족인 사람들이 평발인 사람들보다 아킬레스건염의 발병
위험이 더 높다.

평발이나 요족이 아킬레스건염이 발생에 큰 기여를 했을 경우에
는 치료에 가장 중요한 것은 발의 구조적인 문제를 교정해주는 것이
다. 본인이 가지고 있는 발의 모양을 수술로 고칠 수는 없다. 또한, 수
술을 한다 해도 발의 복잡한 구조와 많은 관절들의 생체역학이 깨져
다른 여러 가지 문제들이 발생하게 되므로 특별한 경우가 아니면 수
술적 치료는 시행하지 않는다. 평발과 요족은 깔창과 신발을 사용하
여 교정해주면 어느 정도 효과를 거둘 수 있다. 여기에 아킬레스건 유

연성 운동과 근육 강화운동을 겸해주면 아킬레스건염의 위험성을 많이 줄일 수 있다.

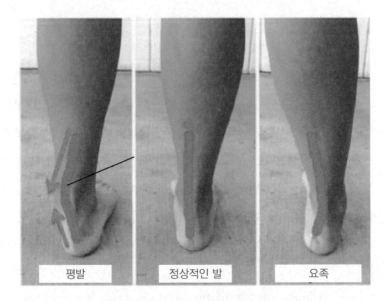

| 평발 | 정상적인 발 | 요족 |

Q 평발에서는 발의 구조적인 문제로 아킬레스건을 더 늘어뜨리게 하는 스트레스가 더 발생하게 되고, 요족에서는 발등을 위로 굽힘의 제한으로 인해 아킬레스건의 유연성이 많이 떨어져 스트레스에 취약해진다.

Q: 아킬레스건염의 치료 방법은 어떻게 되나요?

A: 치료 이전에 먼저 꼭 해야 하는 것은 유발하게 만든 원인을 제거해주고 교정해주는 일입니다. 원인의 교정이 이루어진 후에 가장 중요한 치료는 재활치료입니다. 이 외에 충격파치료, 스테로이드 주사치료, 경화치료, 증식치료 등을 시행해볼 수 있습니다.

모든 병의 치료에 있어서 가장 기본이 되는 것은 그 병을 만든 원인을 제거하고 교정하는 것이다. 아킬레스건염도 분명한 유발요인이 있으므로 그것을 찾아서 교정해주어야 한다. 다이어트를 위해서 과도하게 뛰는 운동을 많이 했던 사람이라면 운동의 방법을 바꾸어 아킬레스건에 스트레스가 적은 수영, 자전거 타기 등의 운동을 시행해야 한다. 플랫슈즈 등 낮은 굽의 신발을 신었던 사람이라면 어느 정도 굽이 있는 신발을 신어야 한다. 운동화에 뒤꿈치 패드 하나를 간 정도의 굽 높이면 치료적으로 효과가 좋다. 너무 높은 굽이라 무조건 좋은 것은 아니다. 또한, 바로 위에서 언급한 것처럼 평발이나 요족처럼 몸의 구조적인 문제가 있는 사람은 깔창이나 신발을 통해서 구조적인 문제를 교정해주어야 한다.

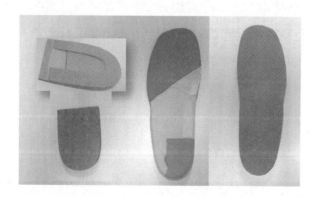

Q 평발, 요족 등 발의 구조적인 문제가 원인이 되어 아킬레스건염이 발생한 경우에는 깔창이나 신발을 통해서 구조적인 문제를 보완해줄 수 있다.

근본 원인의 제거와 교정에 성공했다면, 그 후에 가장 중요한 아킬레스건염의 치료는 아킬레스건의 재활운동치료이다. 처음 발병하고 나서 1~3주 후에 급성기의 심한 통증이 가라앉게 되면 시작하게 되며, 6~12주 정도를 시행한다. 알프레드슨 운동이라고 하여 아킬레스건이 늘어나게 하면서 근육에는 힘이 들어가게 하는 편심성 운동이 아킬레스건염에서 시행하는 운동이다. 이 운동은 병적인 아킬레스건이 좀 더 건강한 조직으로 재생될 수 있도록 해준다. 보통 하루에 2번 시행하며 한번 할 때 10~15회씩 3세트 정도 한다. 이 편심성 운동을 하면서 통증이 거의 없어졌을 때는 강도를 더 늘려서 시행한다. 알프레드슨 운동을 시행한 환자 10명 중 9명은 증상이 호전된다.

충격파 치료는 아킬레스건염의 치료에 유용한 방법 중 하나로서 위에서 말한 편심성 재활운동과 같이 시행하면 좋은 효과를 볼 수 있다. 충격파치료는 증상이 발생하고 6개월 이상이 지나 만성화되었을 때 시행하는 것이 적절하다.

아킬레스건염 환자를 재활운동으로 치료했을 때 4개월 후 10명 중 6명에서 증상의 호전이 있었고, 충격파로 치료했을 때는 10명 중 5명에서 증상의 호전이 있었으나, 그냥 쉬면서 기다렸던 환자들 중에서는 10명 중 2명 정도에서 증상이 호전되었다는 연구 보고가 있었다. 충격파치료와 재활운동은 확실한 효과가 있는 치료이며, 동시에 같이 시행했을 때 그 효과는 더 극대화된다.

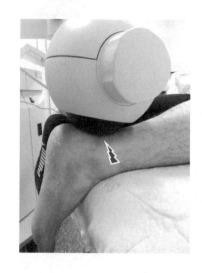

Q 아킬레스건염 환자에서 체외충격파 치료를 시행하고 있는 모습. 체외충격파 는 증상이 처음 발병하고 최소한 3~6개 월이 지난 시기에 시행해야 한다.

 6~12주 정도 운동치료를 시행해보아도 증상의 호전이 별로 보이지 않는 경우에는 스테로이드 주사치료를 시행해볼 수 있다. 스테로이드 는 조직 재생을 방해하게 되므로 통증이 심한 경우 초음파로 가이드 하면서 1~2회 정도 주사치료를 시행해볼 수 있다. 스테로이드는 아킬 레스건 자체를 약하게 만들기 때문에 초음파 없이 주사하여 아킬레 스건 안으로 스테로이드 주사 약물이 들어가게 되면, 아킬레스건이 파열되어 끊어질 위험성도 있다. 주사치료를 한 후에는 아킬레스건에 무리가 되는 활동을 2주 정도는 피해야 한다.

 이 외의 주사치료로 자가혈치료, 증식치료, 병적으로 증식한 혈관을 없애는 경화 주사치료 등을 시행해볼 수 있다. 그러나 소염제 치료는 통증 감소나 아킬레스건의 재생에 효과가 없는 것으로 알려져 있다.

Q: 아킬레스건염 시에 수술치료는 효과가 좋은가요?

A: 수술치료 자체는 효과가 있지만, 합병증이 10명중 1명 정도에서 발생
   하는 것으로 되어 있습니다. 위에서 언급한 보존적 치료를 적어도 6개
   월 이상은 시행해보아도 증상의 호전이 없는 경우 수술을 고려합니다.

아킬레스건염의 수술치료는 병든 힘줄조직과 주위조직들을 제거
해주는 것이다. 수술받은 환자들 10명 중 7~8명에서는 증상의 호전
이 있어 효과는 분명하다. 그러나 수술 후에 감염 등의 합병증이 10
명 중 1명에서 발생하는 것으로 알려져 있다. 또한, 수술 후 아킬레스
건의 두께가 많이 두꺼워져 통증과 기능은 좋아지지만, 평균 두께가
9mm 정도로 증가하게 되는 단점이 있다. 또한, 수술 후 재활운동이
매우 중요하여 보통 수술하고 나서 6~12개월 동안의 집중적인 재활
훈련이 필요하게 된다.

Q: 전 발꿈치 뒤 뼈가 좀 튀어나온 편이었는데 얼마 전 안 하던 등산을
   갔다 온 뒤로 뼈가 튀어나온 부분이 걸을 때마다 통증이 발생합니다.
   이것도 아킬레스건염인가요?

A: 네, 아킬레스건염이 맞습니다. 아킬레스건염은 뒤꿈치뼈 부착부위에
   발생하는 부착부 아킬레스건염과 중간부 아킬레스건염으로 나뉩니
   다. 부착부 아킬레스건염의 경우 중간부에 생기는 아킬레스건염보다
   치료가 더 어렵습니다.

아킬레스건은 발의 뒤꿈치뼈에 붙게 되는데, 이 부위에서 아킬레스

건염이 발생할 수 있다. 이것을 부착부 아킬레스건염이라고 한다. 보통은 위에서 설명하는 뒤꿈치뼈에서 2~6cm 떨어진 부위에 발생하는 중간부 아킬레스건염이 더 흔하게 발병한다.

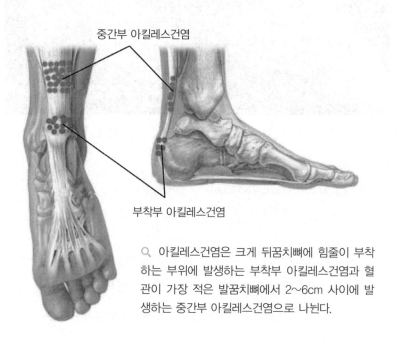

중간부 아킬레스건염

부착부 아킬레스건염

🔍 아킬레스건염은 크게 뒤꿈치뼈에 힘줄이 부착하는 부위에 발생하는 부착부 아킬레스건염과 혈관이 가장 적은 발꿈치뼈에서 2~6cm 사이에 발생하는 중간부 아킬레스건염으로 나뉜다.

부착부 아킬레스건염은 서서히 발생하여 만성화가 되는 경우가 흔하며, 꽉 끼는 신발을 신을 때는 증상이 악화되고 맨발로 있을 때 증상이 완화된다. 뒤꿈치의 튀어나온 뼈를 눌렀을 때 통증이 발생하는 것이 특징적이다. 엑스레이를 찍어보면 아킬레스건이 뼈에 부착하는 부위에 석회가 침착되어있는 퇴행성 변화를 보이는 경우가 많으며, 뒤꿈치뼈가 돌출되는 변형(하그룬드 변형)소견이 보이는 경우도 있다.

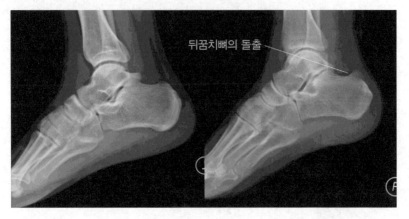

뒤꿈치뼈의 돌출

정상　　　　　　　　　　　　　하그룬드 변형

Q. 뒤꿈치뼈가 돌출되는 변형(하그룬드 변형)이 있는 경우 부착부 아킬레스건염이 발생할 가능성이 높아진다.

　부착부 아킬레스건염은 중간부 아킬레스건염보다 치료가 어렵다. 알프레드슨 재활운동을 하였을 때, 중간부 아킬레스건염은 10명 중 9명 이상이 회복되지만, 부착부 아킬레스건염 환자는 10명 중 3명 정도에서만 회복된다.

　부착부 아킬레스건염과 중간부 아킬레스건염은 비슷하지만 서로 다르기 때문에, 전문의의 진료를 받아 정확하게 진단을 받는 것이 중요하다. 치료로 재활운동치료, 스테로이드 주사치료, 충격파치료 등을 시행할 수 있다. 또한, 척추관절병이라고 하는 전신면역성 질환과 관련이 있는 경우가 있으니, 꼭 전문의를 찾아가 진료를 보고 치료를 받아야 하겠다.

Q: 평상시에 운동을 잘 하지 않습니다. 아침에 일렬 주차되어있는 차를 밀다가 갑자기 뒤꿈치에서 '뚝'하는 느낌이 들면서 망치로 맞는 것 같은 날카로운 통증이 발생하였습니다. 이후 심한 통증과 함께 발목에 힘이 잘 들어가지 않고 걷는 것이 힘들어졌습니다. 아킬레스건 파열로 진단받았는데 꼭 수술을 해야 하나요?

A: 아킬레스건이 완전 파열로 끊어졌을 경우에는 보통 수술을 해서 붙여주는 것이 좋습니다. 비수술적으로 석고 고정을 통해서 치료할 수도 있지만, 재파열의 위험성이 높아 대부분의 파열 환자들은 수술치료를 받습니다.

아킬레스건이 완전파열 되어 끊어지는 일은 평상시에는 아무 증상이 없던 중년의 사람들에서 흔하게 발생하게 된다. 위의 예시에서처럼 차를 밀다가도 발생하고 테니스를 치면서 점프를 하다 착지를 하면서도 갑자기 발생하게 된다.

아킬레스건의 완전파열 시에 비수술적으로 3개월 정도의 석고 고정과 향후 3~6개월 동안의 재활치료로 치료할 수도 있지만, 재파열률이 10명 중 2명 정도에 달해 우리나라에서 완전파열 시에 석고 고정으로 치료하는 경우는 거의 없다. 일단, 아킬레스건이 끊어졌을 때는 수술적 치료를 받는 것으로 생각하는 것이 좋다. 그러나 위에서 언급한 것처럼 아킬레스건의 수술적 치료 후에 크든 작든 합병증이 발생할 확률은 높다. 이전의 기능을 위해서 수술적 치료 후의 재활치료는 매우 중요하다.

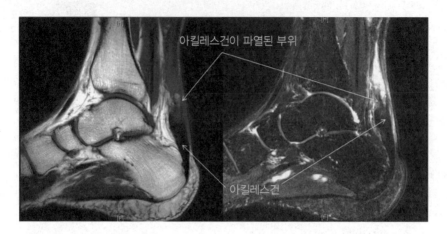

아킬레스건이 파열된 부위

아킬레스건

🔍 아킬레스건의 파열은 발꿈치뼈에서 2~6cm 떨어진 부위에서 주로 발생
한다. 이 곳은 아킬레스건 중에서 혈관이 가장 없는 곳으로 손상에 취약하다.

04

평발(편평족)

"40 후반의 남자입니다. 어려서부터 평발이었습니다만 별다른 증상은 없이 정상적으로 살아왔습니다. 그런데 얼마 전부터 오래 걸으면 발바닥에 많이 피곤함을 느끼게 되었고, 작년에는 족저근막염으로 치료를 받은 적도 있습니다."

Q&A

Q: 아이 아빠가 평발인데 두 돌이 넘은 아들도 발이 평발인 것 같습니다. 둘 다 불편감 없이 잘 지내고는 있습니다만, 아이 아빠나 아이의 평발에 대해서 치료를 해야 하나요?

A: 통증이나 발목 주위의 병을 만들지 않는 평발은 신경 쓰지 않아도 됩니다. 유아들에게 있어서 평발은 대부분 의미 없는 경우가 많습니다.

사람들 대부분에게 관찰되는 발의 아치가 낮거나 관찰되지 않는 경우를 평발이라고 한다. 평발은 크게 두 가지로 나누어진다. 태어날 때부터 가지고 태어나는 선천성 평발과 살아가면서 발생하는 후천성 평발로 분류된다. 대략 사람들 10명 중 2명에서 정도의 차이는 있지만, 평발을 가지고 있을 정도로 평발은 흔하다.

평발에 있어서 가장 중요한 점은 통증이나 이로 인한 여러 질환을 유발하지 않는 평발은 사람들 키가 천차만별인 것처럼 그냥 정상적인 차이로서 특별히 관리나 치료가 필요하지 않다는 것이다. 평발은 뛰거나 걷거나 하는 활동 시에 생체역학적으로 불리한 부분이 있지만, 대부분은 문제가 되지는 않는다. 포루투갈의 유명한 축구선수 에우제비오도 우리나라의 축구 영웅 박지성도 평발로 유명하다. 호주와 미국에서 젊은 군인들을 대상으로 한 연구에서는 평발이 있는 군인들과 없는 군인들 사이에서 다리의 기능과 손상 빈도에 있어서 전혀 차이가 없었다. 단, 아치가 높은 요족의 경우에는 보통 형태의 발을 가진 사람들보다 손상의 빈도가 더 많았다.

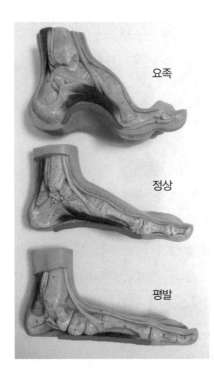

요족

정상

평발

Q 발의 아치가 낮은 발을 평발이라고 하며 아치가 정상보다 높은 발을 요족이라고 한다.

그러나 선천성 평발인 사람들 중에서도 통증 등 여러 문제가 발생하는 사람들이 있다. 처음 태어났을 때의 발의 조직들은 유연하지만 성장하면서 발은 점점 성숙하게 되고, 연부조직의 유연함은 점점 떨어져 간다. 보통 10~20대가 되면 모양만 평발이 아닌 통증과 여러 증상이 동반된 병적인 평발이 될 수 있다.

　사람이 처음 태어났을 때는 발의 아치가 거의 형성되지 않는다. 성장하면서 발의 아치가 발달되기 시작하여 보통 4~6세가 되면 발의 아치가 거의 완성이 된다. 처음 태어난 아기들에서 보이는 평발은 정상이다. 심지어 유아들의 몸은 아기지방이라고 일컬어지는 지방조직이 많아 온몸이 통통하기 때문에 발의 아치가 있어도 가려지기 십상이다. 또한, 사람의 다리 모양도 성장하면서 변화가정을 거치게 되는데, 18개월 때까지는 오다리 형태를 띠게 되고, 그 이후에는 점점 X 다리로 변하여 3세 때까지 진행하게 되고, 다시 다리는 펴지기 시작하면서 6세 때는 다리 모양이 완성된다. 우리 다리의 모양과 발의 모양은 톱니바퀴처럼 서로 밀접한 연관이 있다. 이 다리 모양의 변화에 따라서도 발의 평발소견은 나타날 수 있다.

　사람은 태어나 걷기 시작하면서 발의 근육, 힘줄, 인대에 자극을 주게 되면서 정상적인 발의 아치로 발달하게 된다. 서아시아의 한 나라에서 재미있는 연구가 있었다. 왕족인 아이들은 태어나서부터 부유함으로 좋은 신발을 신고 다니고 일반 국민들의 아이들은 맨발로 활동을 한다. 평발의 발생률을 보니 유아 때부터 좋은 신발을 많이 신고 다녀서 맨발로 활동할 기회가 적었던 왕족의 아이들은 아치의 정상적인 발달이 이루어지지 않아 평발이 훨씬 더 많이 발생하였다. 요즘 우리나라는 한 부부가 1명 정도의 아이를 낳는 초저출산 국가로 아이를 적게 낳다 보니 아이에게 좋은 것은 다 해주고 싶어하는 경향이 있다. 마트나 백화점에 가면 유아들의 예쁜 신발들이 아기 엄마 아빠들의 눈을 사로잡게 되고 아이를 사랑하는 마음에 처음 걷기 시작할 때부터 집안에서 신기는 경우가 종종 있다. 처음 걷기 시작하면서 건강한 아치가 만들어져야 할 시기에 실내에서까지 신발을 과도하게 신기는 것은 정상적인 발모양으로의 성장에 있어서 좋지 않은 영향을 줄 것이다.

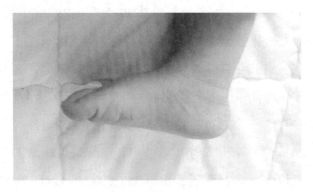

생후 1년 6개월 된 유아의 발

🔍 유아들의 발은 아기지방이 있고 아치가 발달하고 있으므로 평발로 보이는 경우가 매우 흔하다. 아치가 4~6세에 완전히 만들어지기 전까지는 평발이라고 단정짓기가 어렵다.

어른 아이 가릴 것 없이 평발은 흔하다. 정상적인 발모양이 아니라서 걱정은 되겠지만, 증상이 없는 평발은 모양만 평평할 뿐이지 치료할 필요가 별로 없다. 사람들의 키가 천차만별이듯이 발 모양의 정상적인 차이라고 생각해도 된다. 그러나 걷거나 뛰는 활동 시 남들보다 쉽게 발에 피곤함을 느낀다거나 평발로 인하여 이차적으로 족저근막염, 아킬레스건염 등의 질환들이 발생할 경우에는 족부를 잘 보는 재활의학과 전문의 등을 찾아가 진료를 받고 적절한 치료를 받아야 한다. 족부질환들을 제대로 볼 수 있는 의사들은 생각보다 많지 않다는 것을 염두에 두고 꼭 족부를 볼 수 있는 재활의학과 혹은 정형외과 전문의를 찾아가기를 권고한다.

Q&A

Q: 평발이면 모양이 이상한 것 외에 무엇이 문제가 될 수 있는 건가요?
A: 대부분의 평발은 큰 문제를 만들지 않습니다. 그러나 병적인 평발의 경우에는 발이 쉽게 피로해지게 되며, 족저근막염, 아킬레스건염, 발목 힘줄 손상 등의 질환을 발병케 할 수 있습니다.

　사람들이 평생을 살면서 온 체중을 싣고 원하는 곳을 걸어 다니거나 뛰어다녀도 발과 발목이 멀쩡할 수 있는 이유는 26개의 뼈, 여러 관절, 근육과 힘줄 인대들이 조화롭게 작용하여 그 충격들을 흡수해 주기 때문이다. 이런 중요한 충격흡수 시스템에 있어서 가장 중요한 것 중 하나가 발의 아치이다. 발의 아치가 자동차의 쇼바(충격흡수기)처럼 작용하면서 충격을 흡수하게 되고, 우리의 발과 다리는 수십 킬로미터를 걸어 다녀도 망가지지 않는다.

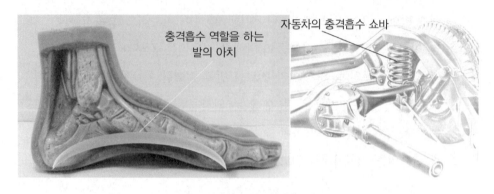

Q 발의 아치는 충격을 흡수해주는 역할을 한다. 자동차에서 쇼바라고 불리는 충격흡수 장치의 역할과 비슷하다.

발의 아치가 없는 평발의 경우에는 충격흡수에 불리하게 되고, 이로 인한 피로감 등 다양한 문제가 발생할 수 있다. 또한, 아치가 낮아짐으로 해서 족저근막에 걸리는 긴장 강도는 더 높아져 족저근막에 스트레스가 가게 된다. 후경골근의 힘줄, 아킬레스건 등의 구조물에도 더 많은 스트레스를 받게 된다.

Q 평발이 되면 족저근막, 후경골근힘줄, 아킬레스건이 당겨지는 스트레스를 더 주게 되어 족저근막염, 후경골근건염, 아킬레스건염 등을 일으킬 수 있다.

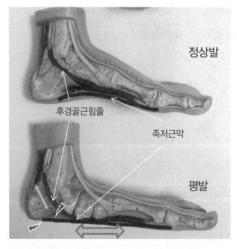

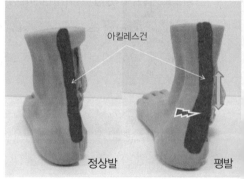

평발 자체는 통증을 유발하지 않는다. 사람들 대부분에게 특별한 증상이나 문제를 만들지 않지만 일단 문제가 발생하게 되면, 위와 같은 이유로 조금만 오래 걷게 되면 발바닥과 다리에 쉽게 피로감을 느끼게 되며, 족저근막염, 후경골근 손상, 아킬레스건염 등의 질환들을 일으킬 수 있다. 생체역학적으로 평발이 발에 끼치는 영향들을 이해하자면 훨씬 더 난이도가 높고 복잡하다. 쉽게 충격흡수에 문제가 발생하고 여러 인대, 근육, 힘줄에 스트레스를 준다고 생각하면 된다.

보통 발바닥 도장을 찍어서 쉽게 평발을 확인하고 평발의 등급을 결정하게 된다. 더 정확한 검사를 하자면 족저압 검사를 시행하면 된다. 족저압 검사라는 것은 가만히 서 있을 때 그리고 걸을 때 발바닥에 걸리는 압력을 부위별로 정밀하게 측정해주는 검사기계이다. 사실 보통 가만히 서서 발바닥의 모양을 보는 족인기라는 기계를 사용하여 검사하지만, 이 검사는 가만히 서 있을 때에 발바닥이 땅에 닿는 형태를 관찰하는 것으로 검사에 제한이 있다. 가만히 서 있을 때는 평발처럼 보이지만, 실제로 걸어 다닐 때는 정상적인 발의 아치가 살아나 제대로 기능을 하는 경우가 매우 흔하다. 이것은 보통 족인기(발바닥 도장)로는 알기 힘들다. 걸어 다니면서 발의 압력을 측정하는 족저압 검사가 있어야 한다.

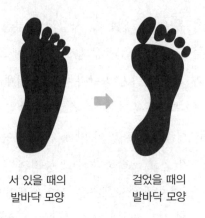

서 있을 때의　　　걸었을 때의
발바닥 모양　　　발바닥 모양

Q 평발을 가진 많은 사람들은 특별한 증상을 느끼지 못한다. 이런 사람들은 서 있을 때나 앉아 있을 때는 왼쪽 발도장의 그림처럼 평발을 가지나 걸었을 때는 발의 아치가 제대로 나타나는 경우가 많다.

　평발인 많은 사람들이 평생을 무증상으로 살아가는 많은 이유는 여기에 있다. 보통은 가만히 서 있을 때나 앉아 있을 때의 발 모양을 보고 평발이라고 생각을 하게 되지만, 그런 사람들 중 많은 사람들은 걸었을 때는 아치의 모양이 잘 살아나 정상적인 발의 기능을 하는 경우가 많다.

Q: 평발이 원래 없었는데 작년에 낙상으로 발에 골절이 생긴 후로 발이 평발형태로 변하였습니다. 원래 모양으로 발이 돌아올 수 있을까요? 없던 평발이 생길 수도 있나요?

A: 태어날 때부터 평발을 타고나는 경우도 있지만, 발의 골절, 관절염, 후경골근건 기능 이상 등으로 후천적으로 발생하기도 합니다. 발이 원래의 모양으로 돌아가기는 쉽지 않습니다.

평발은 선천성 평발과 후천성 평발로 나누어진다. 여러 가지 원인에 의해서 평발이 생길 수 있는데, 가장 흔한 것은 후경골근 힘줄의 기능 이상에 의한 것이다. 후경골근은 발의 아치를 만들어주고 보행 시 발의 충격을 흡수하고 에너지를 최소화하면서 걷게 해주는 발의 중요한 근육 중 하나이다. 이 후경골근의 기능에 문제가 발생하면 평발이 발생하게 된다. 후경골근 힘줄의 장애는 보통 중년의 과체중인 여자들에게 잘 발생한다. 당뇨가 있는 경우 그 발병률이 올라가며, 많은 수에서 외상으로 인해 처음 통증이 발생하게 되면서 병을 인지하게 된다.

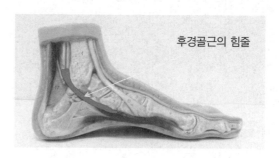

후경골근의 힘줄

Q 후경골근은 발의 아치를 만들어주고 보행 시 발의 충격을 흡수하게 해주는 매우 중요한 근육이다 이 근육의 기능이 손상되게 되면 평발이 발생하게 된다. 또한 반대로 평발이 후경골근의 힘줄에 당기는 긴장력을 많이 주게 되어 후경골근 힘줄에 손상을 민들 수도 있다.

반대로 평발이 후경골근 힘줄에 손상을 만들게 수 있다. 이것은 위에서 사진과 함께 언급했던 것처럼 평발에서 후경골근이 늘어나게 하는 스트레스를 더 많이 주기 때문이다.

후경골근 힘줄 손상 외에도 아킬레스건에 경직이 있는 경우에도 평발이 발생할 수 있다. 하이힐 같은 높은 굽의 신발을 자주 신는 사람들은 뒤꿈치가 항상 위로 올라가 장딴지에 있는 근육과 아킬레스건이 짧아진 모양을 유지하게 되고, 이것은 결국 아킬레스건의 경직(뻣뻣함)을 만들게 된다. 아킬레스건의 경직은 평발을 만드는 중요한 원인이 된다. 이로 인해 평발이 점차 진행하게 되면 위에서 말한 것처럼 후경골근 힘줄도 손상 받게 될 위험성이 높아지게 된다. 뻣뻣한 아킬레스건은 아킬레스건염을 비롯하여 족저근막염, 평발 등 다양한 발의 질환의 원인이 된다. 높은 굽의 하이힐을 좋아해서 자주 신더라도 아킬레스건의 스트레칭 운동을 시행하여 항상 장딴지 뒷근육과 아킬레스건의 유연성을 잘 유지해주어야 한다. 발에 관절염이 있거나 다발성 골절이 있었던 경우, 근육신경병으로 발 주위 근육에 근위약이 발생한 경우에 후천성 평발이 발생할 수 있다.

Q: 평발의 치료는 어떻게 해야 하나요?

A: 증상이 없는 평발은 특별한 경우가 아니라면 치료가 필요 없습니다. 증상이 있는 경우에 가장 쉽고 편하게 할 수 있는 치료는 깔창을 교정하여 발의 정상적인 기능을 최대한 발휘가게 하고 통증을 조절하는 것입니다.

평발의 치료에 있어서 가장 중요한 것은 일단 치료가 필요한 평발인가를 결정해주는 것이다. 이 단원의 처음에 언급했던 것처럼 아무런 증상이 없는 평발은 특별한 경우가 아니라면 굳이 치료할 필요가 없다. 요즘 세상 사람들이 외모에 많은 신경을 쓰다 보니 발 모양에도 스트레스를 받을 수 있다. 그러나 기능적으로 문제가 없고 통증이 없는데도 모양이 이상하다고 해서 발을 건드리게 되면 오히려 탈이나 본전도 못 건지게 된다. 평발로 인해 발의 피로감, 통증 등의 증상이 발생하는 경우에는 족부를 잘 보는 전문의를 찾아가 정확한 진단과 치료를 받아야 한다.

평발은 발생 시점에 따라 선천성과 후천성으로 분류되지만, 기능적으로는 경직된 평발과 유연한 평발로 구분된다. 평발의 경우 가장 먼저 시행하는 유용한 치료는 깔창과 신발을 생체공학적으로 잘 변형시켜 사용하는 것이다. 유연한 평발의 경우에는 깔창을 조절하여 발이 원래의 정상적인 운동기능을 하도록 만들어주어 통증을 경감시키게 된다. 경직된 평발은 발의 유연성이 떨어지므로 통증 완화를 위해 발바닥의 특정 부위를 지지해주는 식의 깔창을 제작하여 적용한다.

신발 안에 굵은 모래 하나만 들어가도 불편함이 매우 심하다. 따라서 깔창과 신발은 환자의 발에 맞게 정교하게 제작되어야 한다. 그리고 정교하게 제작되기 위해서는 족부를 잘 아는 전문의들의 세심한 관찰과 판단을 통한 처방이 필수이다. 진료실을 찾는 사람들 중 많은 환자분들은 대충 제작된 깔창을 이미 많이 가지고 찾아온다. 당연히 치료 효과는 많이 떨어진다. 깔창과 신발은 아직 우리나라에서 건강보험 제도 안으로 들어와 있지 않고 비용도 꽤 비싸다. 돈을 쓰더라도 헛되이 쓰고 싶지 않다면, 꼭 족부전문의들을 찾아가 정확한 진단을 받고 처방을 받아 치료하기를 권한다.

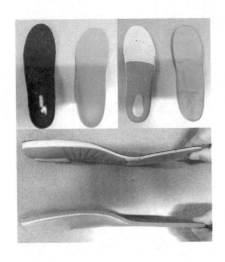

Q. 병적인 평발의 일단계 치료는 깔창을 교정하는 것이다. 옆의 사진들은 평발 시에 사용하는 깔창이다.

평발은 외상, 관절염, 골절 등 다양한 원인에 의해서도 발생한다. 깔창과 신발 등 보조기를 이용하여 치료가 안 될 경우 원인에 따른 여러 수술적 치료들을 시행할 수 있다. 발은 일생 동안 끊임없이 많은 하중과 스트레스를 받으며 일하고 보행과 이동에 큰 역할을 담당한다. 뼈, 관절, 힘줄, 근육, 인대의 다양한 조직들의 조화로운 움직임으로 일을 하는 발의 구조를 변형시키게 되는 수술의 결정에 있어서는 매우 신중을 기해야 한다.

신발에 큰 모래 한 알만 들어가도 사람들은 상당한 불편감을 호소하고 작은 티눈 하나가 생기면 걷는 것이 매우 고통스러워진다. 발이나 발목에 작은 질환으로 인해 통증이 발생하게 되면 사람의 이동성은 급격히 저하되고, 이는 곧 삶의 질 저하와 직결된다. 발이 아프면 몸을 건강하게 유지시켜 주는 운동은 고사하고 걷는 것도 어려워진다. 발의 통증으로 운동이 부족하게 되면 체내에 지방축적, 혈압상승, 당대사의 저하를 초래하게 되어 성인병의 발생률을 높이게 된다. 또한, 발과 발목의 통증으로 정상적인 모양으로 걷지 못하고 통증을 보상하기 위해 비정상적인 모양으로 걷게 되면, 근육사용의 불균형으로 인하여 발과 발목에서 시작한 통증은 더 나아가 무릎, 고관절, 허리, 목에도 통증을 유발하게 된다. 발과 발목의 질환은 그 자체의 통증을 넘어서서 신체적, 정신적 건강을 해치게 되는 결과를 초래하게 된다. 즉, 발의 통증은 만병의 근원이 될 수 있다는 것이다. 따라서 건강한 발과 발목을 유지하는 것은 발 자체뿐만 아니라, 건강한 생활과 무병장수를 위한 필수 조건인 것이다.

05
요족

"51세 남자입니다. 발의 아치가 다른 사람들보다 높습니다. 학생 시절에 달리기할 때면 남들보다 자주 발을 삐었습니다. 최근에는 발의 앞과 뒤꿈치가 걸을 때마다 통증이 점점 심해집니다."

Q&A

Q: 발의 아치가 높은 요족은 무엇이 문제가 되나요?
A: 요족은 발의 아치가 높아 불안정하기 때문에 발목이 안쪽으로 꺾이면서 삐게 되는 발목염좌의 위험성이 높습니다. 또한, 발에 균등하게 체중이 분산되지 못하여 발바닥에 통증이 발생할 확률이 높아집니다.

발의 아치가 보통보다 높게 생긴 형태를 요족이라고 한다. 평발만큼 흔하지는 않고 인구 10명 중 1명 정도의 차이는 있지만, 요족의 형태를 보인다.

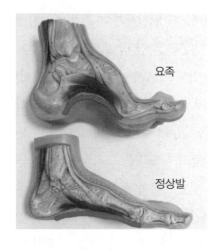

요족

정상발

Q 아치가 정상보다 높은 발을 요족이라고 한다. 요족은 발뒤꿈치와 중족골에 충격이 많이 가는 문제가 발생하게 된다.

요족은 평발과 마찬가지고 선천성과 후천성으로 나누어진다. 후천성인 경우는 발의 골절과 같은 외상으로 인한 경우이며, 선천성인 경우가 훨씬 더 흔하다. 선천성인 경우 중에서 일부는 샤콧씨병이라는 신경근육병에 의해서 발과 다리의 근육의 비정상적인 발달로 인하여 발생하게 된다.

요족의 특징은 아치가 높아 발바닥에 가는 압력이 불균등하게 분배되고 발등이 정상인 발에 비해서 높다는 것이다. 생체역학적 특성상 요족일 경우 발목과 발의 여러 관절들의 움직임이 많이 제한되어 걷기나 뛸 때 충격흡수가 잘 안 되고 발목이 불안정하게 된다.

요족은 발의 아치가 높아 발등 또한 높은 형태를 띤다. 이로 인해서 발볼이 정상보다 많이 커져 볼이 넓은 신발이 필요하기 때문에 신발을 살 때 어려움을 겪게 된다. 기성품으로 팔리는 웬만한 신발들은 요족이 발볼의 크기보다 작게 제작되기 때문에 보통 사람들이 신는 신발을 신게 되면, 발등이 자극되어 통증이 발생하는 경우가 많다.

요족은 발의 아치가 높아 걷거나 뛸 때 발전체가 자연스럽게 땅에 닿지 않고 주로 발뒤꿈치와 발앞꿈치(중족골)만 땅에 닿게 된다. 걷거나 뛰면서 압력의 불균형한 분배로 인해 이 부위에 심한 과부하가 걸리게 된다. 게다가 요족은 발 뼈들의 움직임을 생체역학적으로 제한하게 되어 활동 시 발의 부드러운 움직임을 방해하게 된다. 걷거나 뛸 때 발의 여러 작은 관절에서 자연스럽고 부드러운 움직임이 일어나면서 많은 충격을 흡수하게 된다. 그러나 요족이 경우 발의 여러 작은 관절의 움직임이 제한되면서 충격흡수에 큰 문제를 발생시키게 된다.

요족인 발을 가지고 살아가다 보면 충격흡수의 문제로 인해 발앞꿈치와 발뒤꿈치에 굳은살이 배기고 통증이 발생하게 된다. 처음에는 통증은 없이 굳은살이 생기기 시작하며 굳은살을 긁어내면 그때뿐이고, 다시 반복적으로 발생하게 된다. 근본 원인인 발의 비정상적인 체중 분산을 해결하지 않으면 당연히 굳은살은 다시 발생하게 된다. 세월이 가며 퇴행성 변화가 진행되면 발의 유연성이 떨어지게 되고 굳은살이 생긴 부위에 서서히 통증이 발생한다. 이 통증이 심해지면 걷지 못할 정도로 심해질 수 있다.

달리기, 조깅, 트래킹 등을 좋아하는 사람들은 발의 충격흡수 장애로 발뒤꿈치뼈와 앞꿈치뼈(중족골)에 피로골절이 발생할 위험성도 높아진다. 피로골절은 순간적인 외상으로 뼈가 어긋나버리는 골절과 달리, 지속적인 스트레스가 뼈에 가해지면서 발생하여 형태는 잘 유지되는 골절을 말한다. 뼈의 모양은 정상적이지만 골절과 같은 변화가 뼈에 발생하는 것이다. 요족은 발 관절의 자연스러운 움직임들이 제한되고, 바닥에 닿는 발바닥의 면적이 좁아지므로 인해 불안정성이 증가하게 된다. 이 때문에 다른 사람들보다 일상생활 중에 쉽게 반복적으로 발목을 삐게 된다. 여러 번 삐게 되면, 결국 발목 인대가 완전히 끊기는 경우도 흔하게 발생하게 된다.

Q & A

Q: 발의 아치가 높은 요족을 가지고 있습니다. 학생 때부터 달리기가 느린 편이었는데, 최근 들어 장딴지 부위가 가늘어지면서 뛰는 게 부자연스러워지는 것 같습니다. 요족과 관련이 있나요?

A: 요족은 샤콧씨병이라고 하는 유전성 신경병과 연관이 있는 경우가 꽤 있습니다. 대학병원 재활의학과 또는 신경과의 진료를 꼭 받아 보십시오.

특정한 몇몇 신경병은 발과 다리 근육의 불균형을 초래하여 요족을 발생시킨다. 이런 신경병 중 가장 흔한 신경병은 샤콧씨병이라는 유전성 신경병이다. 이 유전성 신경병은 2,500명 중 1명에서 발병하며 유전성 신경병 중에는 가장 흔하다.

샤콧씨병의 특징은 운동발달의 지연과 발의 변형(요족이나 평발), 운동기능의 저하이다. 증상은 초등학생 때부터 서서히 나타난다. 서서히 운동기능의 장애가 발생하기 때문에 증상이 심해지는 성인 때에 병을 발견하는 경우도 많다. 병을 진단받으면서 예전을 기억해보면, 운동기능의 저하로 달리기를 하면 항상 꼴찌를 했다든가 하는 식의 이야기를 하게 된다.

Q: 요족의 치료는 어떻게 하는 건가요?

A: 평발과 마찬가지로 특별한 증상이 없는 요족은 치료가 필요 없습니다. 그러나 발에 통증이 발생하고 발목을 자주 삐는 식의 외상이 자주 발생하게 되면 치료가 필요합니다. 기본적인 치료로는 신발과 깔창을 사용합니다. 또한, 아킬레스건의 유연성 운동을 꾸준히 시행해주어야 합니다.

　평발과 마찬가지로 특별한 증상이 없는 요족일 경우에는 괜히 문제삼아 치료할 필요가 없다. 발 어딘가에 통증이 발생하거나 발을 자주 삔다든가 하는 이벤트가 자주 일어나게 되면 치료를 고려해본다.

　요족은 평발보다는 문제를 만들 가능성이 높다. 외국의 젊은 군인들을 대상으로 하여 조사해보았더니 평발인 젊은 남자들은 정상인 사람들과 신체기능이나 발의 통증 등에 차이가 없었던 반면, 요족인 젊은 남자들은 발에 손상이 발생하고 통증이 발생하는 경우가 확실하게 증가했다.

　요족의 주요 치료는 평발과 마찬가지로 신발과 깔창의 조절로 이루어진다. 요족은 발목 불안정과 충격흡수장애, 발과 다리의 근육들의 유연성 상실이 복합적으로 작용하여 발과 발목에 여러 가지 문제를 일으키게 된다. 신발과 깔창의 조절로 발목 불안정과 충격흡수장애를 조절해줄 수 있고, 재활운동치료를 통하여 아킬레스건의 유연성을 유지해줄 수 있다.

　신발과 깔창의 조절에 있어서 가장 중요한 것 중 하나는 쿠션이다. 걷거나 뛸 때 발바닥에 가해지는 충격흡수에 문제가 생겨 굳은살이 베기고 통증이 발생하게 된다. 따라서 바닥에 닿는 뒤꿈치와 앞꿈치의 중족골 부위에 충격흡수를 위한 특수 재질의 쿠션이 있어야 한다. 또한, 요족의 발볼이 큰 것을 감안하여 볼이 큰 신발을 신어야 발 등에 통증을 예방할 수 있다. 수년 전에 국내 유명한 모 신발회사에서 요족용 운동화를 개발하였다. 이 신발은 발볼이 큰 요족 환자들을 위해 볼이 넓게 제작되었고 깔창에 충분한 쿠션이 기본으로 들어있다. 이 외에도 요족에서 발생하는 문제들을 교정하기 위한 여러 조건들을 보완하여 신발을 만들었다.

신발과 깔창만 잘 조절하여도 발에 발생한 통증을 많이 줄일 수 있으며, 많은 질환을 예방하여 건강한 발을 유지할 수 있다. 신발과 깔창의 생체역학적인 제작은 어려운 작업으로 올바른 문제파악을 통한 전문의사의 처방에 의해서 가능하다. 제대로 된 진료를 보지 않고 대충 만들었다가는 20~30만 원 정도 되는 비싼 깔창을 만들고도 효과를 보지 못하는 경우가 많다. 꼭 족부를 전문적으로 볼 수 있는 재활의학과 전문의를 찾아가 진료를 받고, 적절한 깔창 처방을 받을 것을 권고한다.

신발과 깔창으로 조절이 안 되는 심한 통증과 기능장애가 있을 경우에는 수술적 치료를 시행하게 된다. 요족을 일으키는 원인이 많으므로 원인에 따라 힘줄을 늘리거나 이동시키기도 하며 뼈를 융합시키기도 하는 다양한 수술을 시행하게 된다.

06

무지외반증

"29세 여자입니다. 엄마의 엄지발가락이 바깥쪽으로 휘어져 있었는데, 저도 요즘 직장생활을 하면서 하이힐을 많이 신어서 그런지 엄마처럼 엄지발가락이 바깥쪽으로 휘어집니다. 그리고 최근에는 엄지발가락 안쪽 관절 부위에 붓기가 생기면서 통증이 발생합니다."

Q&A

Q: 무지외반증은 어떤 병인가요?

A: 무지외반증은 엄지발가락이 바깥쪽으로 휘어지는 질환을 말합니다. 엄지발가락이 휘어지게 되면 발에 여러 가지 통증이 발생하게 됩니다.

외향을 중요시하는 최근의 트렌드에 맞추어 요즘은 남자들도 뒷굽이 높은 구두를 많이 신고 있다. 이런 현상과 발맞추어 꾸준히 늘고 있는 질환이 무지외반증이다. 무지외반증은 치료가 필요한 병이지만 초기에는 경도의 변형만 있고 증상이 거의 없다. 따라서 무지외반증에 대한 기본 지식이 없고 적절한 전문병원이 없기 때문에 많은 경우에서 방치되고 있는 발 질환이다. 최근 들어 미용에 많은 관심이 집중되면서 미용적인 목적으로 무지외반증을 가지고 병원을 찾는 사람들이 많아지고 있다.

무지외반증은 엄지발가락이 바깥쪽으로 휘어지면서 중족 족지 관절 부위가 튀어나오게 되는 상태를 말한다. 보통 정상적으로 6도 정도는 엄지발가락이 외측으로 휘어질 수 있다. 그러나 15도 이상으로 심하게 휘어지면 무지외반증으로 진단할 수 있다.

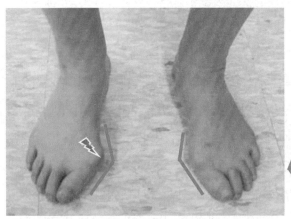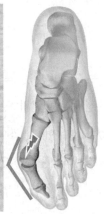

무지외반증

Q 엄지발가락이 바깥쪽으로 휜 변형을 무지외반증이라고 한다. 무지외반증 시에 발볼에 해당하는 엄지발가락의 근위관절 부분이 신발에 쓸리면서 자극을 받게 되면 염증이 발생하여 붓고 통증이 발생하게 된다.

무지외반증의 경우 돌출된 엄지발가락 관절 부위가 신발과 맞닿아 쓸리게 되어 염증이 생겨 붓고 통증이 발생하게 된다. 엄지발가락의 휘어짐이 심해지다 보면 보행 시 체중이 엄지발가락에 많이 실리지 못하는 대신 두 번째 발가락에 체중이 많이 실리게 된다. 이때 두 번째 발가락의 중족골 부위에 굳은살이 생기면서 통증이 발생하게 된다. 계속 병이 진행하면 엄지가 둘째 발가락 밑으로 파고 들어가면서 둘째 발가락은 위로 올라오는 변형이 생기게 된다.

Q: 무지외반증은 왜 발생하는 건가요?

A: 복합적인 요인에 의해서 발생하게 되지만, 크게 유전적 요인과 신발 요인으로 인해서 발생하게 됩니다.

무지외반증은 복합적인 요인에 의해 발생하게 되지만, 대표적으로 유전적인 요인과 신발 요인을 꼽을 수 있다. 부모가 무지외반증이 있었을 경우에 약 70%에서 자녀들에서 무지외반증이 나타나는 것으로 되어 있다. 유전적인 요인은 개개인이 조절할 수 있는 요인이 아니라 사실상 특별한 방법은 없다. 그러나 신발 요인은 미리 예방할 수가 있다. 사람들은 보통 신발을 살 때 발의 길이에만 초점을 맞추고 모양이 예쁜 날렵한 신발을 좋아하여 볼이 작은 신발을 더 선호한다. 또한, 키를 더 커 보이게 하기 위해서 어느 정도 굽이 높은 신발을 선택하는 경향이 있다. 굽이 높고 볼이 좁은 하이힐을 신다 보면 엄지발가락이 외측으로 휘어지게 하는 힘이 커져 무지외반증 변형을 촉진시킨다. 또한, 구조적으로 평발이거나 엄지발가락의 중족골이 짧은 경우에 무지외반증이 잘 발생하며, 류마티스 관절염이나 통풍이 있는 경우에도 무지외반증이 잘 발생한다.

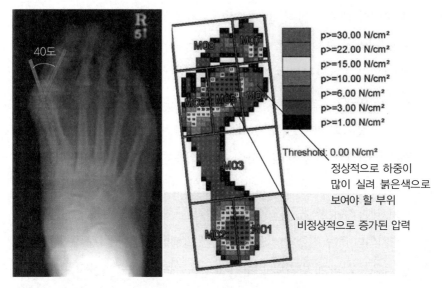

p>=30.00 N/cm²	
p>=22.00 N/cm²	
p>=15.00 N/cm²	
p>=10.00 N/cm²	
p>=6.00 N/cm²	
p>=3.00 N/cm²	
p>=1.00 N/cm²	

Threshold: 0.00 N/cm²

정상적으로 하중이
많이 실려 붉은색으로
보여야 할 부위

비정상적으로 증가된 압력

무지외반증   족저압 검사

🔍 류마티스 관절염 환자의 무지외반증. 류마티스 관절염이 있는 사람들 중에는 무지외반증이 흔하다. 무지외반증이 심해지면 보행 시 엄지발가락에 실려야 하는 하중이 2~3번째 발가락 중족골 부위에 실리게 되면서 중족골통이 발생하게 된다.

Q&A

Q: 무지외반증의 치료방법은 무엇입니까?

A: 발병 초기의 치료나 더 심해지는 것을 예방하기 위해 가장 중요한 것은 올바른 신발을 착용하는 것입니다.

무지외반증을 예방하거나 발병 초기의 치료에 있어서 가장 중요한 것은 올바른 신발을 착용하는 것이다. 볼이 높고 넓은 신발이 좋으며, 5cm 이하의 낮은 굽을 가진 신발을 착용하는 것이 좋다. 또한, 신발을 구입할 때에는 발이 좀 더 커지는 저녁 시간에 구입하는 것이 좋으며, 신발을 착용하였을 때 가장 긴 발가락에서 1~1.3cm 정도 공간이 남는 신발을 구입하여야 한다. 병의 초기에 엄지발가락과 둘째 발가락 사이에 끼는 발가락 보조기(발가락 분리 보조기)가 발의 변형을 효과적으로 막아줄 수 있다. 모양이 완전하지 않을 경우 보행 시 많은 불편감과 통증이 발생하여 착용을 못하게 되므로, 시중에 대충 만들어진 것을 구입하는 것보다 본인의 발가락 모양에 맞게 실리콘으로 제작해야 한다.

무지외반증이 진행하여 중족골통이 발생한 경우에는 중족골 패드를 적용하고 밤에 발가락 변형의 교정을 위하여 보조기를 착용할 수도 있다. 무지외반증으로 인해 발생하는 불균등한 체중부하를 해결하고, 발바닥의 통증을 해결하기 위해 재활의학과 전문의에 의해 처방된 의료용 깔창을 제작할 수도 있다. 발가락의 스트레칭 운동은 지속적으로 시행해주어야 한다. 발가락의 스트레칭 운동으로 발의 변형을 교정할 수는 없지만, 발가락의 유연성과 운동성을 유지해주는 것은 매우 중요하다.

일상생활에 불편함이 있는 경우나 통증이 심한 경우에 보통 사람들은 병원을 찾고 치료를 받게 된다. 그러나 대게 보존적인 치료로 보조기를 이용하는 것은 유연하거나 경한 정도의 초기 변형에서 가능한 것이다. 따라서 무지외반증에 대한 지식을 가지고 변형이 시작되는 초기에 전문의의 진료를 받고 발을 잘 관리하는 것이 중요하다. 심한 경우에는 뼈를 잘라서 교정하거나 관절을 굳혀서 없애는 수술적 치료를 해야 할 수도 있다.

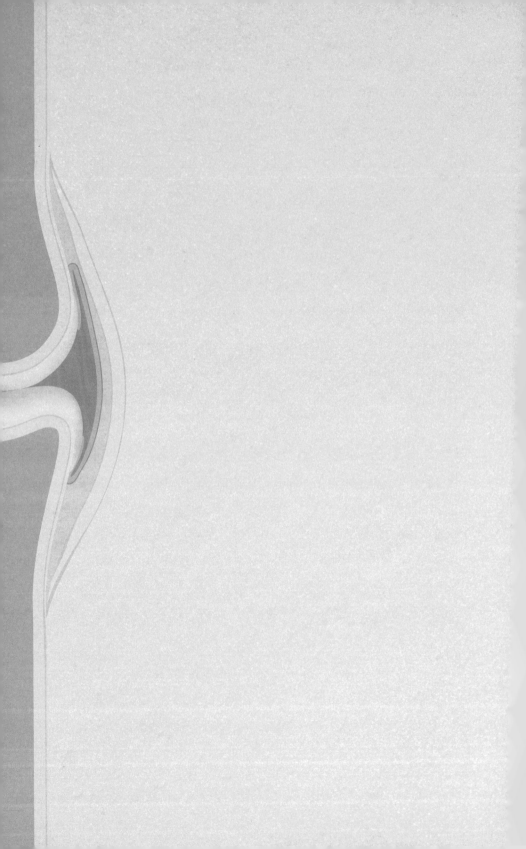

PART 6

팔꿈치

01

테니스 엘보우(팔꿈치 외상과염)

장애우를 돕는 일을 하시는 아버지는 장애우를 업고 계단을 오르내리고, 경사로에서 휠체어를 끌기도 하시며, 장애우들을 번쩍 안아 옮겨 드리는 일 등을 하신다. 손과 팔을 많이 사용하다 보니 2년 전 급기야 팔꿈치에 통증이 생기셨다. 아버지의 말씀만 듣고도 테니스 엘보우가 발병했음을 알았고, 난 아버지에게 팔꿈치에 착용하는 조그마한 보조기를 드렸고 집에서 혼자 쉽게 할 수 있는 운동을 알려드렸다. 손목을 과사용은 테니스 엘보우의 발병 원인이므로 일을 쉬셔야 했지만, 장애우와 함께하는 일에서 쉬게 하시는 것은 불가능했다. 일단 테니스 엘보 질환에 대한 지식을 알려드렸다. 아버지는 그 질환에 대한 지식으로 일할 때 최대한 조심하셨다. 간단한 보조기와 가정 운동으로 아버지는 4개월 후에 완치되셨고, 지금까지 팔꿈치에 아무런 문제가 없이 잘 생활하고 계신다. 여전히 장애우의 이송을 돕고 계시며 하루하루 사명감을 가지고 일하시고 있다.

Q: '엘보우', '테니스 엘보우'라는 병은 어떤 병인가요?

A: 팔꿈치에 통증이 있을 때 사람들이 소위 말하는 엘보우나 테니스 엘보우는 의학적으로 팔꿈치의 외상과염이라고 불립니다. 엘보우라는 것이 영어로 팔꿈치라는 뜻입니다. 손목을 신전시키는(위로 들게 하는) 근육의 시작점은 팔꿈치에 있습니다. 이 근육의 힘줄이 팔꿈치의 뼈(외상과)에 붙어있는데, 이 부위에서 힘줄에 문제가 발생하여 손으로 무언가를 세게 쥐거나 손목을 위로 드는 동작을 취할 때마다 통증이 발생하며, 팔사용에 장해가 발생하는 질환이 테니스 엘보우입니다.

테니스 엘보우라고 불리는 팔꿈치 질환은 정확한 의학적 진단명으로 팔꿈치 외상과염이라고 명명된다. 이 질환은 손과 손목을 많이 사용하는 사람들에서 발병하게 된다. 손목을 위로 들게 하는 근육(손목신전근)은 위팔뼈의 끝 부분 바깥쪽(외상과)에서 출발하여, 아래팔과 손목을 지나 다섯 손가락의 끝 마디에 붙게 된다. 이 근육이 수축하게 되면 손목을 위로 드는 동작이 나타난다. 또한, 손목 신전근은 주먹을 꽉 쥐거나 스포츠 라켓이나 물건을 잡을 때 수축하여 손목을 안정하게 유지시키는 작용을 한다. 이 근육을 과도하게 사용하거나 유연성이 부족하여 근육이 너무 뻣뻣한 경우 팔꿈치 쪽 힘줄에 스트레스가 많이 걸리게 된다. 이 경우 힘줄에 염증이 발생하면서 붓거나 파열이 발생하게 되는데, 이로 인해 팔꿈치에 통증을 유발하고 기능 장애를 일으키는 질환이 테니스 엘보우이다.

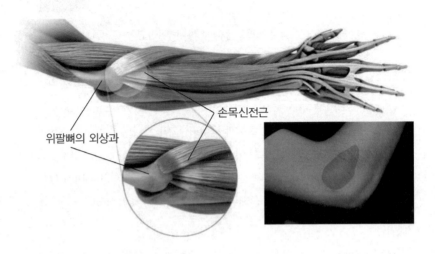

위팔뼈의 외상과

손목신전근

🔍 테니스 엘보우(팔꿈치 외상과염): 손목을 위로 들게 하는 근육(손목신전
근)의 힘줄에 염증, 파열 등 병적인 변화가 생기는 질환이다.

Q&A

Q: 테니스를 안치는데도 테니스 엘보우가 발병할 수 있나요? 테니스 엘
보우는 어떤 경우에 생기게 되나요?

A: 이름에서 알 수 있듯이 테니스 엘보우는 테니스를 치는 사람들에서
발병할 수 있습니다. 그러나 물론 테니스를 치는 모든 사람에게 발병
하는 것은 아니며, 테니스를 치지 않는 사람들에서도 얼마든지 발생
할 수 있습니다. 벽돌 쌓는 일, 식당일, 간병 등 손과 손목을 많이 사
용하는 일을 하는 사람에서 흔하게 발병합니다. 또한, 힘을 과하게 쓰
면서 순간적으로 발생할 수도 있습니다.

테니스 엘보우는 이름에서 알 수 있듯이 테니스를 치는 사람들에
서 잘 발생한다고 해서 붙여진 이름이다. 그렇지만 테니스 치는 사람

들 모두에서 발생하는 병이 아니며, 손과 손목을 많이 사용하는 모든 사람들에서 발생할 수 있는 질환이다. 테니스 선수들 10명 중 3~5명에서 발생하게 되며, 실제로 테니스 엘보우가 발병한 사람들 중 테니스 선수는 100명 중 5명 이하이다.

손목의 근력 운동과 유연성 운동을 같이 하며, 손목이 늘어나는 부하에 적응할 수 있는 시간을 주면서 서서히 점진적으로 운동량을 늘려 테니스를 치는 경우에는 테니스 엘보우가 잘 발병하지 않는다. 그러나 단기간에 과도하게 테니스 치는 양을 늘리거나 올바른 스윙을 배우지 않고 자세가 좋지 않은 경우, 라켓이 너무 무겁거나 라켓의 손잡이가 너무 가는 경우에 테니스 엘보우가 발병할 위험성이 높아진다. 그러나 테니스로 엘보우가 발생하여 진료실을 찾는 사람은 생각보다 그리 많지 않다. 그것은 테니스를 치지 않는 사람이 테니스를 치는 사람보다는 훨씬 많기 때문에 생기는 당연한 현상이다.

테니스 엘보우 발병부위

🔍 테니스 엘보우는 테니스 치는 사람늘에서 자주 발병한다고 해서 이름이 붙여졌지만, 테니스를 치는 모든 사람에게 발병하는 것은 아니다.

테니스 엘보우로 진료실을 찾는 사람들은 직업적으로 손과 손목을 많이 사용하는 사람들이나 테니스, 스쿼시, 배드민턴 등 라켓 운동을 많이 하는 사람들이다. 물론 사람들마다 병에 대한 감수성에 차이가 있다. 똑같이 테니스 100게임을 쳤을 때 힘줄이 약해 테니스 엘보우가 발병하는 사람이 있는 반면에 아무 문제도 발생하지 않는 사람이 있다.

테니스 엘보우의 통증은 2~3일에 걸쳐 서서히 발생할 수도 있고, 한순간에 갑자기 발생할 수도 있다. 대부분은 2~3일에 걸쳐 서서히 발생하게 되는데, 평소 익숙하지 않던 일을 하며 손과 손목을 과사용하는 경우에 발생하게 된다. 물론 익숙한 일이라 할지라도 손과 손목을 과사용하면서 발생할 수 있다. 진료실을 찾는 환자들은 미용사, 치과의사, 공사장에서 일하는 노무인, 간병사부터 평범한 가정주부까지 다양하다. 주말에 드라이버나 망치 같은 공구를 갑자기 많이 사용하면서, 벽돌을 쌓는 일을 했을 경우, 하지 않던 뜨개질을 갑자기 무리하게 하거나, 간병, 주방일로 손과 손목을 많이 사용한 경우, 걸레 짜는 일을 평상시보다 많이 한 경우, 헬스장에서 과하게 무거운 바벨을 사용하여 운동한 경우 등 그 발병 원인 또한 다양하다. 처음에 말한 것처럼 우리 아버지처럼 장애우의 이동을 돕는 일을 하는 경우에도 발생할 수 있다.

테니스 엘보우는 손목에 강한 힘이 걸리면서 순간적으로 발병할 수도 있다. 테니스 운동에서 백스윙을 할 때에 주로 손목을 신전시키는(위로 드는) 근육을 많이 사용하게 된다. 좋지 않은 자세로 백스윙을 하거나 팔과 손목을 주로 사용하여 백스윙을 할 경우 손목 신전근에 과도한 스트레스가 걸리면서 힘줄 파열이 갑자기 발생할 수 있다. 또한, 화분 등 무거운 물건을 옮기다가 팔꿈치 부위에서 '뚜둑' 하는 느낌과 함께 순간적으로 테니스 엘보우가 발병하기도 한다.

Q&A

Q: 1~2주 전부터 손을 사용할 때마다 팔꿈치 바깥쪽에 통증이 발생해서 손을 쓰기가 겁납니다. 테니스 엘보우라는 병이 발생한 건가요? 간단하게 확인할 수 있는 방법이 있나요?

A: 집에서도 간단하게 확인할 수 있는 방법이 있습니다.

팔꿈치 통증이 발생했을 경우 보통 사람들이 쉽게 테니스 엘보우를 확인해볼 수 있는 간단한 두 가지 테스트가 있다. 첫 번째는 손목 신전근의 힘줄이 붙는 팔꿈치 바깥 뼈(외상과) 부위를 눌러서 통증이 있는가를 확인해보는 것이다. 두 번째는 두 팔꿈치를 펴서 손등이 하늘을 보게 가볍게 주먹을 쥐고 앞으로 뻗은 후 다른 사람이 내 손목이 위로 들리지 못하도록 힘을 주게 하거나, 혼자서 두 주먹을 책상이나 식탁의 밑면에 붙인 상태에서 힘을 주어 손목을 위로 들어보는 것이다. 이 두 검사에서 모두 통증이 발생한다면 테니스 엘보우라고 생각해도 큰 무리가 없다.

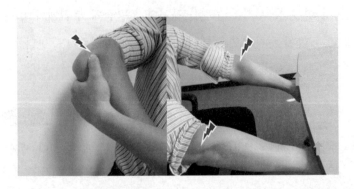

Q. 간단한 테니스 엘보우 확인 방법: 왼쪽 사진과 같이 팔꿈치의 바깥쪽 외상과 부위를 눌렀을 때 통증이 발생하거나 오른쪽 사진과 같이 자세를 취하고 손목을 위로 드는 힘을 주었을 때 팔꿈치에 통증이 발생하면 테니스 엘보우일 확률이 높다.

병원에서 테니스 엘보우가 의심될 때 의사들이 가장 먼저 테스트해보는 것이 이 검사들이다. 그러나 전문의의 진료를 보고 정확히 본인의 상태 파악하고 그에 알맞은 치료를 받아야 함은 물론이다.

증상과 신체검진으로 테니스 엘보우 진단이 확실한 경우 초음파, MRI 등의 추가적인 검사를 시행하지 않고 치료를 시행할 수 있다. 그러나 증상이 심하거나 팔꿈치의 다른 질환이 의심된다면 엑스레이, 초음파, MRI 등의 검사를 시행해야 할 수도 있다. 테니스 엘보우가 심한 경우 엑스레이에서 팔꿈치에 석회가 침착 소견이 보이는 경우가 있다. 또한, 초음파 검사를 하게 되면 힘줄의 파열 유무, 염증 유무, 석회침착 유무 등 힘줄의 상태를 좀 더 정확하고 구체적으로 파악할 수 있다.

Q: 마트에서 박스를 나르는 아르바이트를 합니다. 며칠 전부터 오른 팔꿈치에 통증이 발생했습니다. 테니스 엘보우 같은데 어떤 치료를 받아야 하나요?

A: 첫 단계로 할 가장 중요한 치료는 팔꿈치의 통증을 만든 활동을 중지하고 아픈 팔의 사용을 줄이는 것입니다. 손과 손목의 사용을 줄이고 재발을 방지하기 위해 보조기를 사용하는 것이 큰 도움이 됩니다. 약과 열전기치료, 주사치료 등을 이용하여 통증을 조절해야 하며, 재활운동(근력 운동, 유연성 운동, 근육협응 운동)을 시행하여 손상된 팔꿈치 힘줄을 건강한 조직으로 재생시키고 재발을 줄일 수 있습니다.

테니스 엘보우의 치료를 위해서 여러 가지 방법들을 동시에 사용하였을 때 최대의 효과를 거둘 수 있다. 테니스 엘보우의 치료는 대략 세 부분으로 나눌 수 있다. 첫째로 근본 원인이 되는 활동과 동작들을 피하는 것이며, 둘째로 팔꿈치에 발생한 통증을 조절하는 것이다. 세 번째는 손상된 힘줄이 건강한 조직으로 재생되고 재발을 예방하기 위해서 유연성 운동, 근력 운동, 근육의 협응 운동을 시행하는 것이다.

Q 손목 신전근 스트레칭 운동

(10초간 유지, 6~10회, 하루에 2~3번)

아픈 팔의 팔꿈치를 쭉 뻗고 시계 방향으로 최대한 돌려준 후에 반대쪽 손을 이용하여 팔꿈치 통증 부위에 힘줄이 당기는 느낌이 들때까지 손등을 지그시 눌러준다.

\# 통증이 없거나 경미할 정도에서만 시행한다.

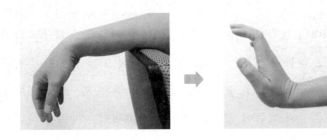

Q 손목 신전근 강화 운동 1

(5~10초간 유지, 6~10회, 하루에 2~3번)

아픈 팔을 테이블 위에 올려놓고 손목을 천천히 올렸다 내려준다(약 5초). 손목을 위로 최대한 올리고 5~10초 정도 유지해준다. 팔꿈치는 일자로 쭉 편 상태로 시행한다.

\# 통증이 없거나 경미할 정도에서만 시행한다.

Q 손목 신전근 강화 운동 2

(5~10초간 유지, 6~10회, 하루에 2~3번)

수건과 같은 부드러운 물건을 5~10초간 부드럽게 쥔 상태를 유지한다.

\# 통증이 없거나 경미할 정도에서만 시행한다.

🔍 손목 신전근 강화 운동 3
(5~10초간 유지, 6~10회, 하루에 2~3번)
위에 있는 신전근 강화 운동 1,2를 잘 할 수 있게 되면 0.5~2kg의 아령을
사용하여 손목을 천천히 위로 올렸다 내리는 운동을 시행한다.

\# 통증이 없거나 경미할 정도에서만 시행한다. 통증이 없으면 점차로 무거운
아령으로 바꾸어 시행한다.

테니스 엘보우의 치료에도 보존적 치료(비수술적 치료)와 수술적 치료가 있다. 테니스 엘보우 환자들 100명 중 95명 정도는 보존적 치료로 증상이 호전된다. 따라서 처음 치료는 당연히 보존적 치료를 시행해야 한다. 그러나 1~2년 이상 증상이 지속되거나, 그 어떠한 보존적 방법을 사용해도 통증과 팔 사용의 장해가 심한 경우에는 수술적 치료를 고려해야 한다.

테니스 엘보우와 같이 신체의 과사용이 원인이 되어 발생한 질환의 치료로 가장 중요한 것은 과사용을 줄이고 쉬게 해주는 것이다. 초기 단계의 테니스 엘보우 환자들은 손과 손목의 사용을 줄이고 쉬기만 해도 많은 수에서 저절로 회복된다. 그렇지만 사람들 대부분은 아픈 팔을 쉴 수 없는 환경에 있다. 테니스 엘보우로 진료실을 찾는 환자들에게 팔을 아껴 쓰는 것이 치료에 가장 중요하다는 설명을 하다 보면 무력감을 느낄 때가 많다. 환자들은 항상 팔을 안 쓸 수는 없다

고 호소한다. 나도 두 아이를 키우는 한 가정의 가장으로 생업에 관한 부분에 대한 문제이므로 그 마음이 십분 이해가 된다. 내가 대신 일해드릴 수도 없는 노릇으로 항상 안타까운 마음이 있다. 이유야 어쨌든 테니스 엘보우의 치료에 가장 중요한 것은 아픈 팔을 아껴서 덜 쓰는 것이다. 어쩔 수 없는 경우라도 최대한 아끼도록 노력해야 한다.

테니스 엘보우 시에 재활치료와 보조기는 기본적으로 시행되는 치료로 같이 잘 시행하면 증상 완화에 큰 도움을 준다. 재활치료의 목적은 손목 신전근의 유연성 운동, 손목과 아래팔의 근력 운동 및 협응운동을 통하여 손상된 조직이 건강하게 재생되게 하고, 힘줄에 가는 스트레스를 줄여주는 것이다. 직업상 손과 손목을 쉬는 것이 힘든 경우에 보조기는 팔꿈치 힘줄에 가는 스트레스를 줄여 주는 치료방법이 된다.

테니스 엘보우 시에 사용되는 보조기는 두 가지이다. 하나는 손목을 움직이지 못하게 고정시키는 보조기로 손목을 고정시키게 되면 손목 신전근은 자연적으로 쉴 수밖에 없는 환경에 놓이게 된다. 손목만 고정시키는 것이므로 손가락 사용은 가능하다. 다른 한 가지는 손목 신전근 힘줄의 바로 옆을 밴드로 잡아주어 힘줄로 가는 장력(당겨지는 힘)을 줄여주는 보조기다. 이 보조기를 착용하게 되면 50N 정도 손목 신전근의 힘줄에 가는 장력을 줄여주어, 스트레스의 10~20% 정도가 주는 효과를 주게 된다. 이 보조기는 손목 신전근 힘줄이 팔꿈치 뼈(외상과)에 붙는 부위에서 4~8cm 떨어진 근육 위에 착용하면 된다. 보통 손가락 3~4마디 정도 떨어진 부위에 붙이면 된다.

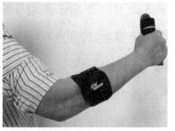

Q 테니스 엘보우시 착용하는 보조기: 왼쪽 사진 처럼 손목을 움직이지 못
하도록 고정할 수도 있고, 밴드를 착용하여 팔꿈치 힘줄에 가는 스트레스를
줄여줄 수도 있다.

Q&A

Q: 2주 동안 팔을 충분히 쉬면서 재활치료를 하고 보조기를 착용했는데,
아직 증상에 큰 변화가 없는 것 같습니다. 주사치료를 받는 건 어떨
까요?

A: 테니스 엘보우는 힘줄의 문제로 인해서 발생하는 병입니다. 힘줄은
기본적으로 혈관이 많이 없는 조직이어서 회복되는데 보통 1~3개월
이상의 많은 시간이 걸립니다. 좀 더 느긋하게 생각하시는 것이 좋습
니다.

테니스 엘보우가 발병한 환자들의 대부분은 보존적 치료로 2~3개
월 안에 많은 증상의 호전을 보인다. 회복기간은 손상된 정도에 따라
차이가 많다. 발병 초기에 제대로 치료를 받았을 경우 약이나 주사
없이도 2~3주 안에 호전되는 사람들이 있는 반면에 1년 이상 심한
통증이 지속되어 손을 제대로 쓰지 못하는 사람들도 있다.

실제로 조직을 보면 근육은 혈관이 많고 혈류량이 풍부하여 붉은색으로 보이고 힘줄은 혈류량이 적어 흰색에 가깝게 보인다. 회복에 필요한 모든 영양분과 세포들은 혈액 안에 있기 때문에 혈관이 많고 혈류량이 풍부한 조직은 회복이 빠르다. 피부나 근육이 찢어진 경우에는 대부분 1~3주의 시간이 지나면 치유되지만, 힘줄과 인대같이 하얗게 보이는 조직은 혈류량이 적어 치유에 상당한 시간이 걸리게 되며 회복이 되지 않는 경우도 많다.

테니스 엘보우 발병 초기에 재활의학과 또는 정형외과 전문의의 진료를 보고 제대로 된 교육과 치료를 받는 것이 일단은 제일 중요하겠지만, 치료 시에 조급하게 생각하지 않는 마음 자세도 중요하다. 힘줄은 치유되는 데에 보통 1~3개월의 시간이 소요된다. 1~2주의 단기간 치료 후 크게 좋아지지 않는다고 조급하게 마음먹어서는 안 된다. 치료를 시작하여 힘줄에 스트레스를 주고 통증을 주는 활동을 조심하기 시작했으면, 적어도 2~3개월은 증상을 관찰해보는 것이 좋다. 조급한 마음에 병원을 돌아다니면서 과한 치료를 받거나 검증되지 않은 치료들을 받고 질환이 악화되는 환자들을 적지 않게 만나게 된다. 적어도 1~3개월 동안은 활동 변경, 보조기, 재활운동 등을 시행해보고 증상이 지속하거나 증상의 호전이 만족스럽지 않다면 주사치료를 고려해보아야 한다.

팔꿈치에 시행하는 가장 흔한 주사치료는 스테로이드를 사용한 항염증 주사치료이다. 스테로이드 주사치료는 4주 이내의 단기간에는 10명 중 8명 이상에서 많은 통증의 감소를 주는 효과적인 치료이다. 그러나 주사하고 2~3달이 지난 후에는 주사치료를 받지 않은 사람들과 비교했을 때, 효과 면에서 큰 차이를 보이지 않는 것으로 되어 있다. 강력한 항염증 약물인 스테로이드는 분명 통증은 단기간 내에 확연하게 줄여준다.

1회의 스테로이드 주사치료는 매우 효과적일 경우가 많다. 그렇지만 매우 중요하여 꼭 기억해야 할 사실이 있다. 주사를 맞으면 환자들은 수일 내에 통증이 확연하게 줄어들게 되지만, 이것은 절대로 팔꿈치가 호전된 것을 의미하는 것이 아니다. 통증이 없어도 손과 손목의 사용은 지속적으로 주의해야 한다. 많은 환자들은 주사 후 통증이 많이 줄게 되면 회복된 것으로 생각하여 발병 이전처럼 손과 손목을 사용하는 경우가 많다. 이런 경우 2~3주가 지나서 스테로이드의 약효가 떨어질 시기가 되면 통증은 다시 시작되고 힘줄의 상태는 더 악화된다.

보통 통증이 심한 경우에 스테로이드 주사치료를 시행하게 되는데, 주사치료 자체보다 중요한 것은 주사 후 통증이 줄더라도 손과 손목의 사용을 계속해서 조심해야 한다는 것이다. 향후 전문의의 지도를 받고 재활운동치료를 하며 점진적으로 서서히 팔의 사용을 늘려나가야 한다.

스테로이드 주사는 힘줄 자체에 손상을 줄이면서 정확한 부위에 주사하기 위해서 초음파로 장비를 사용하면서 시행하는 것이 좋다. 통증이 심한 경우에 1회 정도 주사치료를 받는 것은 괜찮다. 1회의 주사치료로 증상이 호전이 별로 없고 수개월 동안 지속되는 경우 1회 정도 더 시행해볼 수 있다. 그렇지만 3회 이상 스테로이드 주사를 맞는 것은 피하는 것이 좋다. 스테로이드 약물은 힘줄의 재생 측면에서는 오히려 안 좋은 효과를 준다. 스테로이드 주사치료를 수차례 받은 경우 회복 기간이 더 길어질 수 있으며, 심한 경우 힘줄이 완전파열될 수도 있다.

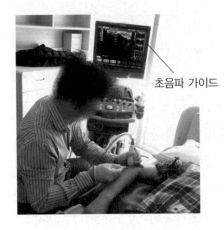

초음파 가이드

Q. 테니스 엘보우 환자에게 초음파를 이용하여 주사치료를 시행하고 있는 모습. 초음파 장비를 이용하면 더 정확하게 주사할 수 있어 부작용이 적고 효과가 더 좋다.

Q&A

Q: 1~2주 전부터 손을 쓸 때마다 팔꿈치 바깥쪽에 통증이 발생해서 손을 쓰기가 겁납니다. 체외충격파 치료가 테니스 엘보우에 좋다고 하는데, 실제로 효과가 좋은 치료인가요?

A: 충격파치료는 분명 테니스 엘보우에 효과가 있는 치료입니다. 그러나 충격파는 급성기에 받는 치료가 아닙니다. 초기치료로 손과 손목의 휴식, 재활운동치료, 보조기 등의 치료를 먼저 시행해야 합니다. 3~6 개월 이상 치료해도 통증이 지속되면 그때 충격파치료를 시행해볼 수 있습니다.

　체외충격파 치료는 수술하지 않고 힘줄과 인대 손상을 치료할 수 있는 좋은 시술 중의 하나로 테니스 엘보우, 족저근막염, 아킬레스건염, 어깨의 석회성 건염 등에서 효과가 있다고 알려져 있다. 충격파치료는 치료 효과가 좋은 편이고 시술 시 부작용이 거의 없어 좋은 치료임이 분명하지만, 매우 중요한 사실이 있다. 충격파치료는 조직의 재생을 위해 염증반응을 만드는 시술이다. 따라서 질환 발병 초기에 염증으로 통증이 있는 경우에 시행하게 되면 도움은커녕 오히려 해가 될 수도 있다. 충격파는 시행하는 시기가 중요하다. 증상이 처음 시작된 시간부터 6개월 이상이 지나고, 보존적 치료를 3~6개월 정도 시행했는데도 통증의 호전이 없거나 만족스럽지 않을 때 시행을 고려해야 한다.

충격파의 정확한 시행 횟수는 정확하게 결정이 되어 있지 않아 병원마다 다르다. 테니스 엘보우에는 보통 일주일에 한 번 2~4주를 시행하는 것이 일반적이며, 1회 시행 시 1,000~2,000회 충격(shock)을 주게 된다.

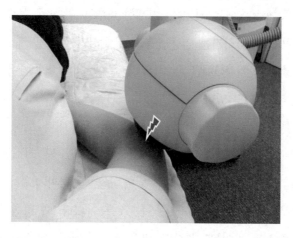

Q 테니스 엘보우가 발병한 환자가 팔꿈치 손목 신전근의 힘줄에 충격파 치료를 받고 있는 사진.

Q: 테니스 엘보우로 6개월 동안 보존적인 여러 치료를 받았는데, 통증이 지속되어 1주일 전에 충격파치료를 받았습니다. 그런데 팔꿈치가 더 아픈 것 같습니다. 부작용이 발생한 것이 아닌가요?

A: 충격파치료는 염증 반응을 만들어 힘줄을 재생시키는 치료입니다. 처음 받고 나서 1~3주 동안은 팔꿈치가 이전보다 더 불편하고 아픈 경우가 많습니다. 치료의 효과는 마지막 충격파시술이 끝나고 적어도 6주 이상은 지나야 알 수 있습니다.

충격파 치료를 받기 시작한 많은 환자분들이 많이 불평하는 것 중에 하나는 시술을 받은 후 팔꿈치 통증이 더 심하다는 것이다. 이런 현상은 충격파치료의 기전을 생각해보면 쉽게 이해할 수 있다. 충격파는 힘줄에 눈에 보이지 않는 미세한 파열을 만들며, 혈류공급을 늘리고 세포를 증식시키는 염증반응을 유발시켜 힘줄을 재생시키는 치료이다. 충격파를 받고 난 후 처음 몇 주 동안은 염증반응으로 통증이 더 심해질 수도 있다.

충격파 치료는 조직의 재생을 기대하는 치료이다 보니, 그 효과가 나타나는 시간이 꽤 걸린다. 마지막 충격파 시술 후 최소한 6주~3달 이상 기다려야 그 효과를 볼 수 있다. 물론 충격파치료가 모든 테니스 엘보우 환자들에게 효과가 있는 것은 아니다. 내 경험상 60~70%에서는 효과를 보이는 것 같다. 많은 연구들에서 10명당 5~8명 정도에서 효과가 있다고 보고하고 있다.

Q: 테니스 엘보우로 진단받았습니다. 아는 분이 증식치료나 자가혈치료를 받아보라고 하는데, 효과가 좋은 치료인가요?

A: 증식치료와 자가혈치료는 주사치료의 일종입니다. 효과가 있다는 연구 결과가 많지만, 아직 의학계에서 논쟁이 있습니다. 치료 자체가 잘못된 치료는 아닙니다.

　힘줄과 인대의 손상으로 만성적인 통증이 있을 경우 시행해볼 수 있는 치료 방법 중 포도당 주사라고 불리는 증식치료와 PRP(피알피) 치료라고 불리는 자가혈치료가 있다. 두 치료 모두 손상된 조직을 재생시키는 것을 목적으로 한다. 이름에서 알 수 있듯이 포도당 주사는 포도당을 사용하여 손상된 부위에 주사를 통하여 주입하는 시술이다. 포도당 성분을 이용하기 때문에 부작용이 많지는 않지만, 주사를 맞을 때 통증이 보통 주사액보다 더 심한 단점이 있다. 자가혈치료는 본인의 피를 뽑아 원심분리하고 혈소판이 풍부한 체액을 분리해낸 후 손상된 조직에 주사하는 치료법이다. 혈소판이 풍부한 체액을 분리하는 이유는 이 부분에 조직을 재생시키는 많은 성장인자들이 함유되어 있기 때문이다. 내 몸의 피를 이용하는 시술이라서 부담이 적은 치료이지만, 시술비가 포도당 주사에 비해서 많이 비싼 단점이 있다. 증식치료와 자가혈치료가 효과가 좋다는 연구 결과들도 많지만, 효과가 없다는 연구 결과들도 있다. 아직은 확실한 근거가 확립되었다고 말하기 힘든 치료들이지만 부작용이 적은 안전한 치료로, 만성 힘줄손상에 시도해볼 수 있는 치료 중 하나인 것은 사실이다. 또한, 이 치료는 충격파와 마찬가지로 3~6개월 정두는 부 주기, 재활운동 등으로 먼저 치료를 해보고 통증에 큰 호전이 보이지 않는 경우 치료를 고려해봐야 한다. 나 개인적으로는 증식치료와 자가혈치료보다는 체외충격파 치료가 먼저 시행되는 것이 더 좋다고 생각한다. 체외충격파마저 여의치 않을 경우 수술 전에 증식치료나 자가혈치료를 시행해보는 것이 바람직하다.

02
골퍼 엘보우(팔꿈치 내상과염)

"얼마 전부터 필드에 나가 골프를 치기 시작하였습니다. 최근 들어 스윙을 할 때 팔꿈치의 앞쪽에 통증이 발생합니다. 골프칠 때 말고도 장바구니를 들거나 물건을 옮길 때도 통증이 발생합니다."

Q&A

Q: '골퍼 엘보우'라는 병은 어떤 병인가요?

A: 팔꿈치의 안쪽에는 손목을 굽히는 힘줄이 위치하고 있습니다. 손과 손목을 과사용 했을 경우, 이 힘줄에 스트레스가 가면서 병적 손상을 일으키는 질환이 골퍼 엘보우입니다. 테니스 엘보우는 위팔뼈의 외상과에 발생하여 손목을 위로 들 때 통증이 주로 발생하지만, 골퍼 엘보우는 위팔뼈의 내상과에 발생하여 손목을 굽힐 때 통증이 주로 발생하게 됩니다.

골퍼 엘보우는 테니스 엘보우와 비슷하지만, 위치가 틀린 팔꿈치 질환으로 정확한 의학적 진단명으로 팔꿈치 내상과염이라고 명명된다. 테니스 엘보우와 비슷하게 손과 손목을 과사용하는 사람들에서 발병하게 된다.

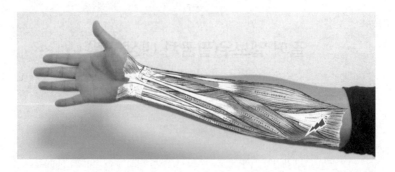

Q 골퍼 엘보우(팔꿈치 내상과염). 골프가 아니더라도 손과 손목을 과사용하는 경우에 발생하게 된다.

손목을 굽히는 근육(손목굴곡근)은 팔꿈치 위팔뼈의 안쪽(내상과)에서 시작되어 아래팔과 손목을 지나 다섯 손가락에 붙게 된다. 손목을 굽히는 동작뿐 아니라 주먹을 꽉 쥐거나 라켓이나 물건을 세게 손으로 잡는 등의 동작을 할 때 손목 굴곡근에 힘이 많이 걸린다. 이 근육을 과도하게 사용하거나 유연성이 부족하여 근육이 너무 뻣뻣한 경우, 또한 순간적으로 과도한 스트레스가 걸리는 경우 등에서 팔꿈치 안쪽 힘줄(건)에 손상이 발생하는 것이 골퍼 엘보우이다. 힘줄에 염증이 발생하고 퇴행성 변화가 진행되어 힘줄이 두꺼워지는 병적 변화를 보이게 되며, 심한 경우에는 찢어지기도 한다.

Q: 골프를 치지 않는데도 골퍼 엘보우가 발병할 수 있나요?

A: 골프를 치는 사람들에서 잘 발병하지만, 골프를 치지 않아도 얼마든지 발생할 수 있습니다. 실제로 골프를 치지 않는 사람이 훨씬 더 많습니다.

골프를 즐기는 사람들 중 70% 이상이 허리, 팔꿈치, 어깨, 손과 손목, 무릎 등에 통증을 겪게 된다. 허리 통증이 가장 많이 발생하긴 하지만 취미로 골프를 치는 사람들 10명 중 3명에서 골퍼 엘보우가 발생한다. 또한, 실제로 골프를 중단해야 되는 경우에서는 팔꿈치 통증으로 인한 경우가 제일 많다. 골퍼 엘보우(팔꿈치 내상과염)는 골프를 치는 사람들에서 발생할 수 있지만, 골프를 치지 않아도 손과 손목을 많이 사용하는 경우에 발생할 수 있다. 간병일, 주방일, 건축일부터 가정주부에게까지 다양한 직업군에서 발병할 수 있다. 또한, 이름이 골퍼 엘보우지만 골프 치는 사람들에서 테니스 엘보우가 더 많이 발병한다. 또한, 골프보다는 테니스를 치는 사람들에서 오히려 더 흔하게 발생하게 되는데, 테니스의 앞스윙과 스매싱 시 손목 굴곡근에 손상이 가면서 발생하는 경우가 많다. 그러나 골퍼 엘보우는 그 유병률이 테니스 엘보우에 비하면 5분의 1 정도로 적은 편이다.

테니스엘부우
(팔꿈치 외상과염)

골퍼엘보우
(팔꿈치 내상과염)

Q. 골프 스윙시 뒤쪽 팔(오른
손 잡이에서 오른팔)에는 골퍼
엘보우가 잘 생기고 앞쪽 팔
(오른손잡이에서 왼쪽팔)에는
테니스 엘보우가 잘 발생한다.

Q&A

Q: 취미로 테니스를 배우기 시작했는데 일주일 전부터 스윙할 때 팔꿈치
안쪽에 통증이 발생합니다. 골퍼 엘보우일 수 있다고 하는데 간단하
게 확인할 수 있는 방법이 있나요?

A: 집에서도 간단하게 확인할 수 있는 방법이 있습니다. 물론 전문의의
진료를 보고 적절한 교육과 치료를 받아야 제대로 나을 수 있겠지요.

테니스 엘보우와 비슷하게 골퍼 엘보우도 간단하게 자가로 테스트
해볼 수 있다. 두 가지를 확인해보면 골퍼 엘보우임을 확인하는 데에
큰 도움이 된다. 첫 번째는 손목굴곡근의 힘줄이 팔꿈치의 안쪽뼈(내

상과)에 붙는 부위를 눌러 보는 것이다. 눌렀을 때 통증이 발생하면 골퍼 엘보우가 발병했을 가능성이 높다. 두 번째는 팔꿈치를 펴서 손등이 땅을 보게 가볍게 주먹을 쥐고 앞으로 뻗은 후 다른 사람이 내 손목을 굽히지 못하도록 저항하게 하고 손목을 굽혀보거나, 혼자서 두 주먹을 손등이 땅을 보게 하여 테이블의 밑면에 붙이고 저항감을 주면서 손목을 굽혀 보는 것이다. 이때 팔꿈치 안쪽에 통증이 발생하면 골퍼 엘보우일 가능성이 높다.

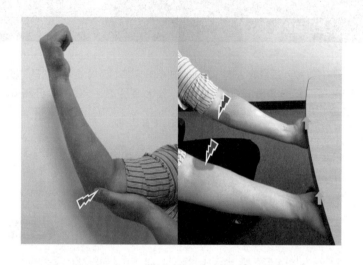

Q 간단한 골퍼 엘보우 확인 방법: 왼쪽 사진과 같이 팔꿈치의 안쪽 내상과 부위를 눌렀을 때 통증이 발생하거나 오른쪽 사진과 같이 자세를 취하고 손목을 굽히는 힘을 주었을 때 팔꿈치에 통증이 발생하면 테니스 엘보우일 확률이 높다.

골퍼 엔부우의 경우에도 팔꿈치 엑스레이와 초음파를 시행할 수 있다. 골퍼 엘보우가 심한 경우 엑스레이에서 팔꿈치에 석회가 침착된 경우도 드물지 않게 볼 수 있다. 초음파로 검사하게 되면 힘줄에 염증 소견, 파열, 석회의 침착 등 힘줄의 정확한 상태를 직접 눈으로 확인할 수 있다.

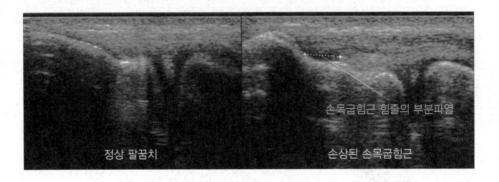

정상 팔꿈치 | 손목굽힘근 힘줄의 부분파열 | 손상된 손목굽힘근

Q 골퍼 엘보우 초음파 사진. 43세 아마추어 골프선수의 손목굽힘근 힘줄이 부분적으로 파열된 모습을 보여주고 있다. 옅은 붉은색은 손목굽힘근과 힘줄을 나타낸다.

Q & A

Q: 1개월 전부터 골프를 배우기 시작했는데, 안쪽 팔꿈치에 통증이 생겨서 골퍼 엘보우로 진단을 받았습니다. 어떤 치료를 받아야 하나요?

A: 테니스 엘보우와 마찬가지로 제일 중요한 치료는 통증을 유발하게 된 근본 원인을 제거하거나 교정하는 것입니다. 일단 골프를 잠시 쉬는 것이 좋습니다. 이후 증상을 고려해가면서 점진적으로 손목과 손의 근력 운동과 유연성 운동을 시행합니다. 그리고 서서히 골프를 다시 시작하면 됩니다.

골퍼 엘보우 병의 발생 과정과 병적인 소견은 테니스 엘보우와 매우 비슷하다. 따라서 치료 또한 테니스 엘보우의 치료를 준용하면 된다. 제일 중요한 치료는 골퍼 엘보우를 유발시킨 근본 원인을 제거하거나 교정하는 것이다. 손목굴곡근 힘줄에 스트레스를 준 활동이나 일을 피하여 아픈 팔을 쉬게 해주는 것이다. 통증이 어느 정도 가라앉으면 점진적으로 유연성 운동과 근력 운동을 시행해야 한다. 이후 증상을 살펴가면서 골프를 다시 서서히 시작한다. 물론 잘못된 자세를 가지고 있었다면 자세부터 교정해야 할 것이다. 프로 골퍼들은 하루에도 수많은 스윙을 하게 되지만, 연습량이 훨씬 적은 취미 골퍼들보다 골퍼 엘보우 등의 질환이 덜 발병한다. 그것은 올바른 자세와 근육과 힘줄이 적응할 수 있도록 서서히 강도를 올려서 시행한 훈련 덕분이다. 뻣뻣한 고무줄과 약한 고무줄은 당겼을 때 쉽게 끊어지게 된다. 고무줄을 우리 몸의 근육과 힘줄이라고 생각하면, 유연성과 근력의 중요성을 쉽게 이해할 수 있다.

테니스 엘보우와 마찬가지로 2~3개월은 참을성을 가지고 주의할 것을 잘 지키면 많은 수에서 증상의 호전이 있게 된다. 증상이 지속되는 경우는 테니스 엘보우에서의 치료와 비슷하게 치료의 강도를 올려 치료를 받으면 된다.

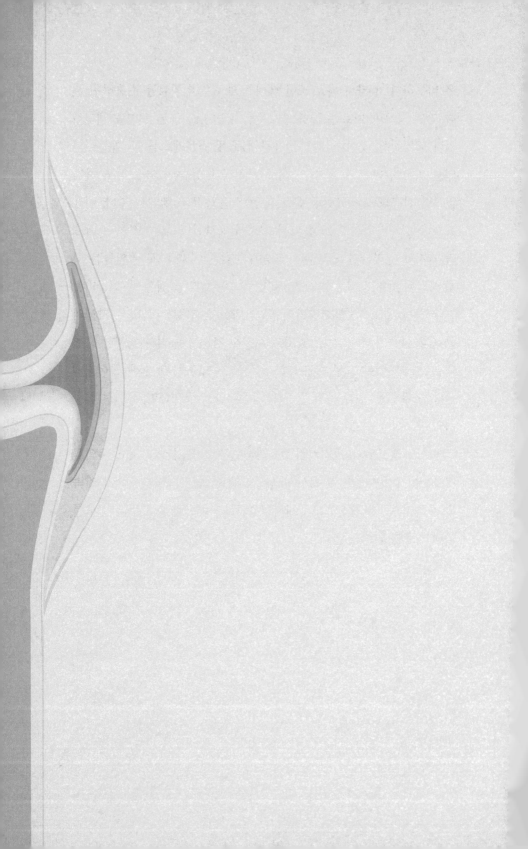

PART 7

손목

01

손목 건초염(드퀘르벵병)

"간병일을 하면서 환자분들을 침대에서 휠체어로 옮겨드리는 일을 많이 하고 있습니다. 얼마 전부터 환자분들을 부축할 때마다 우측 손목에 통증이 생겨서 손을 쓰는 것이 매우 불편합니다."

Q&A

Q: 손목 건초염(드퀘르벵병)이라는 것은 어떤 병인가요?

A: 엄지손가락을 펼칠 수 있게 하는 힘줄들이 지나는 손목부위에서 활액낭에 염증이 생기면서 통증과 엄지손가락의 기능에 문제가 발생하는 것이 손목 건초염(드퀘르벵병)입니다.

손목 건초염은 손목에 발생하는 질환 중 가장 흔한 질환이다. 손목을 많이 사용하고, 특히 엄지손가락에 힘을 주는 일을 많이 하는 경우 손목 건초염이 발생하게 된다. 엄지손가락을 펴게 하는 힘줄(장무지외전근, 단무지신전근)에 스트레스를 많이 주게 되면, 이 힘줄 주위에 염증이 발생하게 되면서 움직일 때마다 통증이 발생하게 되는 질환이 손목 건초염이다. 질환이 심해지면 손목을 움직이거나 엄지손가락을 움직일 때, 손목에서 힘줄이 걸리는 느낌이 들면서 통증은 더욱

심해지고 손을 쓰기가 힘들어진다. 간병일, 식당일 등의 엄지손가락과 손목을 많이 쓰는 일을 할 경우에 흔하게 발생한다. 또한, 테니스, 배드민턴 등의 라켓운동, 골프, 플라잉 낚시를 하는 사람들에서 발병하게 된다.

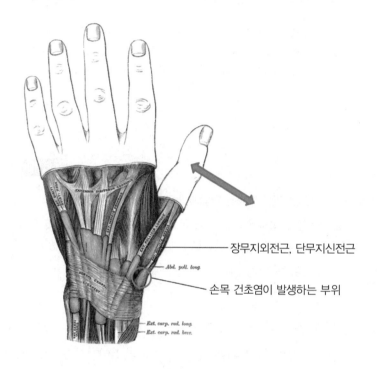

장무지외전근, 단무지신전근

손목 건초염이 발생하는 부위

🔍 손목 건초염(드퀘르벵병): 손목과 엄지손가락을 반복적으로 사용하는 일을 하게 되면 발병 위험이 높아진다.

엄지손가락이 있는 손목의 염증 부위를 눌렀을 때 통증이 발생하면 손목 건초염이 발생했을 가능성이 높다. 또한, 밑에 있는 그림과 같이 주먹을 쥐고 손목을 새끼손가락 쪽으로 굽혔을 때 통증이 발생하면, 또한 손목 건초염일 가능성이 높다.

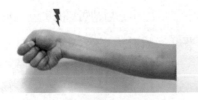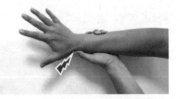

Q 손목 건초염(드퀘르벵병)의 검사: 왼쪽 사진과 같이 손목을 새끼 손가락 쪽으로 굽혔을 때 통증이 발생하고, 오른쪽 사진과 같이 손목을 엄지손가락으로 눌러 통증이 발생하면 손목 건초염일 확률이 높다.

Q&A

Q: 손목 건초염(드퀘르벵병)은 어떻게 치료해야 하나요?

A: 손목 건초염은 과사용이 원인이므로 아픈 손을 쉬게 하는 것이 제일 중요합니다. 이와 함께 냉찜질치료, 재활운동치료, 항염증약 복용, 보조기, 스테로이드 주사치료 등을 시행할 수 있습니다.

 손목 건초염은 손과 손목의 과사용으로 발생하는 질환으로 통증을 만든 활동을 중단하고 쉬는 것이 가장 기본적이면서도 중요한 치료이다. 또한, 가는 라켓이나 연필, 칼자루 등을 들고 운동이나 일을 하였다면, 지름이 더 굵은 두꺼운 라켓, 펜, 칼자루로 교체하거나 고쳐야 한다. 이렇게 하면 같은 운동과 일을 해도 힘줄에 가는 스트레스가 줄게 된다.

 일을 하다 보면 본인도 모르게 엄지손가락을 사용하게 되어 치료가 지연되는 경우가 많다. 그래서 손목 건초염에서 간단한 보조기를 착용하는 것이 큰 도움이 된다.

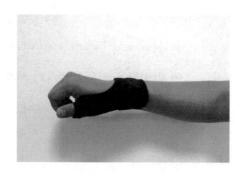

Q 손목 건초염 환자가 착용하는 보조기: 심플하면서 가격이 비싸지 않아 쉽게 적용할 수 있는 치료이다. 엄지손가락의 사용이 어려워 불편하긴 하지만, 보조기를 착용하고서도 일상생활 대부분의 일이 가능하다.

보조기를 착용하였을 경우에는 하루에 수차례씩 보조기를 풀고 부드럽게 관절 운동을 해주어야 손목과 손가락이 뻣뻣해지는 것을 막을 수 있으며, 힘줄의 회복에도 도움이 된다. 급성기가 지나고 통증이 어느 정도 가라앉게 되면 스트레칭 운동과 근력 강화운동을 포함한 재활치료를 점진적으로 시행해준다.

Q&A

Q: 손목 건초염(드꿰르벵병)으로 진단받았는데, 스테로이드 주사치료를 권유받았습니다. 처음부터 받아도 좋을까요?

A: 스테로이드 주사치료는 손목 건초염의 치료 중에서 가장 좋은 효과를 줍니다. 첫 발병 때에도 보통은 주사를 많이 하게 됩니다.

손목 건초염 시 엄지손가락의 사용을 쉬게 해주는 것이 병이 악화를 막아주고 치유에 도움이 되지만, 쉬는 것만 가지고 통증이 해결되지 않는 경우가 많다. 또한, 입으로 복용하는 약물은 증상의 완화에 도움이 되지 않을 경우가 많다. 손목 건초염 시 스테로이드 주사치료는 효과가 좋다. 처음 병이 발병했을 경우 바로 1회 시행을 받아도 괜찮다. 보조기만을 사용하여 쉬게 했을 경우에는 10명 중 1~2명에서만 증상 완화 효과가 있지만, 스테로이드 주사를 시행하면 10명 중 8명 이상에서 증상이 좋아진다.

단, 스테로이드 주사는 조직의 재생에는 좋지 않은 영향을 미치므로 자주 맞아서는 안 된다. 보통은 주사 1회에 통증이 많이 줄게 되는데, 이것을 병이 나은 것으로 착각하면 안 된다. 주사치료 후 통증이 줄자마자 바로 예전의 활동으로 돌아가 손을 많이 사용하게 되고, 다시 통증이 재발하여 주사를 반복해서 맞는 경우가 꽤 흔하다. 주사치료 후에는 손의 사용을 조심하면서 재활운동을 체계적으로 잘 진행하여 다시 재발이 되지 않게 하는 것이 매우 중요하다. 스테로이드는 힘줄을 약하게 만드는 작용을 하여 주사를 자주 맞을 경우 힘줄이 끊어지게 만들 수도 있다. 또한, 스테로이드 주사액은 지방을 위축시키며 피부를 하얗게 변색시키는 부작용이 있다. 손목 건초염이 발생하는 힘줄은 피부에 가깝게 위치하기 때문에 여러 번 주사를 맞다 보면, 지방위축으로 보기에 좋지 않게 변하며 피부가 흰색으로 변색될 수도 있다. 주사 시 초음파를 사용하면 힘줄의 손상을 피하면서 정확한 부위에 주사할 수 있어서 부작용도 적고 효과도 좋다.

손목 건초염은 대부분 보존적 치료로 회복이 잘되어 수술적 치료를 받는 경우는 드물다. 그러나 수개월 동안 적절한 치료에 반응하지 않거나 증상이 심할 경우에는 수술적 요법을 고려해야 한다.

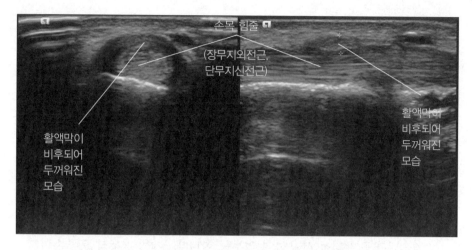

Q 손목 건초염 환자의 초음파 소견: 왼쪽 사진은 손목 힘줄의 단면 사진이고, 오른쪽 사진은 긴방향으로 손목 힘줄을 초음파로 촬영한 사진이다. 힘줄을 싸고 있는 활액막이 두꺼워진 소견을 보여준다. 초음파를 이용하면 힘줄을 다치지 않게 하면서 비후된 활액막 주위에 정확하게 항염증 약물을 주사할 수 있다.

02

수근관 증후군

"수개월 전 회사에 신입사원으로 들어와 전산업무를 담당하게 되었습니다. 컴퓨터를 사용하여 업무를 합니다. 2개월 전부터 오른손의 검지와 2, 3번째 손가락이 끝이 저리기 시작하였습니다. 최근에는 오른손으로 그릇을 잡다가 가끔씩 놓치기도 합니다."

Q&A

Q: 거의 하루 종일 컴퓨터로 일하는데, 손가락 끝 부분이 저리기 시작하였습니다. 이게 수근관 증후군의 증상인가요? 수근관 증후군은 어떤 병인가요?

A: 100% 수근관 증후군이라고 확진할 수는 없지만, 수근관 증후군일 확률이 제일 높습니다. 수근관 증후군은 손목의 과사용으로 인하여 손목 터널을 지나는 정중신경이 압박되면서 손에 통증이 발생하고, 손의 기능에 문제가 발생하는 질환입니다.

수근관 증후군은 우리 몸에서 발생하는 신경병 중에서는 가장 흔한 병이며, 손목에서 발생하는 가장 흔한 질환 중 하나이다. 컴퓨터를 많이 사용하거나 식당에서 일하거나 하면서 손목을 과사용 할 때에 발생하게 된다. 우리 손에는 세 개의 굵은 신경(정중신경, 척골신경, 요골신경)이 내려와 감각과 운동기능을 담당한다. 이 중 정중신경은 손목을 굽히는 힘줄들과 함께 손목 중앙에서 가로 인대와 뼈로 이루어진 터널을 지나게 된다. 손목을 과도하게 사용하게 되면, 이 가로 손목인대가 굵어지고 정중신경과 같이 지나는 여러 힘줄들의 활액막이 비후되면서 손목 터널 공간의 면적이 감소하게 된다. 이때 정중신경이 압박되면서 손상되면 정중신경이 분포하는 손의 피부에 저린감, 감각저하 등의 증상이 나타나며, 근위약 및 미세운동장애로 손기능이 저하되는데, 바로 이 질환이 수근관 증후군이다.

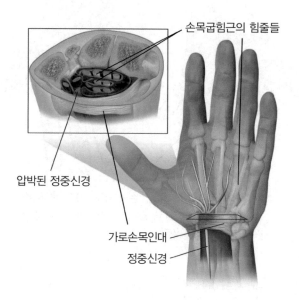

손목굽힘근의 힘줄들

압박된 정중신경

가로손목인대

정중신경

Q 수근관 증후군: 정중신경 옆이 여러 손목굽힘근의 힘줄의 활액막이 비후되고 가로손목인대기 비후되면서 정중신경이 눌리게 되고 염증성 변화가 일어나면서 손가락에 통증이 발생하게 된다.

수근관 증후군의 첫 번째 증상은 1, 2, 3번째 손가락의 감각저하와 저린감이다. 처음에는 간헐적으로 발생하지만, 질환이 악화되면 지속적으로 발생하고 강도도 세진다. 적절한 치료가 이루어지지 않고 지속적으로 손과 손목을 사용하게 되면 낮 동안 통증의 빈도와 지속시간 강도가 점점 증가하게 된다. 통증은 밤이면 더 심해져서 통증 때문에 잠에서 깨기도 한다. 손이 저릴 때 손을 세게 털거나 손목부위를 부드럽게 마사지하면 증상이 잠시 동안 완화되지만, 곧 다시 통증이 발생하게 된다.

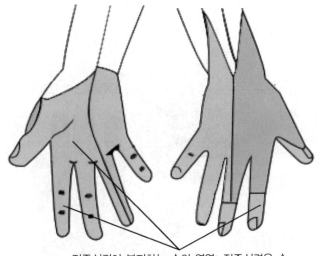

정중신경이 분지하는 손의 영역: 정중신경은 손바닥과 엄지, 검지, 중지, 약지의 반의 피부감각을 담당하고 있다.

병이 악화되면 감각기능은 더 떨어지고, 손가락의 힘이 약해지고, 움직임이 둔화된다. 옷의 단추를 채울 때 어려움을 느끼게 되고, 접시 등의 물건을 들었을 때 떨어뜨리는 증상이 발생하게 된다. 손바닥을 유심히 관찰해보면 엄지손가락의 엄지두덩에 근육의 위축된 모습이 관찰된다.

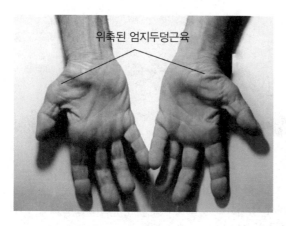

위축된 엄지두덩근육

Q 수근관 증후군의 증상이 심해지면 엄지두덩근육의 위축이 나타나고 손의 기능이 떨어진다.

Q&A

Q: 얼마 전부터 엄지와 검지 끝에 저린 통증이 발생하였습니다. 수근관 증후군인지 자가로 간단하게 확인해볼 수 있는 간단한 방법이 있나요?

A: 혼자서 간단하게 확인할 수 있는 방법이 있습니다. 가장 정확한 진단방법은 재활의학과 전문의들이 검사하는 근전도검사(신경검사)입니다.

수근관 증후군이 의심될 때에 자가로 간단하게 확인해볼 수 있는 세 가지 방법이 있다. 한 가지 방법은 손목이 정중신경이 지나는 부위를 손가락으로 톡톡 쳐서 자극을 주는 방법이다. 수근관 증후군이 아닌 사람들은 자극을 주어도 특별한 증상이 나타나지 않지만, 수근관 증후군이 발병한 사람들은 신경이 부어있고 예민해져 있기 때문에, 손가락 쪽으로 전기가 오는 것 같은 저릿한 통증을 느끼게 된다.

그러나 수근관 증후군이 없는 사람들 10명 중 2~3명에서도 위와 같은 반응이 보일 수 있기 때문에 확진이라고 할 수는 없다.

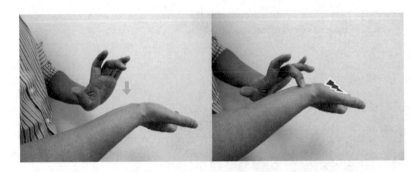

Q 수근관 증후군의 확인 방법: 정중신경이 지나가는 손목의 가운데 부분을 손가락을 이용하여 톡톡 쳐서 자극을 준다. 손가락 끝으로 저릿저릿한 증상이 오면 수근관 증후군의 확률이 높다.

두 번째 방법은 양손의 손목을 굽히고 서로 손등을 마주 붙여서 30~60초 이상을 가만히 기다려 보는 것이다. 수근관 증후군이 발병한 사람은 손가락 쪽으로 통증이 발생하게 된다.

Q 수근관 증후군의 확인 방법: 위의 자세를 취하고 30초 이상을 유지한다. 엄지손가락과 검지, 중지 손가락쪽으로 저릿한 통증이 발생하면 수근관 증후군의 확률이 높다.

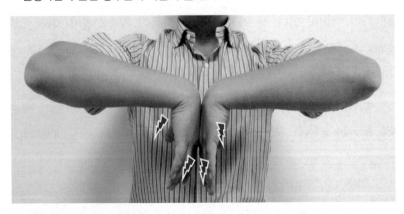

세 번째 방법은 증상이 없는 손을 이용하여 수근관 증후군이 의심되는 손목을 정중신경 위를 지그시 눌러주는 것이다. 약 30~60초 이상 누르고 있을 때 통증이 발생하면 수근관 증후군이 발병했을 확률이 높다.

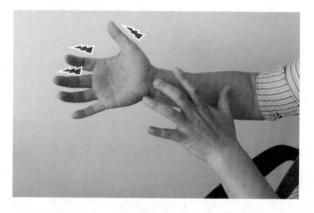

Q 수근관 증후군의 확인 방법: 정중신경이 지나는 손목 부위를 손가락을 이용하여(엄지손가락으로 누르는 것이 제일 좋다.) 30초 이상 눌러준다. 손가락 부위에 통증이 발생하면 수근관 증후군일 확률이 높다.

Q: 수근관 증후군의 치료는 어떻게 해야 하나요?

A: 초기 단계에서는 보조기를 착용하여 손목의 움직임을 줄여주어야 합니다. 또한, 소염제 복용, 재활치료, 스테로이드 주사치료 등을 시행하면 증상이 호전될 수 있습니다. 중간 단계 이상이거나 4~6주 치료에도 증상의 호전이 없는 경우, 수술로 손목 터널을 만들고 있는 가로 손목인대를 잘라주어 터널의 압력을 낮추어주어야 합니다.

　수근관 증후군은 손목의 과사용으로 인하여 발생하는 질환으로서, 병을 유발한 근본적인 원인인 손목의 과사용을 중단하는 것이 가장 중요하며 기본적인 치료가 된다. 손목의 과사용과 손목 터널 안에 손목굽힘근의 비후로 인한 부종을 줄이기 위해 손목 보조기를 사용할 수 있다. 이 손목 보조기는 손목의 각도를 5도 정도 신전한 자세를 만들어주어야 그 치료 효과가 제일 좋다. 이것은 손목의 각도가 5가 되었을 때 손목 터널 안의 압력이 가장 낮아지기 때문이다. 보조기의 착용이 많이 불편하지 않으면 밤에 수면을 취할 때도 착용하는 것이 좋다. 보통 4주~6주 정도 착용을 하고 그 이후에는 증상을 잘 살펴가면서 보조기 착용 시간을 점진적으로 줄여나가면서 일상생활로 돌아가면 된다.

Q 수근관 증후군 환자가 착용한 손목 보조기: 손목은 5도 정도 신전되어 고정되는 것이 좋다. 될 수 있으면 수면을 취하는 밤 시간에도 착용하는 것이 좋다.

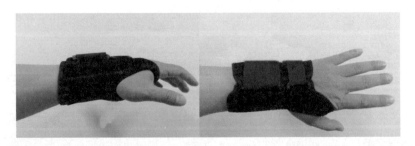

Q: 수근관 증후군에서 스테로이드 주사는 효과가 좋은가요?

A: 병의 악화 정도에 따라 효과의 차이가 있지만, 보통 주사 맞은 10명 중 8명에서 확실한 단기 효과를 볼 수 있습니다.

보조기 착용과 먹는 약만으로는 만족할 만한 통증 완화를 경험하지 못하는 경우가 많다. 이 경우 수근관 증후군 환자에게 손목 터널 안 정중신경 옆으로 스테로이드 주사치료를 하게 된다. 수근관 증후군 환자에게 흔하게 시행되고 있는 시술이다.

질환의 정도에 따라 차이는 있지만, 보통 주사를 시행 받은 10명 중 8명 정도에서 단기간 동안 확실한 통증 경감의 효과가 있다. 4명 중 1명 정도는 보조기 치료와 같이하게 되면 1년~1년 반 후 증상이 완전히 사라지게 된다. 주사 후 2~4개월이 지나게 되면 많은 사람들이 재발하게 되며, 결국 2~3명 중 1명은 수술을 시행 받게 된다.

수근관에 시행하는 스테로이드 주사는 단기간 통증과 증상의 완화에 도움을 준다. 그러나 신경이 다치지 않게 정확한 부위에 주사하여 최대의 효과를 내기 위해서 초음파를 사용하여 주사하는 것이 좋다. 그리고 주사치료 시행 후 통증이 완화되었다고 치료가 된 것으로 생각하여 이전처럼 손목을 다시 많이 사용하게 되면 대부분 재발하게 되므로, 주사 후 통증이 줄었어도 손목의 사용은 지속적으로 주의해야 한다.

Q: 수근관 증후군에서 수술치료는 어떤 경우에 시행하게 되나요?

A: 병이 진행하여 엄지손가락 근육이 위축되어 말라 보이고 힘이 약해진 경우, 손바닥의 감각이 많이 저하된 경우와 1년 이상 비수술적으로 치료했는데도 증상이 지속되는 경우에 수술을 시행합니다.

질병의 초기 단계에서는 손목 고정이나 항염증 치료, 재활치료로 호전 소견을 보일 수 있으나, 중간 단계 이상을 넘어가게 되면, 결국 근본적으로 치료할 수 있는 방법은 수술적 방법밖엔 없다.

병이 진행하여 엄지손가락 근육이 위축되어 말라 보이고 힘이 약해진 경우, 손바닥의 감각이 많이 저하된 경우와 1년 이상 비수술적으로 치료했는데도 증상이 지속되는 경우에 수술을 고려해야 한다.

손목 터널을 만들고 있는 가로 손목인대를 절제하여 손목 터널의 압력을 줄여주는 수술을 하게 된다. 내시경으로 하는 수술과 그냥 하는 수술의 두 가지 방법이 있다. 내시경으로 하는 수술은 흉터가 적게 남는 장점이 있지만, 수술 시야가 좁은 관계로 합병증이 10명당 2~3명에서 발생할 수 있는 단점이 있다. 그냥 하는 수술은 흉터가 크게 남고, 회복에 시간이 더 걸리지만, 합병증이 10명당 1~2명으로 내시경 수술보다 적다는 장점이 있다.

병이 너무 악화되는데도 방치하게 되면, 수술을 받아도 신경 회복이 불가능해져 감각저하와 통증이 계속 지속되고 엄지손가락의 근력이 떨어져, 손의 기능이 정상적으로 돌아오지 않는다. 수근관 증후군이 의심되는 증상이 있을 시는 빨리 전문의를 찾아가 진료를 받고 병의 단계에 맞는 적절한 치료를 받아야 하겠다.

03

손목의 삼각섬유연골 복합체 손상

"직장 동료들과 오랜만에 볼링을 치러 갔습니다. 다소 무거운 볼을 들고 볼링게임을 하면서 손목에 불편감을 느꼈고, 다음날 손목에 통증이 심해졌습니다. 물건을 들 때, 문고리를 잡고 돌릴 때, 테이블을 손바닥으로 짚고 일어설 때마다 시큰시큰 안쪽 손목에 통증이 옵니다."

Q&A

Q: 손목 삼각섬유연골 복합체 손상은 어떤 병인가요?

A: 새끼손가락 방향의 안쪽에는 손목 손뼈와 아래팔뼈를 연결하는 섬유연골이 있습니다. 이 섬유연골이 손상되어 특정한 손목 동작에서 시큰시큰한 통증이 발생하는 질환이 삼각섬유연골 복합체 손상입니다.

위의 시례는 수년 전 나에게 있었던 실제 사례이다. 내 손목에 병이 발생했으니 기분 좋은 일은 아니었지만, 내가 직접 그 통증과 병의 회복 과정을 경험했다는 것에 있어서는 매우 만족스러웠다.

회식 일치에서 적당히 술에 취해 분위기가 한껏 달아오른 우리 병원 동류들과 함께 이차로 복링을 치러갔었다 볼링을 쳐 본 것이 최소한 5년 이상은 지난 것 같았다. 술기운이 있다 보니 몸은 통증에 둔한 상태였다. 난 내 손목의 근력에 적절하지 않게 무거운 볼링공을 들었고, 게임 시 약간의 통증을 손목에 느끼긴 했지만 재미있게 게임을 끝내고 집으로 귀가했다. 완전히 술에 깬 다음 날 손목을 쓸 때마다 새끼손가락 쪽 손목에서 시큰시큰한 기분 나쁜 통증이 발생하였다. 문고리를 잡고 돌릴 때나 그리 무겁지 않은 물건을 들었을 때도 통증이 발생하였다. 헬스장에서 매일 하던 벤치프레스와 팔굽혀펴기 운동은 통증으로 할 수 없었다. 수 주 동안 통증이 오는 동작을 피하면서 손목을 아껴가며 지냈으나 통증의 호전이 없어 MRI를 찍어보았고, MRI 사진에서는 삼각섬유연골 복합체가 부분적으로 파열된 소견을 보여주었다.

2~3주 정도 팔목 보조기로 팔목을 고정하고 항소염제를 1주일 정도 복용하였다. 통증은 조금씩 가라앉았지만 빨리 좋아지지는 않았다. 통증이 완전히 없어지기까지 1년 6개월 정도의 시간이 걸린 것 같다. 그동안 내가 한 것은 손목 주위 근육의 강화운동과 통증이 오는 동작들을 최대한 피하는 것이었다.

삼각섬유연골은 새끼손가락 쪽 손목에서 손바닥뼈와 아래팔뼈(척골)의 사이에 위치하여 손목 동작 시에 관절을 안정화시켜주고, 손목에 가는 힘과 스트레스를 분산시켜 주는 역할을 하는 중요한 구조물이다. 이 삼각섬유연골이 스트레스나 충격을 받아 파열이 발생하게 되어 통증과 손목의 기능장애가 발생하는 병이 삼각섬유연골 복합체 손상이다.

삼각섬유연골은 무릎의 반월연골의 역할과 비슷하게 손목에서 그 역할을 수행한다. 해부학적인 구조도 비슷하여 섬유연골의 중앙부에는 혈관이 없고 연골의 바깥 테두리 15~20%만 혈관이 있다. 따라서 연골의 중앙부가 손상된 경우는 치유가 어렵고 시간도 많이 걸리게 된다. 연골의 바깥 부분에 손상이 발생한 경우에는 상대적으로 중앙부에 비해서 회복이 빠르다.

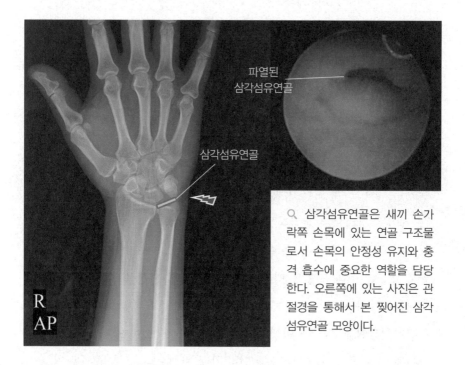

파열된
삼각섬유연골

삼각섬유연골

R
AP

Q 삼각섬유연골은 새끼 손가락쪽 손목에 있는 연골 구조물로서 손목의 안정성 유지와 충격 흡수에 중요한 역할을 담당한다. 오른쪽에 있는 사진은 관절경을 통해서 본 찢어진 삼각섬유연골 모양이다.

Q: 삼각섬유연골 손상은 어떨 때 발생을 잘하나요?

A: 손목뼈 사이에서 눌리는 스트레스를 받게 되었을 때 발생하게 됩니다. 라켓운동, 골프, 볼링, 망치질을 많이 하는 경우에 발생할 수 있습니다. 손목이 새끼손가락 쪽으로 꺾이는 동작을 많이 하거나, 순식간에 강한 압력이 섬유연골에 가해질 어떤 경우라도 발생할 수 있습니다.

새끼손가락 방향으로 손목을 굽히는 반복되는 동작과 충격으로 인해 삼각섬유연골은 잘 손상된다. 보통 골프, 라켓운동(테니스, 배드민턴), 볼링, 야구 등 운동을 하는 사람들에서 흔하게 발생하며, 특히 망치질을 많이 하는 사람들은 새끼손가락 방향으로 손목을 굽히는 동작을 많이 하게 되어 발병의 위험성이 높다. 넘어지는 순간 땅을 잘못 짚어 순간적으로 삼각섬유연골이 파열되기도 한다. 스키를 타면서 폴대를 잘못 사용하여 손목에 많은 힘이 걸릴 때도 발생하기 쉽다. 특정한 운동이나 직업을 떠나 삼각섬유연골에 손상을 줄 만한 손목의 활동을 한 사람 모두에게서 발병할 수 있다.

삼각섬유연골 손상이 발생하면 손목이나 손에 힘이 많이 들어가는 운동이나 일을 할 때, 손목을 새끼손가락 방향으로 구부리는 동작을 취하거나 주먹을 꽉 쥐는 동작을 할 때마다 손목에 시큰시큰한 통증이 발생하여 손목 사용에 상당한 제한이 발생한다. 밥 먹고 세수하고 옷을 입는 등의 일상생활에서 지장이 생기는 정도는 아니다.

Q: 수개월 전부터 골프를 배우기 시작하면서 스윙을 할 때마다 새끼손가락 방향의 손목에서 시큰한 통증이 있습니다. 삼각섬유연골 손상을 확인할 수 있는 쉬운 방법은 없나요?

A: 의자에 앉아서 양 손바닥을 의자 바닥에 데고 밀어서 엉덩이를 들어 올리는 동작을 취해보십시오. 통증이 발생한다면 삼각섬유연골 손상일 확률이 큽니다.

삼각섬유연골의 손상을 쉽게 확인해볼 수 있는 방법은 두 가지 정도 있다. 첫 번째는 삼각섬유연골이 있는 부위를 손가락으로 눌러보는 것이다. 연골 손상이 있는 경우에는 통증이 느껴질 것이다.

다른 방법으로는 의자에 앉은 상태로 손바닥을 이용해서 본인의 몸을 들어 올리는 동작을 취해보는 것이다. 이런 동작을 취할 때 삼각섬유연골에는 많은 압력이 가게 되며, 손상이 있을 경우에 시큰한

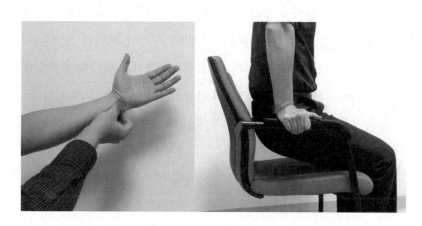

Q 삼각섬유연골 손상 확인 방법: 삼각섬유연골이 있는 부위를 손가락으로 눌러서 통증이 유발되거나 의자에 앉은 상태로 손바닥을 이용해서 본인의 몸을 들어 올리는 동작을 할 때 손목에 통증이 유발되면 삼각섬유연골 손상이 발생했을 확률이 높다.

통증이 ㄱ 순간 유발된다. 이 두 가지 검사에서 모두 통증이 유발되면 삼각섬유연골이 손상됐을 확률이 높다.

Q: 삼각섬유연골 손상이 의심되었을 때 X-ray 검사로 충분한가요? 아니면 MRI를 찍어봐야 하나요?

A: 새끼손가락 쪽의 손목에 통증이 발생했을 경우에 X-ray는 진단에 큰 도움이 되지 못합니다. MRI가 진단을 위한 가장 좋은 검사 도구입니다. 그러나 삼각섬유연골 손상이 있어도 MRI에서 10명 중 1~3명 정도는 이상소견이 보이지 않을 수 있습니다.

X-ray는 뼈 구조만 보는 검사 도구로 삼각섬유연골이 손상 유무를 알 수는 없다. 실제로 연골이 손상되었는지의 여부는 MRI를 통해서만 가능하다. 초음파로도 확인이 가능할 수 있지만, MRI보다는 정확도가 많이 떨어져 그 유용성이 크지 않다. 그러나 MRI를 찍었을 때 연골 손상이 모두 다 관찰되지는 않는다. 삼각섬유연골 손상이 있어도 MRI에서 10명 중 1~3명 정도는 이상소견이 보이지 않을 수 있다.

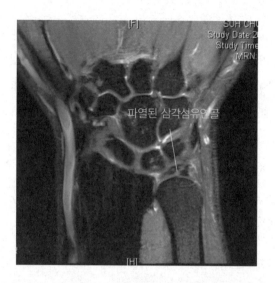

Q. MRI에서 보이는 파열된 삼각섬유연골의 모습: 삼각섬유연골의 손상을 보기 위해서 가장 좋은 검사는 MRI이다.

Q&A

Q: 삼각섬유연골 손상 시에 치료는 어떻게 할 수 있나요?

A: 보통은 시간이 지나면서 저절로 호전되는 경우가 대부분입니다. 필요한 경우 손상된 연골을 보호하기 위해 손목을 고정하는 보조기가 도움이 될 수 있으며, 손목의 근육 강화운동으로 손목의 안정성을 높여주는 것이 향후 재발 예방에 도움이 됩니다.

삼각섬유연골 손상이 발생한 환자의 대부분은 6개월~1년 안에 호전된다. 호전되는 속도가 더디고 느려 답답하긴 하지만, 결국에는 호전되는 경우가 대부분이므로 특별한 경우가 아니라면, 6개월 이상 손목의 사용을 주의해가면서 지켜보는 것이 바람직하다. 삼각섬유연골 파열이 있었던 나의 경우에는 참을성을 가지고 1년 6개월가량을 기다려 결국 완치되었고, 5년이 지난 지금까지 재발 없이 잘 지내고 있다.

막상 일상생활이나 운동 시에 조금만 손목을 움직여보려고 하면 통증이 발생하여 답답하고 짜증날 때가 많다. 이런 경우에는 손목을 고정시켜 주는 보조기를 수 주 동안 착용하는 것이 손목 보호를 위해 도움이 될 수 있다. 통증이 호전되기 시작하면 손목 주위 근육을 강화시키는 운동을 서서히 시작한다. 손목이 안정되어야 삼각섬유연골의 악화와 재발을 막을 수 있다.

Q: 삼각섬유연골 손상으로 손목에 스테로이드 주사를 맞았는데, 통증이 조금 나아지더니 다시 심해졌습니다. 계속 주사를 맞아도 괜찮을까요?

A: 통증이 심할 경우 1~2회 정도의 스테로이드 주사를 맞는 것은 염증 억제와 통증의 감소에 도움이 됩니다. 그러나 자주 맞는 것은 효과도 없을뿐더러 손상된 삼각섬유연골의 회복을 더 늦추어 악영향을 줄 수 있습니다.

손목 움직임의 제한과 먹는 약으로 통증이 잘 조절이 되지 않을 경우, 삼각섬유연골 손상의 통증을 완화시키기 위해 스테로이드 주사를 시행할 수 있다. 스테로이드 주사로 염증과 통증은 단기간 가라앉힐 수 있지만, 근본적으로 손상된 삼각섬유연골의 치유에는 큰 도움이 되지 않는다. 반복해서 맞는 경우에는 오히려 악영향을 주어 병의 회복을 방해하게 된다. 통증이 심할 경우 스테로이드 주사를 시행하되 1~2회 정도만 시행한다.

삼각섬유연골의 대부분은 시간이 지나면서 보존적 치료로 호전되지만, 수술이 필요한 경우도 있다. 손목에 특별한 외상을 당한 적이 없고 심하게 손목을 쓰지도 않았는데, 통증이 발생하는 사람들 중에 수술해야 할 경우가 많다. 이런 경우, 척골뼈 형태의 이상에 의해서 보통 일상생활 중에서도 연골에 손상을 주기 때문이다. 척골충돌 증후군이라고 부르는 이 병은 척골 뼈가 보통 사람들보다 더 길어 손목 관절 안에서 삼각섬유연골이 뼈 사이에 압박되면서 손상을 일으킨다. 치료와 향후 재발 방지를 위해 길어서 튀어나온 척골뼈를 잘라내 주는 수술이 필요하다.

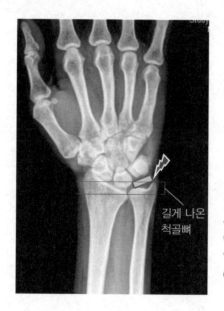

길게 나온
척골뼈

Q 척골충돌 증후군: 척골이 보통 사람보다 더 긴 경우 손목 관절 안에 있는 섬유연골이 뼈 사이에서 압박되어 손상되기 싶다. 이 경우에는 수술적 치료가 필요하다.

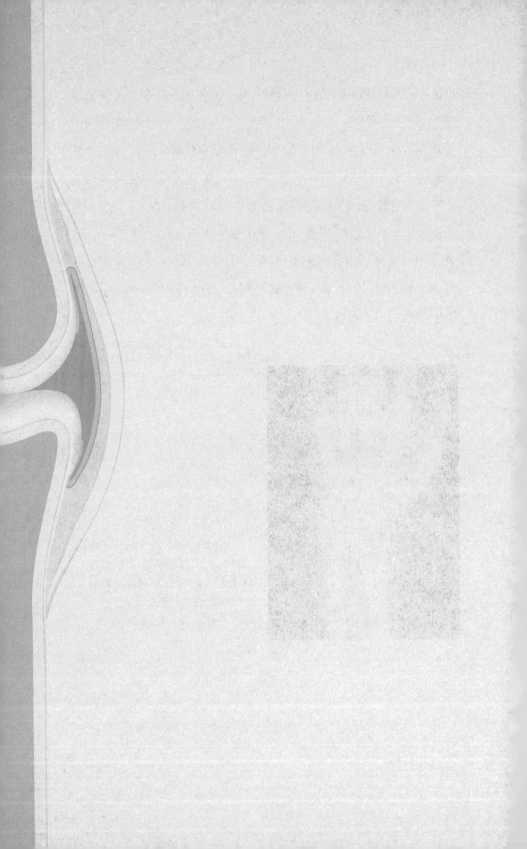

PART 8

골반 및 고관절

01

엉덩이와 고관절 통증의
가장 흔한 원인 근육통

"최근 회사에서 서류 업무를 하느라 밤늦게까지 책상에서 일을 자주 하였습니다. 수일 전부터 엉덩이와 고관절 부위, 허벅지 뒤쪽으로 뻐근한 통증이 발생하였습니다."

Q&A

Q: 엉덩이와 허벅지 부위에 통증을 가장 흔하게 만드는 원인은 무엇인가요?

A: 목, 어깨, 허리와 마찬가지로 엉덩관절 부위에 가장 흔하게 통증을 만드는 원인은 근육통입니다.

엉덩관절(고관절)은 보행 시에는 체중의 3배, 뛸 때에는 5배의 하중을 받는다. 보통 사람들에서는 무릎, 어깨, 허리 등 다른 관절 부위에 비해 엉덩관절에서는 상대적으로 질환이 발생할 확률이 적지만, 스포츠를 즐기는 사람들에서는 엉덩관절에 많은 부하가 걸리다 보니 적지 않게 손상이 발생하게 된다. 엉덩관절의 손상은 스포츠 손상 전체의 5% 정도를 차지한다. 이 부위에 손상이 발생하는 10명 중 8명에서는 과사용으로 인하여 손상이 발생한다.

우리 몸의 근골격계 질환 중에서 가장 흔한 통증은 근육통이며, 엉덩관절 부위의 통증에 있어서도 마찬가지이다. 엉덩관절과 허벅지의 통증으로 오는 사람들 10명 중 6~7명은 엉덩이에 있는 중둔근과 이상근에 근육 뭉침으로 발생한 근육통이다. 우리 몸의 하체에서 가장 근육이 잘 뭉치는 근육은 중둔근이며, 두 번째로 잘 뭉쳐 근육통을 유발하는 근육은 이상근이다. 중둔근이나 이상근에 근육이 뭉쳐 통증이 발생하면, 엉덩이와 허벅지 뒤쪽으로 통증이 발생하게 된다. 많은 사람들은 근육통을 인지하지 못하고, 엉덩관절(고관절)의 퇴행성 관절염을 의심하거나 다리로 통증이 나타나는 것을 생각하여 허리디스크를 의심하곤 한다.

중둔근은 걸을 때마다 골반이 쳐지지 않도록 잡아주는 일을 하는 근육이다. 모든 근육통이 그렇듯이 잘못된 자세를 가지고 있거나 근육을 과사용 했을 경우에 통증이 발생하게 된다. 비스듬한 자세로 책상에 오래 앉아 일을 하거나 오랫동안 쪼그려 앉아 있게 되는 경우, 모래사장을 맨발로 오래 걸은 경우, 평소 등산을 잘 하지 않던 사람이 높고 험한 산을 등산한 경우에 근육에 단축이 발생하고 근육이 뭉치면서 통증을 만들게 된다.

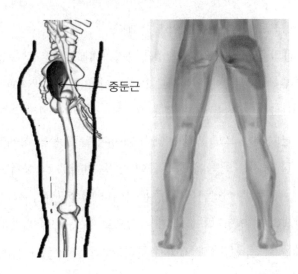

Q 중둔근에 근육이 뭉쳤을 때 나타날 수 있는 통증의 부위(붉은색). 중둔근은 평상시 걸을 때 골반이 쳐지지 않게 잡아주는 역할을 한다. 하지에서 근육이 제일 잘 뭉쳐서 근막통 증후군이 제일 잘 발생하는 근육이 중둔근이다.

중둔근이나 이상근에 근막통 증후군이 발생했을 경우에 치료는 목과 어깨에 발생한 근막통 증후군의 경우와 비슷하다. 근육을 뭉치게 만든 그 근본 원인을 찾아서 교정해주는 것은 치료의 핵심이다. 그리고 잘못된 자세를 바로잡고 뻣뻣하게 뭉친 근육의 스트레칭 운동을 잘 시행해주어야 한다. 사람들 대부분은 통증이 어느 정도 이상 심해지면 병원을 찾게 된다. 이 경우 통증유발점 주사를 보통은 시행하는데, 증상 완화의 효과가 매우 좋다. 통증유발점 주사는 특별한 약물을 사용하지 않으며, 시술 시에 얇은 바늘을 사용하게 된다. 그리고 비용도 적게 들어 경제적으로도 부담이 적은 좋은 치료이다. 10명 중 8~9명은 시술 후 통증의 확연한 감소를 경험하게 된다.

02

대퇴부 근육의 염좌

"조기 축구회에서 축구를 하다가 후반전에 헤딩을 하느라, 점프를 하고 착지하면서 순간적으로 허벅지 앞쪽으로 심한 통증이 발생하였습니다. 이후 걸을 때마다 허벅지에 통증이 발생합니다."

Q&A

Q: 축구하는 도중 허벅지 앞쪽으로 갑자기 심한 통증이 발생하였고, 이후에는 걸을 때마다 통증이 발생하였습니다. 무엇이 잘못된 것일까요?

A: 축구, 농구 등 스포츠 운동을 하는 도중에 허벅지에서 발생할 수 있는 가장 흔한 질환은 근육과 힘줄의 염좌입니다. 허벅지 앞쪽에는 대퇴사두근이 있고, 허벅지 뒤쪽에는 뒤넙다리근이 있습니다.

축구, 농구 등의 스포츠 운동을 할 때에 허벅지의 근육들은 많은 일을 하게 된다. 허벅지 앞쪽의 대퇴사두근과 허벅지 뒤쪽의 뒤넙다리근은 그 해부학적 구조를 보면, 골반의 뼈에서 출발하여 엉덩관절(고관절)과 무릎관절의 두 개의 관절을 지나서 연결되어 있다. 이렇게 두 개의 관절을 지나는 근육들은 운동 시 스트레스를 더 많이 받게 되어 근육 손상이 발생할 위험성이 높다.

근육이나 힘줄이 늘어나면서 붓거나 부분적이든 전부이든 파열되어 찢어지는 경우를 염좌라고 한다. 보통은 허벅지 뒤쪽의 뒤넙다리근이 앞쪽에 있는 대퇴사두근보다 더 손상에 취약하여 염좌가 더 잘 발생한다. 달리기 선수들 10명 중에서 3명 정도는 뒤넙다리근의 염좌를 한 번 이상 경험할 정도로 스포츠 선수들에서는 흔한 손상이다.

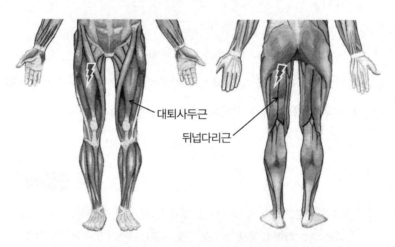

대퇴사두근

뒤넙다리근

🔍 대퇴사두근과 뒤넙다리근은 달리기나 점프를 할 때 매우 강력한 힘을 발휘하는 큰 근육이다. 이 두 근육은 엉덩관절과 무릎관절의 두 관절을 지나서 연결된다. 두 개의 관절을 지나는 근육은 유연성이 떨어지기 쉽고 스포츠 활동시 한 개의 관절을 지나는 근육보다 근육이나 힘줄이 손상될 위험이 크다.

근육의 유연성이 너무 떨어지거나 과사용을 하게 되어 근피로가 축적된 상태에서 순간적으로 힘이 근육에 걸리게 될 때 근육과 힘줄에 손상이 발생하게 된다. 또한, 근육의 힘이 너무 약한 경우나 준비운동을 충분히 하지 않고 과격한 운동을 하는 경우에도 손상이 발생할 수 있다. 염좌가 발생할 가장 위험한 요인은 이전에 염좌가 있었던 병력이다. 이전에 뒤넙다리근에 염좌가 있었던 사람들 10명 중 3명에서 다시 염좌가 재발하게 된다.

경한 염좌가 발생했을 경우에는 운동 경기가 끝날 때까지 잘 모르는 경우가 많다. 운동이 끝나고 난 후에 허벅지에 통증을 인지하면서 알게 되어 병원을 찾는 경우가 많다. 그러나 근육의 부분파열 이상의 손상이 있으면 손상 받는 순간에 날카로운 통증이 느껴지며, 그 순간 본인의 허벅지에 문제가 발생하였음을 인지하게 된다. 염좌가 가볍게 발생한 경우에는 외관상 특별한 이상이 없으며, 걸을 때 경미하고 둔한 통증이 느끼고 뛰거나 쪼그리고 앉았다 일어날 때 허벅지에 통증을 느끼게 된다. 그러나 심하게 근육이 파열되면 출혈로 인해 겉으로도 허벅지 피부 색깔이 붉게 변하고 붓는 증상이 나타나게 된다. 또한, 보행 시 심한 통증이 동반된다.

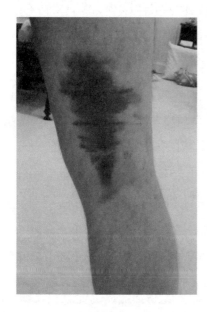

Q 뒤넙다리근육의 염좌(파열)로 인해 허벅지 뒤쪽에 피부 색깔이 붉게 변하고 멍이 든 모습.

Q: 운동하던 도중 허벅지의 뒤넙다리근육에 통증이 발생하여 초음파 검사를 하였더니, 근육이 약간 찢어져 있고 피가 차 있다고 합니다. 치료하기가 어려운가요?

A: 근육은 혈관이 매우 풍부하고 그만큼 혈액순환이 좋은 조직으로, 잘 쉬기만 하면 저절로 잘 치유가 됩니다. 그러나 건강한 근육 조직으로 치유될 수 있도록 재활운동치료를 잘해주는 것이 중요합니다.

허벅지 근육과 힘줄에 염좌가 발생했을 경우에 치료 원칙은 PRICE이다. 스포츠 손상 발병 초기에 가장 기본적인 치료인 PRICE는 Protection(보호), Rest(휴식), Ice(냉찜질), Compression(압박), Elevation(다리 거상)의 줄인 말이다. 발병 초기 1~2일 정도는 PRICE 방법으로 치료하게 된다. 처음 급성으로 염좌가 발생했을 경우 근육에 스트레스를 피하기 위해 목발 등을 사용하여 근육을 보호해주어야 한다. 냉찜질은 첫날에는 매시간 10~15분 시행해주며, 그 후 2~3시간마다 20~30분 정도 시행해준다. 2~3일동안 시행하여 통증이 가라앉을 때까지 지속한다. 이후 질환의 심각도에 따라 관절운동, 스트레칭 운동, 근력 강화운동을 시행하게 된다.

걸을 때 통증이 발생하여 처음에는 다리를 절게 되지만, 근육은 혈관이 매우 풍부한 조직으로 스트레스만 주지 않는다면 찢어진 근육은 다시 스스로 잘 붙게 된다. 그러나 근육이 완전히 파열된 경우에는 수술적 치료가 필요하며, 잘 계획된 재활치료가 필요하다. 근육의 파열 없이 손상된 경우에는 회복에 3~4주 정도의 시간이 소요되며, 부분적인 파열이 있는 경우에는 회복에 4~6주의 시간이 소요된다. 완전히 끊어진 경우에는 수술 후 3~6개월이 소요된다.

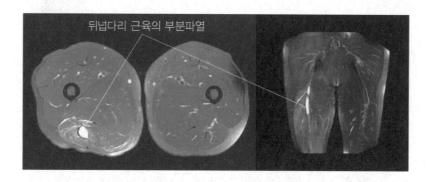

뒤넙다리 근육의 부분파열

Q 41세 남자 환자의 뒤넙다리근육 부분파열 MRI 사진. 직장 야유회에서 이어달리기 도중에 우측 뒤넙다리근육에 파열이 발생하였다. 재활치료 4주 후 통증이 없는 정상적인 보행이 가능하였다.

근육과 힘줄의 치유과정에서 적절한 재활치료는 건강한 조직으로의 재생과 향후 재발 예방을 위해서 매우 중요하다. 스트레칭 운동과 근력 운동을 해주어야 더욱더 건강한 근육 조직으로 회복될 수 있으며, 향후 빈번하게 발생하는 근육의 재파열을 줄일 수 있다.

Q: 마라톤을 취미 삼아 하고 있습니다. 엉덩관절과 허벅지 앞쪽으로 둔하고 깊은 통증이 느껴져 염좌로 생각하고 2개월 정도 기다렸는데, 통증이 계속 심해집니다. 근육의 염좌 외에 다른 문제가 있을 수도 있나요?

A: 엉덩관절과 허벅지에도 많은 질환이 발생할 수 있습니다. 1~2개월을 쉬면서 지켜보았는데 통증에 큰 변화가 없다면 피로골절, 무혈성 대퇴골두 괴사, 엉덩관절 퇴행성 관절염 등 여러 가지 다른 원인들을 고려해봐야 합니다.

엉덩관절과 허벅지 부위에도 여러 가지 질환들이 발생할 수 있다. 처음 근막통 증후군이나 경미한 염좌로 생각하여, 1~2개월 치료를 했음에도 통증이 지속되면 다른 여러 가지 질환들을 고려해줘야 한다. 물론 처음부터 근육통이나 염좌의 증상과 다른 경우에는, 즉시 정밀 검사를 진행해서 정확한 진단을 해야 한다. 엉덩관절과 허벅지 부위에 발생할 수 있는 질환으로는 무혈성 대퇴골두 괴사, 피로골절, 천장 관절염, 외측 대퇴부 피부신경병 등이 있다.

무혈성 대퇴골두 괴사는 대퇴골두에 큰 충격이 가해지거나 스테로이드 약을 장기간 복용한 경우, 오랜 기간 동안 과음하거나 당뇨병을 오래 앓은 경우에 발병 위험성이 높다. 고관절의 대퇴골두에 혈액순환이 되지 않으면서 미세골절이 발생하고, 결국엔 대퇴골두가 뭉개져버리는 질환이 무혈성 대퇴골두 괴사이다. 걸을 때마다 엉덩관절(고관절) 깊은 곳에 통증을 느끼게 되고, 양반다리를 하게 되면 통증이 발생하여 양반다리를 못하게 된다. 보통 엉덩관절(고관절)을 인공관절로 치환하는 수술을 시행하는 경우가 많다.

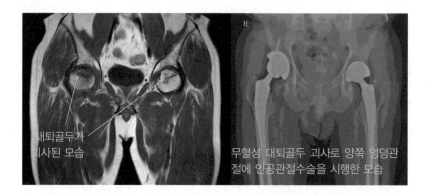

대퇴골두가
괴사된 모습

무혈성 대퇴골두 괴사로 양쪽 엉덩관
절에 인공관절수술을 시행한 모습

Q 당뇨병을 오래 앓아온 49세 남자 엉덩관절(고관절)에 무혈성 대퇴골두
괴사. 오른쪽 사진은 인공관절 수술을 시행한 후의 엑스레이 사진.

이전에 엉덩관절 부위에 골절이 있었거나 비만인 사람이 보행 시에 엉덩관절과 허벅지 앞쪽으로 통증이 발생하는 경우, 고관절의 퇴행성 관절염을 의심해봐야 한다. 고관절은 무릎관절만큼 퇴행성 관절염이 잘 발생하지는 않지만, 이전에 외상이 있었던 경우에는 관절의 안정성 저하로 발생 가능성이 높아진다. 퇴행성 관절염인 경우에는 쉬면 통증이 완화되고 걷거나 뛸 때 통증이 발생하게 된다. 또한, 아침에 자고 일어났을 때 엉덩관절의 뻣뻣함이 발생하게 되며, 처음 움직였을 때 통증이 심하고 생활하다 보면 차츰 통증이 줄어드는 양상의 통증형태를 보인다.

마라톤과 같이 많이 뛰는 운동을 하는 사람에게서 엉덩관절 깊숙한 곳에 둔한 통증이 발생하고, 시간이 지나면서 서서히 심해지는 경우에는 피로골절을 의심해볼 수도 있다. 피로골절은 뼈가 어긋나는 일반적인 골절의 모습을 보이지 않는다. 지속적인 과사용과 충격으로 뼈가 버틸 수 있는 한계를 넘어서게 되면 뼈에 피로가 발생하게 되고,

골절까지 진행되는 것으로서 뼈의 형태는 잘 유지된다. 뼈의 스트레스가 지속되는 경우 처음에는 피로반응을 보이게 된다. 이후 뼈에 충격과 스트레스가 지속되면 피로골절이 발생하게 된다. 달리기하는 양을 갑자기 많이 늘렸거나 충격흡수가 잘 안 되는 신발로 바꾸어 신은 경우, 또 신발을 너무 오래 신어서 충격흡수기능이 떨어진 경우에 발생할 수 있다. 대퇴골에 피로골절이 발생했을 경우에는 발생하는 위치가 예후에 매우 중요하다. 대퇴골의 바깥쪽에 피로골절이 발생하게 되면 보통은 응급하게 수술을 진행해야 하지만, 대퇴골의 안쪽에 피로골절이 발생하면 6주 정도 체중부하를 줄이고, 이후에 점진적으로 재활운동을 통해 체중 부하를 늘려나가면 치유될 수 있다.

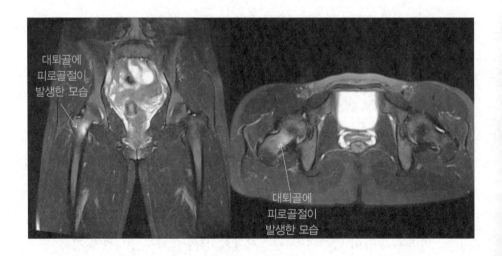

대퇴골에 피로골절이 발생한 모습

대퇴골에 피로골절이 발생한 모습

🔍 달리기 선수인 18세 여자 환자의 MRI 사진. 2~3개월 전부터 시작된 오른쪽 엉덩관절과 허벅지 부위의 통증으로 내원하여 대퇴골에 피로골절을 진단받았다. 대퇴골의 아래쪽에 발생한 피로골절로 수술을 시행하지 않고 휴식과 재활치료를 통해 완전 회복되었다.

가끔씩 바지의 주머니가 위치한 부위의 피부에 통증이나 이상감각이 발생하여 병원을 찾는 사람들이 있다. 외측 대퇴부 피부신경병이 발생한 경우인데, 요추 2, 3번에 나오는 피부 신경이 골반과 허벅지의 경계(서혜부)를 지나면서 인대에 눌려 신경병이 발생하는 것이다. 보통은 특별한 이유 없이 발생하는 경우가 제일 흔하지만, 비만이나 임신으로 배가 많이 나온 경우, 꽉 끼는 바지를 입은 경우나 엉덩관절이 갑자기 꺾이는 외상을 당하는 경우에 발생하게 된다. 보통 바지의 주머니가 위치해있는 부위의 피부에 저린감과 이상감각이 발생하고, 심한 경우엔 잠을 이루지 못할 정도로 불편감을 느낀다. 치료로는 일단 체중을 줄이고 꽉 끼는 옷을 입지 않는 것이다. 보통은 시간이 지나면서 점차 회복된다. 신경이 지나는 부위에 초음파를 보며 항염증 약물을 주입하게 되면, 통증 감소에 많은 도움이 된다.

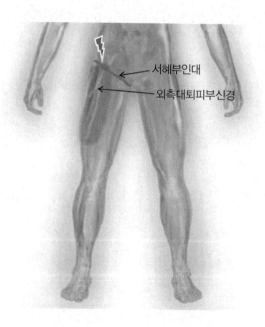

서혜부인대

외측대퇴피부신경

🔍 외측대퇴피부신경병의 통증부위(붉은색). 비만이나 꽉 끼는 옷을 입있을 때 신경이 압박되어 발생하게 되지만 특별한 이유없이 발생하는 경우가 제일 흔하다.

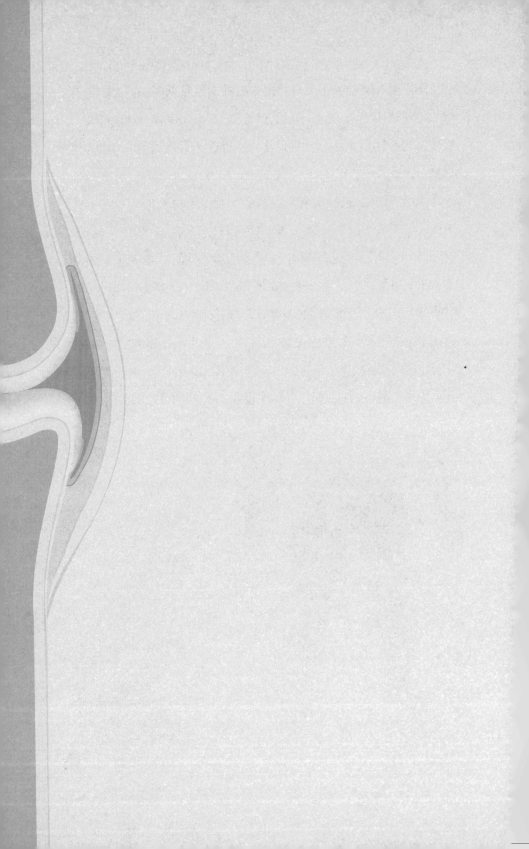

PART 9

건강한 노화

01

건강한 노화는 젊을 때부터

노화는 노인들에게서만 있는 것이 아니다. 20대 초중반이 되면 몸은 노화되기 시작한다.

노화는 노인들에게만 오는 것이 아니다. 우리 몸은 20대 중반이 되면 성장을 멈추고 퇴화과정으로 진입하게 된다. 물론 그렇다고 바로 이런 퇴화과정이 눈에 보이는 것은 아니다. 실질적으로 노화로 인하여 여러 신체, 정신 기능이 떨어짐이 실감 나는 시기는 30대 후반부터이다. 꽁꽁 얼어붙은 호수가 실제로 깨지기 전까지 지속적으로 얼음의 두께는 얇아진다는 것을 생각하면 이해가 쉽다.

노화로 인해서 시각, 청각, 미각, 후각, 촉각의 5감부터 피부, 장기, 근육, 관절, 뼈, 뇌까지 인체의 전 영역에서 기능이 떨어진다. 이 책은 근골격계의 관점에서 바라본 책이다. 우리가 걷고 뛰고 활동하게 만드는 근육, 힘줄, 뼈, 인대, 또한 20대 중후반부터는 하향길로 접어들게 된다. 그러나 그 퇴행의 정도와 기능 소실은 제대로 신경을 쓰고 실천에 옮기면 최소화시킬 수 있다.

우리 몸의 근육, 뼈, 힘줄, 인대가 가장 강한 시기는 20대 후반부터

30대 초반 사이이다. 이 시기에 얼마나 최고점을 높일 수 있느냐가 건강한 노화를 위해 중요한 한 포인트가 된다. 아동기, 청소년기, 청년기에 시행한 운동이 이것을 결정하게 된다. 그리고 건강한 노화를 위한 또 다른 중요한 포인트는 청장년기에 꾸준한 운동을 통하여 근골격계의 기능 소실되는 정도를 최대한 줄이는 것이다. 청년기 때까지 운동을 잘 못했더라도 낙심할 필요는 없다. 지금부터라도 꾸준히 몸을 관리하면 된다. 늦었다고 생각했을 때가 가장 빠른 것이다.

> 건강한 노화를 위해 평생 동안 꾸준히 우리 몸을 '닦고 조이고 기름쳐야' 한다. 사람으로 치자면 유산소 운동, 근력 운동, 유연성 운동을 꾸준히 하는 것이다.

얼마 전에 1980년대에 출시됐던 '르망'이라는 자동차가 거리를 운행하는 모습을 본 적이 있다. 30년 이상 된 차가 아직도 잘 굴러다닐 수 있는 이유는 평상시 자동차를 잘 관리했다는 것이고, 고장 시 적절하게 잘 수리했다는 것을 의미한다. 이것은 사람으로 치자면 100세에 등산을 하는 것과 견줄 만하다.

내가 홍천에서 사병으로 군복무를 할 때 군용차량을 관리하는 정비부대에는 '닦고 조이고 기름치자'라는 말이 대문짝만 하게 적혀 있었다. 차를 잘 관리해야 고장 없이 오래 사용할 수 있기 때문이다. '닦고 조이고 기름치자'라는 말은 우리 몸에도 똑같이 적용된다. 우리 몸도 평생 동안 꾸준하게 닦고 조이고 기름 쳐야 건강하게 고장 없이, 이 세상을 떠나는 그 순간까지 제대로 사용할 수 있다. 기계를 닦고 조이고 기름 치는 것은 사람에게는 유산소 운동, 근력 운동, 유연성 운동과 같다.

기계를 끊임없이 닦는 이유는 먼지나 불순물을 제거해서 기계의 고장을 최대한 줄이기 위함이다. 우리의 몸도 꾸준한 유산소 운동을 통하여 혈관 안의 노폐물을 닦고, 체중관리를 통하여 필요 없는 지방 조직의 생성을 막아야 한다. 또한, 유산소 운동을 통한 관절에 적절한 스트레스는 관절을 튼튼하게 만들어준다.

느슨해진 볼트가 결국 기계의 불안정성을 만들고 고장을 일으키기에 항상 단단하게 기계의 관리에 있어 조이는 것은 중요하다. 이와 마찬가지로 인체의 허리 척추, 무릎을 비롯한 모든 관절은 안정되게 움직여야 한다. 경첩이 느슨해지고 삐거덕거리는 문이 금세 망가지는 것처럼, 걷거나 뛸 때 불안정하게 흔들리는 무릎관절은, 결국 퇴행성 관절염을 발병시킨다. 기계와 마찬가지로 우리의 몸도 잘 조여야 한다. 사람에게 이것은 근력 강화와 근육들 간 협응능력에 비유된다. 이것이 잘 이루어졌을 때 우리의 관절은 안정적으로 유지되고 건강을 유지할 수 있다.

부드럽지 않고 뻑뻑한 기계는 마모가 잘되고, 그만큼 고장 나기 쉽기 때문에 끊임없이 기름칠해야 한다. 기계의 기름칠은 우리 몸의 유연성에 해당한다. 자전거가 잘 굴러가려면 체인에 적절한 기름칠이 있어야 하듯이 우리 몸과 관절의 유연성이 있어야 우리 몸을 건강하게 유지할 수 있다.

100세에 등산하기 위해서는 자동차를 관리하는 것처럼 우리 몸을 꾸준하게 닦고 조이고 기름 쳐야 한다. 다시 말해 유산소 운동, 근력운동, 유연성 운동(스트레칭 운동)을 평상시에 꾸준히 해야 한다는 말이다.

건강한 노화를 위해 질환이 발생했을 때는 과하지도 않게, 그리고 부족하지도 않게 적절하게 최선의 치료를 받아야 한다.

아무리 닦고 조이고 기름을 쳐도 기계와 자동차는 부품이 마모되든 사고가 나든 언젠가는 크고 작은 고장으로 문제가 발생하게 되어 있다. 이때 중요한 것은 고장 난 부분을 정확하게 밝혀내어 과하지도 적지도 않은 알맞은 수리를 받는 것이다. 이 세상에 100% 완벽하게 본인의 몸을 관리할 수 있는 사람은 없다. 평상시에 꾸준히 운동을 하고 몸을 잘 관리하더라도 퇴행성 변화와 외상 등으로 인한 크고 작은 손상과 질환은 피해 갈 수 없다. 이때 중요한 것은 정확한 진단을 받고 과하지도 부족하지도 않은 적절한 치료를 받는 것이다. 손자병법에 지피지기면 백전백승이라고 했다. 적과 나에 대해 제대로 알고 있을 때는 모든 싸움에서 이긴다는 뜻이다. 이것은 여러 질환으로부터 우리 몸의 건강을 지키는 데에도 일맥상통한다. 그러나 불행히도 사람들 대부분은 나의 몸과 의료에 대해서 무지하다. 인간의 몸을 잘 알고 질환과 치료에 대해서 기본적인 지식을 가지고 있을 때 건강을 지킬 수 있다. 그래서 필자는 건강한 노화를 위해 질환과 치료에 대한 기본적인 정보를 제공하기 위해 이 책을 쓰게 된 것이다.

02
운동의 효과

100세에 등산하기 위해 꼭 필요한 것은 건강한 노화이다. 건강한 노화는 내과적인 만성 질환 없이 몸과 마음(정신)의 건강을 잘 지켜나가는 것이다. 몸의 건강은 적절한 근력과 관절기능, 유연성, 균형능력을 잘 유지함으로써 지킬 수 있다. 정신의 건강은 기억력, 판단력, 장소를 찾아가는 능력, 계산력 등의 인지기능을 잘 유지하여 치매에 걸리지 않는 것이다. 또한, 우리나라를 노인자살률 1위로 만든 주원인인 우울증을 예방하는 것도 정신건강에 있어 매우 중요하다. 몸과 정신건강의 해답은 명확하다. 바로 꾸준하게 하는 운동이다.

Q&A

Q: 노화는 신체능력에 어떤 변화를 주게 되나요?

A: 근력, 유연성, 균형능력, 민첩성이 저하되며 골밀도가 떨어져 뼈의 강도가 약화됩니다. 또한, 인대, 힘줄, 연골 조직의 질이 떨어지고 약해집니다. 이와 함께 심폐지구력이 저하됩니다. 위와 같은 여러 신체능력의 저하로 신체활동이 줄어들게 되고, 여러 손상과 낙상으로 인한 골절의 위험성도 높아져 궁극적으로 삶의 질을 현저하게 떨어뜨리게 됩니다.

우리 몸의 근력은 20~30세에 최고점에 달하게 되며 이후에 감소하기 시작하지만, 50세 이전까지는 급격한 감소를 보이지 않는다. 그러나 50세 이후부터 10년마다 15~20% 정도의 근력의 감소를 보이게 되며, 80세가 되면 근육의 양은 50% 정도로 감소하게 된다. 근육이 감소한 부분은 지방으로 채워진다. 근력의 약화는 힘 그 자체로 신체기능을 저하시키는 악영향을 준다. 근력과 근육의 양은 낙상 시 골절을 예방해주며, 골밀도의 소실을 줄여주고, 당뇨의 발병을 줄여주고, 혈압을 적절히 유지해주는 등 간접적으로 많은 좋은 효과를 준다.

노화가 진행되면서 우리 몸의 모든 신경계의 기능도 저하된다. 시력이 저하되고 청력이 저하된다. 그리고 실제로 신경의 신호 전달 속도, 또한 10~15% 정도 저하된다. 그만큼 몸의 반응시간이 늦어지는 것이다. 이로 인해 균형능력이 저하되고 민첩성이 떨어지게 된다. 균형능력은 몸이 움직이거나 넘어지려고 할 때 몸의 신체중심을 잡아서 안정적으로 유지하는 능력이다. 균형능력은 노인들에게 치명적인 손상을 끼치는 낙상을 줄이는 데에 가장 중요한 핵심인자이다. 균형능력은 신경전도 속도를 포함한 감각기능, 실제로 몸을 반응하여 신체중심을 안정적으로 유지하게 해주는 운동기능, 인지기능이 복합적으로 작용하여 형성된다.

3가지의 중요한 감각이 균형을 위한 감각기능을 담당하게 되는데, 가장 중요한 것은 피부를 만질 때 느껴지는 촉각, 발목이 굽힌 상태인지 편 상태인지를 알게 해주는 고유위치감각 등의 체성감각으로 균형능력의 70%를 담당한다. 실제로 다리의 힘이 아무리 좋아도 감각이 저하되면 균형능력의 문제로 혼자 걷는 것이 매우 어려워진다. 그리고 달팽이관이라고 해서 우리 몸의 평형감각을 담당하는 전정기

관이 균형능력의 20%, 눈으로 보는 것이 10%를 담당하게 된다.

균형능력을 위해서는 감각기능을 통해서 들어온 정보를 바탕으로 실제로 몸을 움직이게 만드는 운동기능이 중요하다. 이 운동기능은 근력, 관절의 유연성, 근육의 협응능력으로 이루어진다. 몸이 중심을 잃고 기울어질 때 기울어짐을 감각기능을 통하여 빨리 인식하고, 여러 근육들을 재빨리 제대로 움직여주었을 때 사람들은 넘어지지 않고 안정적인 자세를 유지하게 된다. 보통 사람들은 중심을 잃을 때 발목과 고관절을 주로 사용하고, 심하게 흔들릴 때는 발을 움직여 땅을 옮겨 짚는 걸음 전략을 통하여 균형을 유지한다.

근력 감소와 함께 균형능력과 민첩성이 저하되면 버스를 타고 내릴 때, 계단을 오르내릴 때, 등산할 때 등 일상생활이나 운동을 할 때 낙상이 발생할 위험성이 높아진다. 낙상으로 인한 고관절 골절의 경우는 사망률이 10%에 달할 만큼 매우 심각한 손상이다. 노인 10명 중 3명은 1년에 적어도 한 번 이상 낙상을 경험하게 된다.

노화는 인대, 힘줄, 근육의 퇴행성 변화를 유도하여 강도를 떨어뜨리고 뻣뻣함을 증가시켜 관절 움직임에 제한을 준다. 이로 인해 등의 지퍼 올리기, 머리 빗기 등의 일상생활에 기능장애가 발생할 수 있다. 심폐지구력의 저하도 노화의 과정에서 발생하게 되는데, 운동으로 관리하지 않을 경우 30세 이후에는 10년 당 5~10% 심폐지구력 감소가 진행되어 70세에는 보통 30대 때의 절반 정도의 심폐지구력만 남게 된다. 그러나 꾸준한 운동으로 관리할 경우 젊었을 때의 심폐지구력을 유지할 수는 없겠지만, 심폐지구력의 감소를 절반 정도로 줄일 수 있다.

Q: 운동이 주는 효과는?

A: 운동이 좋다는 사실은 상식적으로 알고 있습니다. 운동은 심장병, 근육병 같은 특별한 경우를 제외하고 부상만 당하지 않는다면, 우리 몸과 정신의 건강을 위해 모든 면에서 좋습니다. 건강은 행복과 직결되는 문제이므로 삶의 행복을 위한 기본 전제조건이 적절한 운동이라고 해도 과언이 아닙니다.

운동이 신체능력에 도움이 되는 것은 너무나 상식적이며 당연한 것이다. 일주일에 2~3회씩 헬스장에서 1~2시간 정도의 운동만 해도 벌써 몸 체형이 변하고, 몸이 좋아짐을 느낄 수 있다. 운동은 근력, 유연성, 민첩성과 균형능력, 골밀도, 심폐지구력의 향상시키며 노화로 인하여 떨어지는 신체기능을 최소화시킬 수 있다. 단적인 예로 50대 이후부터 급격히 떨어지기 시작하는 골밀도는 꾸준한 근력 운동으로 그 감소 정도를 현저하게 떨어뜨릴 수 있다. 이것은 향후 고관절이나 척추의 압박골절이 발생의 중요한 시발점이 될 수 있다.

나는 운동으로 헬스를 꾸준히 하고 있다. 2주일 정도만 운동을 쉬게 되면, 몸의 찌뿌둥한 느낌은 둘째 치고 기분이 다운됨을 경험하게 된다. 그리고 나서 1~2시간 유산소 운동과 근력 운동을 했을 때의 몸과 기분의 개운함은 그 무엇보다도 상큼하다. 40대 이후의 많은 사람들이 등산을 좋아하는 이유도 여기에 있으리라 생각한다. 운동은 실제 사람의 정서와 기분에 중요한 영향을 준다. 운동을 꾸준히 하는 사람에서 우울증이 적다. 운동은 우울증을 예방하고 치료하는 데 효과가 있다. 게다가 운동은 인지기능 향상에도 도움을 주게 되어 치매 발병 위험성을 떨어뜨린다.

운동은 직간접적으로 여러 가지의 이득을 주어 심근경색과 같은 관상동맥질환이 발병할 위험을 줄여준다. 활동적인 삶의 패턴을 가진 사람들은 주로 앉아서 대부분의 일과를 보내는 사람보다 심근경색이 발생할 위험성이 50% 정도 줄어든다. 심장의 건강에 유산소 운동이 가장 중요하긴 하지만, 근력 운동을 같이 하면 그 효과는 더 커진다. 운동을 하게 되면 몸에 안 좋은 혈관 속 콜레스테롤이 줄어들고, 몸에 좋은 콜레스테롤(HDL)은 증가하여 혈관을 건강하게 만들어준다. 또한, 혈압을 떨어뜨리는 효과도 있어서 신체 활동이 활발한 사람들은 앉아서 생활하는 사람들보다 고혈압에 걸릴 위험성이 35% 정도 더 낮다.

운동은 뇌졸중의 예방에도 효과가 있다. 중등도 이상의 운동을 꾸준히 시행한 경우에 뇌경색, 뇌출혈 등 뇌혈관질환 발병 위험성을 25~30% 정도 낮추어준다. 이외에도 비만, 당뇨병, 고혈압, 고지질혈증, 대사 증후군 등의 만성 성인병과 관절염, 허리 통증, 만성폐쇄성폐질환, 골다공증, 변비의 예방 및 치료에 효과가 있다.

행복한 삶을 위한 전제 조건은 건강이다. 건강은 신체의 건강과 정신의 건강으로 나누어진다. 이 두 가지 모두에 확실하고 가장 큰 효과를 주는 것이 운동이다. 물론 경제사회적인 측면 등 다양한 요인들이 우리의 삶의 질에 영향을 주게 되지만, 가장 근본적인 건강이라는 측면을 보자면, 결국 인생의 행복을 위해 가장 중요하며 돈 안 들이고 할 수 있는 가장 효율적인 것은 운동이다.

사람의 근육, 뼈, 힘줄, 관절 등의 근골격기능은 50~60대를 기준으로 급격하게 저하되기 시작한다. 젊은 사람들이라면 최고의 근골격 상태를 만들어주어 노년에 감소할 기능을 미리 대비하기 위해 꾸준

하게 운동을 해야 하고, 이미 50세를 넘은 사람들은 신체기능 저하의
정도를 줄이기 위해서 지금이라도 점진적으로 꾸준하게 운동을 시행
해주어야 한다.

Q & A

Q: 40대 초반의 남자입니다. 그렇다면 건강한 노화를 위해 운동을 어느
   정도로 해야 할까요?
A: 65세 이하 성인들의 경우에는 일주일에 5일 이상 하루에 30~60분 정
   도로 힘들게 느껴지는 강도의 유산소 운동을 시행해야 하며, 일주일
   에 2~3일 정도 8~10가지의 근력 운동을 시행해야 합니다. 또한, 일주
   일에 2~3회는 당기는 정도의 느낌이 들 정도로 운동 전후에 스트레칭
   운동을 시행해 주어야 합니다.

미국심장협회(American Heart association)와 미국스포츠 의학회
(American College of Sports Medicine)에서는 건강한 성인의 적절한
운동량을 다음과 같이 권고하고 있다. 물론 특별한 문제만 없다면 강
도는 올려서 할수록 더 좋다.

유산소 운동은 조깅, 자전거, 수영 등을 통해서 힘들다고 느낄 정
도로 매일 30분 이상 운동을 시행해야 한다. 최소한 일주일에 5일 이
상은 시행한다. 3개월 이상 꾸준히 시행하면 심폐기능이 15% 이상
향상될 수 있다.

근력 운동은 일주일에 2~3회 시행하며, 18시간의 간격을 두는 것이
가장 효율적이다. 8~10가지의 근육운동을 시행해야 하며, 1가지 운동
을 8~12회 반복하며, 2~3세트 정도 시행한다. 세트 사이에는 강한 힘

을 쓰는 경우에는 3~4분, 중등도의 힘을 쓰면 2~3분간의 휴식시간을 갖는다. 무게를 너무 적게 하여 근력 운동을 하면 횟수를 아무리 늘려도 근력의 증가나 근육의 크기 증가 효과는 없다. 최소한 본인이 한 번 들 수 있는 최대 무게의 60% 이상 되는 무게로 근력 운동을 해야 근력과 근육량 향상에 효과가 있다. 또한, 근력을 시작하고 2주 동안은 근육크기의 변화는 전혀 발생하지 않는다. 최소한 1~2달 이상은 근력 운동을 시행해야 겉으로 보이는 근육의 모습이 달라지기 시작한다.

유연성(스트레칭) 운동은 운동손상을 예방하고 요통 등의 다양한 근골격계 질환을 예방하는 데 중요하다. 일주일에 3회 이상 시행하며, 하루에 10분 이상씩 시행해야 한다. 우리 몸의 근육과 힘줄은 적어도 10~12초 정도의 시간이 지나야 스트레칭이 되기 시작한다. 따라서 중요한 점은 스트레칭 운동 시 뻣뻣하게 힘줄이 당기는 자세로 15~30초를 유지하는 것이다. 무릎을 펴고 서서 손끝을 땅바닥에 닿도록 하는 허리 스트레칭 운동 시 보통 사람들은 반동을 주어 운동을 한다. 그러나 이것은 부적절한 방법으로 손상의 위험이 높고 유연성에 있어서도 효과가 별로 없다. 최대한 손끝을 땅에 가깝게 한 자세로 15~30초 동안 가만히 유지하는 것이 가장 효과적이며 다칠 확률도 적다.

Q: 그렇다면 노인들은 운동을 어느 정도로 해야 할까요?

A: 산책, 가벼운 조깅 등의 유산소 운동을 매일 30분씩 시행하는 것이 좋으며, 적어도 일주일에 2회 이상 8~10가지의 근력 운동을 시행하고, 유연성 운동을 시행하는 것이 좋습니다. 그러나 각각 몸 상태와 신체 조건이 다르므로 모든 사람이 똑같이 처음부터, 이 기준대로 하면 안 됩니다.

미국심장협회(American Heart association)와 미국스포츠 의학회(American College of Sports Medicine)에서는 65세 이상의 노인에게 적절한 운동량을 다음과 같이 권고하고 있다. 물론 특별한 손상이 없이 별 무리 없이 권고수준을 시행할 수 있는 노인들은 더 강한 강도로 하면 건강에 더 좋다.

유산소 운동으로는 중등도 강도로 매일 30분 이상 운동을 시행하는 것이 좋다. 최소한 일주일에 5일 이상은 시행한다. 중등도 강도의 운동은 심박수와 호흡이 약간 빨라지는 정도로 본인은 약간 힘들다고 느끼는 정도의 강도이다. 중등도 운동의 예로는 3~4km의 속도로 걷기, 시속 6~7km의 속도로 가볍게 조깅하기, 계단 내려오기, 집 안 청소하기, 가볍게 자전거 타기 등이 있다.

근력 운동은 일주일에 2회 이상 시행해야 한다. 8~10가지의 근육 운동을 시행해야 하며, 1가지 운동은 8~12회 정도를 반복하며 2~3세트 정도 시행한다. 세트 사이에는 2~3분간의 휴식시간을 갖는다. 예를 들어, 아령을 가지고 이두박근 근력 운동을 시행하면, 8~10회 정도 시행하고 2~3분을 쉬고 다시 8~10회 정도 시행하면 된다. 이두박근, 삼두박근, 대퇴사두근 등 총 8개 이상의 근육운동을 시행해주어야 한다. 아령을 들고 하는 운동 외에도 벽에 등을 댄 상태에서 반쯤 쪼그리고 앉았다가 일어나는 운동 등 다양한 근력 운동이 있다. 노인들에서 권고수준이지만 사실 젊은 사람에게도 그렇게 만만한 운동은 아니다. 여하튼 이 정도가 가장 좋다는 사실은 알아야 하며 이렇게 하도록 노력은 해야 한다.

유연성(스트레칭) 운동은 매일 10분 이상씩 시행하는 것을 권고한다. 최소한 일주일에 적어도 2회 이상 시행해야 하며, 중요한 점은 한 가지 동작에서 10초 이상을 유지하는 것이다. 예를 들어, 무릎을 펴고 서서 손끝을 땅바닥에 닿도록 하는 허리 스트레칭 운동 시 보통 사람들은 반동을 주어 운동을 하게 되는데, 이것은 올바른 방법이 아니다. 최대한 손끝을 땅에 가깝게 한 자세로 10~30초 동안 가만히 유지하는 것이 가장 효과적이며 다칠 확률도 적다. 속으로 10까지 세면 사실상은 5초도 되지 않는다. 속으로 시간을 세려면 한 자세로 20 이상 세야 한다.

위에서 언급한 것은 일반적인 65세 이상 노인에게 권하는 운동 권고 수준이다. 개개인들은 모두 신체상태가 틀리기 때문에 처음부터 똑같이 위의 권고수준으로 운동을 시행하면 안 된다. 노인들은 여러 신체기능과 조직의 강도가 떨어지므로 급격하게 운동량을 늘렸을 시에는 여러 가지 손상을 당할 위험성이 높다. 위의 권고수준은 첫 단계부터 서서히 점진적으로 시행하면서 큰 문제 없이 적응을 잘했을 때의 목표점이 되는 운동량이다.

TV를 보면서 하루 대부분을 앉아 지내던 노인은 일단 먼저 앉아 있는 시간을 줄이는 것부터 시작하는 것이 좋다. 그러기 위해서는 먼저 TV 시청 시간을 줄이는 생활습관을 가져야 하며, 생활 속에서

5~10분 정도 가볍게 걸을 수 있는 활동을 시작한다. 가령 집 안 청소하기, 마트에서 장보기, 아파트 계단 1~2층 정도를 오르내리기 등이다. 운동량은 점진적으로 증가시킨다. 운동량의 최종 목표는 하루에 30분 정도 중등도 강도의 운동을 시행하는 것이다. 일주일에 5% 내에서 운동량을 증가시키는 것이 좋다.

Q&A

Q: 노인들이 운동을 할 때 어떤 점을 주의해야 하나요?

A: 노인들은 젊은 사람들보다 신체기능이 취약하며, 뼈를 비롯하여 인대, 힘줄, 연골 등 조직이 약합니다. 또한, 만성질환이 있을 확률이 많으므로 처음 시작 시, 본인 몸에 대한 정확한 상태를 아는 것이 중요하겠습니다. 그리고 가지고 있는 질환이 있다면 전문의와의 상담을 통하여 적절한 운동처방을 받고, 서서히 점진적으로 운동의 강도를 늘려야 합니다.

운동을 할 때 가장 먼저 해야 할 일은 본인의 몸 상태를 파악하는 것이다. 심장질환, 폐질환 등의 유무를 확실하게 파악하고, 그에 맞는 운동을 계획해야 한다. 축구선수 신영록은 심장마비로 경기장에서 쓰러졌다. 남자 선수 100만 명 중 10명은 심장마비로 사망한다. 건강하게만 보이는 운동선수들에서 심장마비가 발생한 이유는 원래 가지고 있었던 부정맥 등의 심장질환을 몰랐기 때문이다. 노인들은 심장의 기능이 저하되며, 본인은 인지하지 못하더라도 심장질환이 발생할 확률이 높다. 따라서 본인의 심장과 폐의 현재 상태를 잘 알고 있어야 하며, 증상은 없더라도 혹여나 있을 심폐질환을 파악해야 한다.

같은 65세의 사람이라도 여생 동안의 운동량과 운동능력은 천차만별이다. 따라서 항상 운동할 때에는 기존에 본인의 운동능력을 참고하여, 서서히 점진적으로 강도와 시간을 증가시켜야 한다. 전문가들이 권하는 각 연령대의 운동량은 보편적인 것이지 개개인에 특화된 것은 아니다. 손상 없이 큰 사고 없이 운동을 하기 위해서 전문의의 가이드를 받는 것이 좋다.

Q&A

Q: 운동이 치매를 예방할 수 있나요?

A: 100% 예방은 안 되지만, 운동은 노화에 의한 인지기능감퇴와 치매 예방에 효과가 있습니다. 유산소 운동을 꾸준히 시행하는 경우 대략 40% 정도 치매 위험성을 줄일 수 있다.

운동은 노화로 인한 기억력, 판단력 등의 인지기능 감퇴를 막고 치매의 발병을 예방하는 효과가 있다. 게다가 예방 효과뿐 아니라 수개월 간 꾸준히 운동했을 때에는 약간의 인지기능의 향상을 기대할 수도 있다.

유산소 운동과 근력 운동을 같이 시행했을 인지기능에 더 좋지만, 특별히 중요한 것은 유산소 운동이다. 운동은 그 자체로 몸의 혈액순환에 도움을 준다. 뇌의 혈류 공급을 풍부하게 하여 산소와 영양분 공급이 잘 될 수 있다. 또한, 이차적으로 유산소 운동은 심혈관 질환을 예방하는 효과가 있어 당뇨와 고혈압, 고지혈증을 예방함으로 인해 뇌졸중(뇌경색, 뇌출혈)의 발병을 줄여, 이로 인한 혈관성 치매 자체를 줄여 주는 효과를 준다. 또한, 운동은 기분을 좋게 해주며 사람의 스트레스를 줄여준다. 스트레스와 우울증은 치매를 2배나 증가시키므로 운동은 간접적으로 치매예방 효과를 줄 수 있다.

하루에 400m 이하를 걷는 사람은 3km 이상을 걷는 사람보다 치매가 발병할 확률이 1.8배 정도 높다. 일주일에 3일 이상 운동을 한 사람들은 그렇지 않은 사람들보다 치매 발병률이 60% 정도로 작다. 또한, 적정량의 운동을 한 경우 그렇지 않은 경우보다 치매까지는 아니지만, 인지기능이 저하될 위험성이 0.6배 정도로 작았으며, 주당 3시간씩 12개월간 지속적으로 유산소 운동을 시행할 경우 인지기능 감퇴가 줄어든 효과가 있었다. 6,000명 정도의 65세 이상 여성들을 6년 이상 경과 관찰하며 운동량에 따른 인지기능 저하의 정도를 살펴본 연구가 있었는데, 더 많이 걸을수록 인지기능감퇴 예방의 효과가 더 컸다.

인지기능감퇴와 치매예방을 위한 유산소 운동의 효과는 10대에서 시행할 경우가 가장 컸다. 10대에 신체활동이 많았을 경우 인지기능 손상의 위험성은 그렇지 않은 경우의 65%로 감소하지만, 노인들에서 운동을 많이 시행한 경우는 74% 정도의 감소 효과를 보인다. 또한, 운동의 기간이 길수록 운동 강도가 강할수록 인지기능에 더 좋은 효과를 준다. 10년 동안 운동의 기간과 강도에 의한 인지기능을 연구했던 결과를 보면, 하루에 60분 이하로 운동하는 사람들은 하루에 60분 이상 운동하는 사람에 비해서 2.6배 인지기능의 저하가 많았다. 또한, 운동 강도를 2배 정도 줄여서 운동을 시행한 사람은 3.6배나 인지기능의 저하가 더 많있다.

Q: 인지기능감퇴와 치매 예방을 위해서는 무엇을 해야 하나요?

A: 유산소 운동을 포함한 신체활동을 지속적으로 시행하고 인지 기능에 도움이 되는 활동을 하고, 다른 사람들과 어울리는 사회활동을 꾸준히 지속하는 것이 치매의 예방을 위해서 가장 중요합니다. 또한, 뇌의 건강에 좋은 식품을 적당히 섭취하는 것도 중요합니다.

현대의학의 발달과 물질의 풍요로움으로 기대여명은 계속 늘어나고 있고, 이에 따라 퇴행성 질환 중 하나인 치매도 지속적으로 늘어나고 있다. 치매는 그 어떤 신체의 장애보다 본인과 가족들을 괴롭힌다. 뇌경색으로 몸의 한쪽이 마비된 것은 가족들의 몸이 힘들긴 해도 괜찮은 편이다. 뇌경색으로 인하여 혈관성 치매가 심하게 온 경우에는 주의 가족들의 심적 정신적 고통은 배가 되며 더 많은 경제적 비용 지출이 따르게 된다.

치매를 예방하기 위해서 가장 효과적이며 반듯이 해야 할 세 가지는 운동, 머리를 쓰는 인지기능활동, 사회활동이다. 본인의 행복과 가족의 행복과 더 나아가 국가의 행복을 위해서 위의 세 가지 활동이 노인들에게 잘 이루어질 수 있도록 본인과 가족, 더 나아가 국가가 관심을 가지고 정성을 쏟아야 한다.

2년 전부터 우리 어머니는 서울시 모구청의 댄스동호회에서 열심히 활동하고 있다. 이 동호회는 주로 55세~75세의 여성분들로 이루어진 동호회로 대한민국 곳곳을 다니며 자원봉사로 공연하며, 중국의 한 도시에서 초청을 받아 해외공연을 하기도 한다. 60세 정도 되신 어머니는 이 동호회의 재미에 흠뻑 빠져 계시다. 이런 활동들은 치매 예방뿐 아니라, 건강한 노화를 위해서 매우 효과적이다. 치매 예방을 위해서 중요한 세 가지 중 두 가지가 해결된다. 운동을 꾸준히 하게 되며 동호회 집단에 소속되어 사회활동이 저절로 이루어진다.

대한민국은 1997년 IMF를 기점으로 자살률이 급격하게 증가하여 9년 연속 OECD 국가 중 자살률 1위로 자살 공화국으로 불리게 되었다. 인구 10만 명당 일 년에 33명이 자살로 사망하고 있으며, 하루 평균 40명이 자살로 목숨을 잃고 있다. 특히, 노인자살률은 10만 명당 82명에 달하여 미국, 일본과 비교하여 7~8배 가까이 많다. 자살을 시도한 사람은 실제로 자살에 성공한 사람보다 훨씬 많다는 것을 생각하면 더욱더 우울해진다. 노인 자살의 이유는 사회안전망과 사회보장제도의 취약, 노후에 대한 불안함, 외로움 등 복합적이다. 해결책이 단순하지만은 않지만 외로움, 우울증 및 치매 예방이라는 측면에서 본다면 주민센터나 복지센터 등을 통하여 운동, 가벼운 댄스, 에어로빅 등의 프로그램을 잘 시스템화하고, 여러 동호 단체를 조직하여 노인들을 활동하게 하는 것이 중요한 해결책 중 하나가 될 것 같다. 이로 인해 노인들의 신체활동과 사회활동이 많아지고, 이것은 곧 치매의 예방과 자살률의 감소로 이어질 것이다.

신체활동은 등산, 자전거, 조깅, 산책, 집 안 청소하기 등을 통하여 꾸준히 시행해야 한다. 주민센터, 복지센터, 동호회, 친목회를 통한 스포츠 활동을 하면, 사회활동을 겸할 수 있어 더욱 좋은 효과를 줄 것이다. 인지기능을 위한 활동으로 책 읽기, 컴퓨터나 스마트폰을 이용한 인터넷 및 게임하기, 취미로 하는 화투, 카드놀이 등을 시행하면 치매 예방에 도움이 될 것이다. 그리고 종교생활, 자원봉사활동, 동호회, 친목회 활동 등을 통하여 타인과 함께하는 사회활동을 적극적으로 해야 한다.

Q: 은행잎 추출물로 만든 건강식품과 오메가 3는 치매를 예방하는 데 효과가 있나요?

A: 등푸른생선에 많다고 하는 오메가 3는 치매 예방에 크지는 않지만, 어느 정도의 효과는 있는 것으로 되어 있습니다. 그러나 은행잎 추출물로 만든 약물은(Ginkgo biloba) 근거가 명확하지 않습니다.

식품에 있어서 우리나라에서 잘 알려진 오메가 3와 등푸른생선, 과일, 채소 등은 치매 예방에 어느 정도 효과가 있는 것으로 알려져 있다. 오메가 3는 뇌혈관과 심혈관 질환에 크지는 않지만, 효과가 있는 것으로 되어 있다. 그러나 은행나무 추출물로 만든 약물인 ginko biloba는 효과가 있다는 근거가 명확하지 않다. 일부러 돈을 주고 사먹기에는 아쉬움이 있는 약이다. 일반적으로 사람들이 징코, 징코민이라고 부르는 약이다.

치매에 좋다고 알려져 있는 다른 식품들인 항산화 물질인 비타민 B, E, DHEA 등의 호르몬, 소염약(NSAID) 등은 치매 예방에 도움이 된다는 근거가 확실치 않다. 콜레스테롤과 지방이 많은 음식, 흡연, 과도한 음주는 치매의 위험을 높이게 된다.

03
정상적인 노화를 벗어난 노쇠 증후군

물질적 풍요와 현대 의학의 발전으로 기대수명은 매년 늘어나고 있다. 약 3,500년 전에 기록된 세계적인 베스트셀러 성경책에는 인간의 수명을 120세라고 말하고 있다. 놀랍게도 얼마 전 외국의 한 의학자가 인간의 수명은 120세까지 가능하다고 발표하였다. 암과 심근경색, 뇌경색 등의 질환이 발병하지 않으면 현대 사람들은 거뜬히 80세 이상은 살 수 있다. 그렇지만 정말로 중요한 것은 오래 살 수 있는 나이가 아니다. 건강을 잃어 불행 속에 장수를 누리고 싶은 사람은 한 명도 없을 것이다. 정말 중요한 것은 건강하게 사는 것이다. 이것을 위해서는 건강한 노화가 있어야 한다. 그리고 여러 질환이 있었을 때 과하지도 부족하지도 않게 적절한 치료를 받아 질환의 위기를 잘 넘기는 것이 매우 중요하다 하겠다.

Q: 노쇠 증후군이란?

A: 노화는 정상적인 반응이지만 노쇠 증후군은 정상적인 노화를 벗어난 병입니다. 체중이 감소하고 근력, 신체활동, 걷는 속도가 저하되며, 주관적인 피로를 자주 호소하고 증상이 나타나는 경우를 노쇠 증후군이라고 합니다.

노화는 시간이 흐르면서 나이를 거꾸로 먹는 사람이 아니라면 누구에게나 찾아오는 정상적인 반응이다. 당연히 젊을 때와 비교하면 힘이 약해지고 똑같은 활동에도 피로함을 더 느끼게 되며 걷는 속도와 신체활동이 저하되게 마련이지만, 정상적인 노화의 선을 넘어서 병적으로 된 경우를 노쇠 증후군이라고 한다. 65세 이상의 노인들의 7~16%에서 노쇠 증후군을 가지고 있으며, 연세가 증가할수록 당연히 발병률은 높아진다. 다음 5가지 항목 중 3가지 이상에 해당하면 노쇠 증후군일 확률이 높다. 1~2가지에 해당되면 노쇠 증후군은 아니지만, 발병 위험이 높은 단계로 진단할 수 있다.

1) 4.5kg 이상의 체중감소 또는 일 년에 5% 이상의 체중감소
2) 근육량의 감소와 근력의 약화(주먹을 꽉 쥐는 힘 등)
3) 걷는 속도의 현저한 감소
4) 1주일에 3일 이상 피로감 호소
5) 신체활동의 급격한 저하로 바깥 활동을 거의 하지 않음(일주일에 1시간 이하의 걷기운동을 하는 경우)

노쇠 증후군은 아직 중대한 질환이 발생하지는 않았지만, 곧 발생

하기 위한 전 단계라고 생각하면 된다. 방치했을 때는 머지않아 중대한 질환이 발생하고 신체 기능은 급격하게 떨어져 누워 지내는 병적 상태가 된다. 그리고 결국 사망에 이르게 할 것이다.

Q&A

Q: 노쇠 증후군을 피하고 건강한 노화를 위해 가장 중요한 것은 무엇인가요?

A: 건강한 노화를 통하여 100세에도 등산을 하기 위해서는 지속적인 근력 운동과 유산소 운동, 적절한 영양분 섭취가 필수적입니다.

뼈와 근육의 건강을 위해서 기본적으로 아동, 청소년기와 청년기에 운동이 중요하다. 이 시기에 일생 중 골밀도와 근육의 양이 정해지기 때문이다. 노화가 진행되면서 정상적으로 뼈의 골강도는 약해지고 근육의 양은 줄어든다. 그러나 적절한 근력 운동은 젊었을 때보다 더 좋아질 수는 없어도, 근력과 근육량의 감소속도를 줄일 수 있다. 근력 운동을 통한 근력 향상과 활발한 육체적 활동은 사망률을 줄인다. 또한, 질환이 있을 때에도 회복능력과 신체기능장애에 큰 영향을 미치게 된다.

유산소 운동이 좋다는 사실은 상식석으로 알고 있는 사실이다. 심폐지구력을 향상시켜 고혈압, 당뇨 등의 성인병 예방에 확실한 효과가 있다. 또한, 신체기능 면에서 균형능력과 유연성을 유지하게 해줘 낙상 등으로 인한 노인성 고관절, 척추 골설 등을 예방해주는 효과가 있으며, 인지기능에도 좋은 영창을 주어 치매예방에 일정 부분 도움을 준다.

적절한 식이를 통한 영양공급은 모든 사람에게 중요하다. 그러나 노인들에서 좀 더 많은 신경을 써야 한다. 노화는 우리 몸의 모든 감각기능을 저하시킨다. 시력이 저하되고 듣는 것도 어려워지는 것처럼, 배고픔을 느끼고 갈증을 느끼는 감각 또한 무뎌지게 된다. 게다가 신체기능이 저하되고 음식을 씹고 삼키는 기능이 저하되면서 영양 섭취가 부족해지기 쉽다. 영양 섭취의 부족은 근력 저하와 신체 기능 저하를 일으키게 되고, 다시 이것은 영양 섭취를 방해하게 되는 악순환이 반복된다.

적절한 영양을 섭취하되 근력 운동과 유산소 운동을 꼭 같이 시행하여, 노쇠 증후군에 빠지지 않도록 지속적으로 관리해야 한다. 노인들은 판단력과 실행능력이 많이 떨어지므로 주위 가족이 잘 신경을 써주어야 한다. 또한, 노쇠 증후군으로 인한 삶의 질 저하와 각종 질환 발병에 대한 예방을 위해 나라에서 정책적으로 신경을 써야 할 것 같다. 세계에서 유래를 찾아볼 수 없을 정도로 고령화가 급속도로 진행되고 있는 우리나라에서 국가 재정을 위해서도 노쇠 증후군을 미리 예방하는 것이 효율적이다. 호미로 막을 것을 가래로 막는다는 말이 있다. 노쇠 증후군을 미리 예방하게 되면 심각한 여러 노인병을 예방할 수 있다. 복지관, 주민센터 등을 통한 노인들을 위한 운동 프로그램을 운영함으로 인하여 드는 비용이 노인병으로 인한 의료비 지출보다 훨씬 적을 것이다.

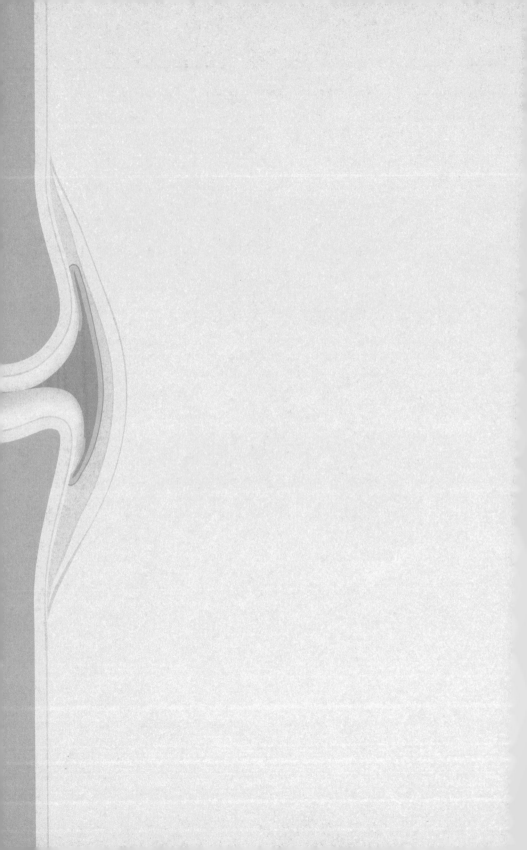

참고문헌

1. Abdi S, Datta S, Trescot AM, Schultz DM, Adlaka R, Atluri SL, et al. Epidural steroids in the management of chronic spinal pain: a systematic review. Pain Physician. 2007;10(1):185-212.

2. Ahn SH, Park HW, Byun WM, Ahn MW, Bae JH, Jang SH, et al. Comparison of clinical outcomes and natural morphologic changes between sequestered and large central extruded disc herniations. Yonsei Med J. 2002;43(3):283-90.

3. Amin S, Guermazi A, Lavalley MP, Niu J, Clancy M, Hunter DJ, et al. Complete anterior cruciate ligament tear and the risk for cartilage loss and progression of symptoms in men and women with knee osteoarthritis. Osteoarthritis Cartilage. 2008;16(8):897-902.

4. Andrews S, Shrive N, Ronsky J. The shocking truth about meniscus. J Biomech. 2011;44(16):2737-40.

5. Atlas SJ, Keller RB, Wu YA, Deyo RA, Singer DE. Long-term outcomes of surgical and nonsurgical management of lumbar spinal stenosis: 8 to 10 year results from the maine lumbar spine study. Spine(Phila Pa 1976). 2005;30(8):936-43.

6. Atlas SJ, Keller RB, Wu YA, Deyo RA, Singer DE. Long-term outcomes of surgical and nonsurgical management of sciatica secondary to a lumbar disc herniation: 10 year results from the maine lumbar spine study. Spine(Phila Pa 1976). 2005;30(8):927-35.

7. Baldwin NG. Lumbar disc disease: the natural history. Neurosurg Focus. 2002;13(2):E2.

8. Barenius B, Ponzer S, Shalabi A, Bujak R, Norlen L, Eriksson K. Increased risk of osteoarthritis after anterior cruciate ligament reconstruction: a 14-year follow-up study of a randomized controlled trial. Am J Sports Med. 2014;42(5):1049-57.

9. Beaudreuil J, Bardin T, Orcel P, Goutallier D. Natural history or outcome with conservative treatment of degenerative rotator cuff tears. Joint Bone Spine. 2007;74(6):527-9.

10. Beckett J, Jin W, Schultz M, Chen A, Tolbert D, Moed BR, et al. Excessive running induces cartilage degeneration in knee joints and alters gait of rats. J Orthop Res. 2012;30(10):1604-10.

11. Bennell KL, Kyriakides M, Metcalf B, Egerton T, Wrigley TV, Hodges PW, et al. Neuromuscular versus quadriceps strengthening exercise in patients with medial knee osteoarthritis and varus malalignment: a randomized controlled trial. Arthritis Rheumatol. 2014;66(4):950-9.

12. Benoist M. The natural history of lumbar degenerative spinal stenosis. Joint Bone Spine. 2002;69(5):450-7.

13. Benoist M. The natural history of lumbar disc herniation and radiculopathy. Joint Bone Spine. 2002;69(2):155-60.

14. Benyamin RM, Manchikanti L, Parr AT, Diwan S, Singh V, Falco FJ, et al. The effectiveness of lumbar interlaminar epidural injections in managing chronic low back and lower extremity pain. Pain Physician. 2012;15(4):E363-404.

15. Berry PA, Davies-Tuck ML, Wluka AE, Hanna FS, Bell RJ, Davis SR, et al. The

natural history of bone marrow lesions in community-based middle-aged women without clinical knee osteoarthritis. Semin Arthritis Rheum. 2009;39(3):213-7.

16. Boos N, Semmer N, Elfering A, Schade V, Gal I, Zanetti M, et al. Natural history of individuals with asymptomatic disc abnormalities in magnetic resonance imaging: predictors of low back pain-related medical consultation and work incapacity. Spine(Phila Pa 1976). 2000;25(12):1484-92.

17. Brophy RH, Dunn WR, Kuhn JE, Group MS. Shoulder activity level is not associated with the severity of symptomatic, atraumatic rotator cuff tears in patients electing nonoperative treatment. Am J Sports Med. 2014;42(5):1150-4.

18. Buchbinder R, Osborne RH, Ebeling PR, Wark JD, Mitchell P, Wriedt C, et al. A randomized trial of vertebroplasty for painful osteoporotic vertebral fractures. The New England journal of medicine. 2009;361(6):557-68.

19. Buchbinder R, Ptasznik R, Gordon J, Buchanan J, Prabaharan V, Forbes A. Ultrasound-guided extracorporeal shock wave therapy for plantar fasciitis: a randomized controlled trial. Jama. 2002;288(11):1364-72.

20. Buckwalter JA, Mankin HJ. Articular cartilage repair and transplantation. Arthritis Rheum. 1998;41(8):1331-42.

21. Buckwalter JA, Mankin HJ. Articular cartilage: degeneration and osteoarthritis, repair, regeneration, and transplantation. Instr Course Lect. 1998;47:487-504.

22. Campbell AJ. Assertive screening: health checks prior to exercise programmes in older people. British journal of sports medicine. 2009;43(1):5.

23. Carette S, Fehlings MG. Clinical practice. Cervical radiculopathy. The New England journal of medicine. 2005;353(4):392-9.

24. Carnes J, Stannus O, Cicuttini F, Ding C, Jones G. Knee cartilage defects in a sample of older adults: natural history, clinical significance and factors influencing change over 2.9 years. Osteoarthritis Cartilage. 2012;20(12):1541-7.

25. Chan KW, Ding BC, Mroczek KJ. Acute and chronic lateral ankle instability in the athlete. Bull NYU Hosp Jt Dis. 2011;69(1):17-26.

26. Cicuttini F, Ding C, Wluka A, Davis S, Ebeling PR, Jones G. Association of cartilage defects with loss of knee cartilage in healthy, middle-age adults: a prospective study. Arthritis Rheum. 2005;52(7):2033-9.

27. Copeland B. Surgical versus nonsurgical treatment for back pain. The New England journal of medicine. 2007;357(12):1255; author reply -6.

28. Cribb GL, Jaffray DC, Cassar-Pullicino VN. Observations on the natural history of massive lumbar disc herniation. J Bone Joint Surg Br. 2007;89(6):782-4.

29. Croisier JL, Foidart-Dessalle M, Tinant F, Crielaard JM, Forthomme B. An isokinetic eccentric programme for the management of chronic lateral epicondylar tendinopathy. British journal of sports medicine. 2007;41(4).269-75.

30. Dahaghin S, Tehrani-Banihashemi SA, Faezi ST, Jamshidi AR, Davatchi F. Squatting, sitting on the floor, or cycling: are life-long daily activities risk factors for clinical knee osteoarthritis? Stage III results of a community-based study. Arthritis Rheum. 2009;61(10):1337-42.

31. Dao I, Gazzaz M, Ballal H, Boucetta M. Intraradicular lumbar disc herniation. Joint Bone Spine. 2011;78(4):429-31.

32. Dastgir N. Extracorporeal shock wave therapy for treatment of plantar fasciitis. J Pak Med Assoc. 2014;64(6):675-8.

33. Davies-Tuck ML, Wluka AE, Wang Y, English DR, Giles GG, Cicuttini F. The natural history of bone marrow lesions in community-based adults with no clinical knee osteoarthritis. Ann Rheum Dis. 2009;68(6):904-8.

34. Davies-Tuck ML, Wluka AE, Wang Y, Teichtahl AJ, Jones G, Ding C, et al. The natural history of cartilage defects in people with knee osteoarthritis. Osteoarthritis Cartilage. 2008;16(3):337-42.

35. de Jonge S, de Vos RJ, Weir A, van Schie HT, Bierma-Zeinstra SM, Verhaar JA, et al. One-year follow-up of platelet-rich plasma treatment in chronic Achilles tendinopathy: a double-blind randomized placebo-controlled trial. Am J Sports Med. 2011;39(8):1623-9.

36. DeKosky ST, Williamson JD, Fitzpatrick AL, Kronmal RA, Ives DG, Saxton JA, et al. Ginkgo biloba for prevention of dementia: a randomized controlled trial. Jama. 2008;300(19):2253-62.

37. Demange MK, Von Keudell A, Gomoll AH. Iatrogenic instability of the lateral meniscus after partial meniscectomy. Knee. 2013;20(5):360-3.

38. Deyo RA. Real help and red herrings in spinal imaging. The New England journal of medicine. 2013;368(11):1056-8.

39. Deyo RA, Weinstein JN. Low back pain. The New England journal of medicine. 2001;344(5):363-70.

40. Ding C, Cicuttini F, Scott F, Boon C, Jones G. Association of prevalent and incident knee cartilage defects with loss of tibial and patellar cartilage: a longitudinal study. Arthritis Rheum. 2005;52(12):3918-27.

41. Dizon JN, Gonzalez-Suarez C, Zamora MT, Gambito ED. Effectiveness of extracorporeal shock wave therapy in chronic plantar fasciitis: a meta-analysis. Am J Phys Med Rehabil. 2013;92(7):606-20.

42. Dunn KM, Croft PR. Epidemiology and natural history of low back pain. Eura Medicophys. 2004;40(1):9-13.

43. Eckstein F, Benichou O, Wirth W, Nelson DR, Maschek S, Hudelmaier M, et al. Magnetic resonance imaging-based cartilage loss in painful contralateral knees with and without radiographic joint space narrowing: Data from the Osteoarthritis Initiative. Arthritis Rheum. 2009;61(9):1218-25.

44. Eckstein F, Nevitt M, Gimona A, Picha K, Lee JH, Davies RY, et al. Rates of change and sensitivity to change in cartilage morphology in healthy knees and in knees with mild, moderate, and end-stage radiographic osteoarthritis: results from 831 participants from the Osteoarthritis Initiative. Arthritis Care Res(Hoboken). 2011;63(3):311-9.

45. el Barzouhi A, Vleggeert-Lankamp CL, Lycklama a Nijeholt GJ, Van der Kallen BF, van den Hout WB, Jacobs WC, et al. Magnetic resonance imaging in follow-up

assessment of sciatica. The New England journal of medicine. 2013;368(11):999-1007.

46. Englund M, Guermazi A, Gale D, Hunter DJ, Aliabadi P, Clancy M, et al. Incidental meniscal findings on knee MRI in middle-aged and elderly persons. The New England journal of medicine. 2008;359(11):1108-15.

47. Englund M, Lohmander LS. Risk factors for symptomatic knee osteoarthritis fifteen to twenty-two years after meniscectomy. Arthritis Rheum. 2004;50(9):2811-9.

48. Eubanks JD. Cervical radiculopathy: nonoperative management of neck pain and radicular symptoms. Am Fam Physician. 2010;81(1):33-40.

49. Falco FJ, Manchikanti L, Datta S, Sehgal N, Geffert S, Onyewu O, et al. An update of the effectiveness of therapeutic lumbar facet joint interventions. Pain Physician. 2012;15(6):E909-53.

50. Felson DT, Niu J, Clancy M, Sack B, Aliabadi P, Zhang Y. Effect of recreational physical activities on the development of knee osteoarthritis in older adults of different weights: the Framingham Study. Arthritis Rheum. 2007;57(1):6-12.

51. Felson DT, Zhang Y, Hannan MT, Naimark A, Weissman B, Aliabadi P, et al. Risk factors for incident radiographic knee osteoarthritis in the elderly: the Framingham Study. Arthritis Rheum. 1997;40(4):728-33.

52. Flamme CH. [Obesity and low back pain--biology, biomechanics and epidemiology]. Orthopade. 2005;34(7):652-7.

53. Fried LP, Ferrucci L, Darer J, Williamson JD, Anderson G. Untangling the concepts of disability, frailty, and comorbidity: implications for improved targeting and care. The journals of gerontology Series A, Biological sciences and medical sciences. 2004;59(3):255-63.

54. Fried LP, Tangen CM, Walston J, Newman AB, Hirsch C, Gottdiener J, et al. Frailty in older adults: evidence for a phenotype. The journals of gerontology Series A, Biological sciences and medical sciences. 2001;56(3):M146-56.

55. Friedly JL, Comstock BA, Turner JA, Heagerty PJ, Deyo RA, Sullivan SD, et al. A randomized trial of epidural glucocorticoid injections for spinal stenosis. The New England journal of medicine. 2014;371(1):11-21.

56. Frobell RB, Roos EM, Roos HP, Ranstam J, Lohmander LS. A randomized trial of treatment for acute anterior cruciate ligament tears. The New England journal of medicine. 2010;363(4):331-42.

57. Gautschi OP, Stienen MN, Schaller K. [Spontaneous regression of lumbar and cervical disc herniations - a well established phenomenon]. Praxis(Bern 1994). 2013;102(11):675-80.

58. Gosens T, Peerbooms JC, van Laar W, den Oudsten BL. Ongoing positive effect of platelet rich plasma versus corticosteroid injection in lateral epicondylitis: a double-blind randomized controlled trial with 2-year follow-up. Am J Sports Med. 2011;39(6):1200-0.

59. Guralnik JM, Ferrucci L, Simonsick EM, Salive ME, Wallace RB. Lower-extremity function in persons over the age of 70 years as a predictor of subsequent

disability. The New England journal of medicine. 1995;332(9):556-61.

60. Haake M, Buch M, Schoellner C, Goebel F, Vogel M, Mueller I, et al. Extracorporeal shock wave therapy for plantar fasciitis: randomised controlled multicentre trial. BMJ. 2003;327(7406):75.

61. Hamer M, Chida Y. Physical activity and risk of neurodegenerative disease: a systematic review of prospective evidence. Psychological medicine. 2009;39(1):3-11.

62. Hasegawa A, Otsuki S, Pauli C, Miyaki S, Patil S, Steklov N, et al. Anterior cruciate ligament changes in the human knee joint in aging and osteoarthritis. Arthritis Rheum. 2012;64(3):696-704.

63. Hays NP, Roberts SB. The anorexia of aging in humans. Physiology & behavior. 2006;88(3):257-66.

64. Henmi T, Sairyo K, Nakano S, Kanematsu Y, Kajikawa T, Katoh S, et al. Natural history of extruded lumbar intervertebral disc herniation. J Med Invest. 2002;49(1-2):40-3.

65. Henning CE, Lynch MA, Clark JR. Vascularity for healing of meniscus repairs. Arthroscopy. 1987;3(1):13-8.

66. Hestbaek L, Leboeuf-Yde C, Manniche C. Low back pain: what is the long-term course? A review of studies of general patient populations. Eur Spine J. 2003;12(2):149-65.

67. Hovis KK, Stehling C, Souza RB, Haughom BD, Baum T, Nevitt M, et al. Physical activity is associated with magnetic resonance imaging-based knee cartilage T2 measurements in asymptomatic subjects with and those without osteoarthritis risk factors. Arthritis Rheum. 2011;63(8):2248-56.

68. Hu JP, Guo YH, Wang F, Zhao XP, Zhang QH, Song QH. Exercise improves cognitive function in aging patients. International journal of clinical and experimental medicine. 2014;7(10):3144-9.

69. Huisstede BM, Gebremariam L, van der Sande R, Hay EM, Koes BW. Evidence for effectiveness of Extracorporal Shock-Wave Therapy(ESWT) to treat calcific and non-calcific rotator cuff tendinosis--a systematic review. Man Ther. 2011;16(5):419-33.

70. Hwang SH, Jung KA, Lee WJ, Yang KH, Lee DW, Carter A, et al. Morphological changes of the lateral meniscus in end-stage lateral compartment osteoarthritis of the knee. Osteoarthritis Cartilage. 2012;20(2):110-6.

71. Jo CH, Kim JE, Yoon KS, Lee JH, Kang SB, Lee JH, et al. Does platelet-rich plasma accelerate recovery after rotator cuff repair? A prospective cohort study. Am J Sports Med. 2011;39(10):2082-90.

72. Joensen AM, Hahn T, Gelineck J, Overvad K, Ingemann-Hansen T. Articular cartilage lesions and anterior knee pain. Scandinavian journal of medicine & science in sports. 2001;11(2):115-9.

73. Jones GT, Macfarlane GJ. Epidemiology of low back pain in children and adolescents. Arch Dis Child. 2005;90(3):312-6.

74. Kara B, Pinar L, Ugur F, Oguz M. Correlations between aerobic capacity,

pulmonary and cognitive functioning in the older women. International journal of sports medicine. 2005;26(3):220-4.

75. Karavelioglu E, Eser O, Sonmez MA. Spontaneous resorption of sequestrated lumbar disc fragment. Spine J. 2013;13(9):1160.

76. Katsuragawa Y, Saitoh K, Tanaka N, Wake M, Ikeda Y, Furukawa H, et al. Changes of human menisci in osteoarthritic knee joints. Osteoarthritis Cartilage. 2010;18(9):1133-43.

77. Katz JN, Brophy RH, Chaisson CE, de Chaves L, Cole BJ, Dahm DL, et al. Surgery versus physical therapy for a meniscal tear and osteoarthritis. The New England journal of medicine. 2013;368(18):1675-84.

78. Kazemi M, Azma K, Tavana B, Rezaiee Moghaddam F, Panahi A. Autologous blood versus corticosteroid local injection in the short-term treatment of lateral elbow tendinopathy: a randomized clinical trial of efficacy. Am J Phys Med Rehabil. 2010;89(8):660-7.

79. Kim CH, Chung CK, Park CS, Choi B, Hahn S, Kim MJ, et al. Reoperation rate after surgery for lumbar spinal stenosis without spondylolisthesis: a nationwide cohort study. Spine J. 2013;13(10):1230-7.

80. Kim CH, Chung CK, Park CS, Choi B, Kim MJ, Park BJ. Reoperation rate after surgery for lumbar herniated intervertebral disc disease: nationwide cohort study. Spine(Phila Pa 1976). 2013;38(7):581-90.

81. Kim SJ, Lee TH, Lim SM. Prevalence of disc degeneration in asymptomatic korean subjects. Part 1 : lumbar spine. J Korean Neurosurg Soc. 2013;53(1):31-8.

82. Kim SJ, Lee TH, Yi S. Prevalence of disc degeneration in asymptomatic korean subjects. Part 3 : cervical and lumbar relationship. J Korean Neurosurg Soc. 2013;53(3):167-73.

83. Kim SR, Stitik TP, Foye PM, Greenwald BD, Campagnolo DI. Critical review of prolotherapy for osteoarthritis, low back pain, and other musculoskeletal conditions: a physiatric perspective. Am J Phys Med Rehabil. 2004;83(5):379-89.

84. Kirkley A, Birmingham TB, Litchfield RB, Giffin JR, Willits KR, Wong CJ, et al. A randomized trial of arthroscopic surgery for osteoarthritis of the knee. The New England journal of medicine. 2008;359(11):1097-107.

85. Kolstad F, Leivseth G, Nygaard OP. Transforaminal steroid injections in the treatment of cervical radiculopathy. A prospective outcome study. Acta Neurochir(Wien). 2005;147(10):1065-70; discussion 70.

86. Kwoh CK, Roemer FW, Hannon MJ, Moore CE, Jakicic JM, Guermazi A, et al. Effect of oral glucosamine on joint structure in individuals with chronic knee pain: a randomized, placebo-controlled clinical trial. Arthritis Rheumatol. 2014;66(4):930 9.

87. Larson EB, Wang L, Bowen JD, McCormick WC, Teri L, Crane P, et al. Exercise is associated with reduced risk for incident dementia among persons 65 years of age and older. Annals of internal medicine. 2006;144(2):73-81.

88. Lautenschlager NT, Cox KL, Flicker L, Foster JK, van Bockxmeer FM, Xiao J,

et al. Effect of physical activity on cognitive function in older adults at risk for Alzheimer disease: a randomized trial. Jama. 2008;300(9):1027-37.

89. Le BT, Wu XL, Lam PH, Murrell GA. Factors predicting rotator cuff retears: an analysis of 1000 consecutive rotator cuff repairs. Am J Sports Med. 2014;42(5):1134-42.

90. Lee E, Bishop JY, Braman JP, Langford J, Gelber J, Flatow EL. Outcomes after arthroscopic rotator cuff repairs. J Shoulder Elbow Surg. 2007;16(1):1-5.

91. Lee MJ, Dettori JR, Standaert CJ, Brodt ED, Chapman JR. The natural history of degeneration of the lumbar and cervical spines: a systematic review. Spine(Phila Pa 1976). 2012;37(22 Suppl):S18-30.

92. Lee SJ, Kang JH, Kim JY, Kim JH, Yoon SR, Jung KI. Dose-related effect of extracorporeal shock wave therapy for plantar fasciitis. Ann Rehabil Med. 2013;37(3):379-88.

93. Lee TH, Kim SJ, Lim SM. Prevalence of disc degeneration in asymptomatic korean subjects. Part 2 : cervical spine. J Korean Neurosurg Soc. 2013;53(2):89-95.

94. Leyland KM, Hart DJ, Javaid MK, Judge A, Kiran A, Soni A, et al. The natural history of radiographic knee osteoarthritis: a fourteen-year population-based cohort study. Arthritis Rheum. 2012;64(7):2243-51.

95. Loeser RF, Goldring SR, Scanzello CR, Goldring MB. Osteoarthritis: a disease of the joint as an organ. Arthritis Rheum. 2012;64(6):1697-707.

96. Lubowitz JH. A controlled trial of arthroscopic surgery for osteoarthritis of the knee. Arthroscopy. 2002;18(8):950-1.

97. Mall NA, Tanaka MJ, Choi LS, Paletta GA, Jr. Factors affecting rotator cuff healing. J Bone Joint Surg Am. 2014;96(9):778-88.

98. Maman E, Harris C, White L, Tomlinson G, Shashank M, Boynton E. Outcome of nonoperative treatment of symptomatic rotator cuff tears monitored by magnetic resonance imaging. J Bone Joint Surg Am. 2009;91(8):1898-906.

99. Manchikanti L, Buenaventura RM, Manchikanti KN, Ruan X, Gupta S, Smith HS, et al. Effectiveness of therapeutic lumbar transforaminal epidural steroid injections in managing lumbar spinal pain. Pain Physician. 2012;15(3):E199-245.

100. Martin BI, Mirza SK, Flum DR, Wickizer TM, Heagerty PJ, Lenkoski AF, et al. Repeat surgery after lumbar decompression for herniated disc: the quality implications of hospital and surgeon variation. Spine J. 2012;12(2):89-97.

101. Masui T, Yukawa Y, Nakamura S, Kajino G, Matsubara Y, Kato F, et al. Natural history of patients with lumbar disc herniation observed by magnetic resonance imaging for minimum 7 years. J Spinal Disord Tech. 2005;18(2):121-6.

102. McCann L, Ingham E, Jin Z, Fisher J. Influence of the meniscus on friction and degradation of cartilage in the natural knee joint. Osteoarthritis Cartilage. 2009;17(8):995-1000.

103. Melis B, DeFranco MJ, Chuinard C, Walch G. Natural history of fatty infiltration and atrophy of the supraspinatus muscle in rotator cuff tears. Clin Orthop Relat Res. 2010;468(6):1498-505.

104. Mezhov V, Ciccutini FM, Hanna FS, Brennan SL, Wang YY, Urquhart DM, et al. Does obesity affect knee cartilage? A systematic review of magnetic resonance imaging data. Obes Rev. 2014;15(2):143-57.

105. Middleton LE, Barnes DE, Lui LY, Yaffe K. Physical activity over the life course and its association with cognitive performance and impairment in old age. Journal of the American Geriatrics Society. 2010;58(7):1322-6.

106. Middleton LE, Yaffe K. Targets for the prevention of dementia. Journal of Alzheimer's disease : JAD. 2010;20(3):915-24.

107. Mikkonen P, Leino-Arjas P, Remes J, Zitting P, Taimela S, Karppinen J. Is smoking a risk factor for low back pain in adolescents? A prospective cohort study. Spine(Phila Pa 1976). 2008;33(5):527-32.

108. Milgrom C, Schaffler M, Gilbert S, van Holsbeeck M. Rotator-cuff changes in asymptomatic adults. The effect of age, hand dominance and gender. J Bone Joint Surg Br. 1995;77(2):296-8.

109. Moosmayer S, Smith HJ, Tariq R, Larmo A. Prevalence and characteristics of asymptomatic tears of the rotator cuff: an ultrasonographic and clinical study. J Bone Joint Surg Br. 2009;91(2):196-200.

110. Mordecai SC, Al-Hadithy N, Ware HE, Gupte CM. Treatment of meniscal tears: An evidence based approach. World J Orthop. 2014;5(3):233-41.

111. Morley JE. Decreased food intake with aging. The journals of gerontology Series A, Biological sciences and medical sciences. 2001;56 Spec No 2:81-8.

112. Moseley JB, O'Malley K, Petersen NJ, Menke TJ, Brody BA, Kuykendall DH, et al. A controlled trial of arthroscopic surgery for osteoarthritis of the knee. The New England journal of medicine. 2002;347(2):81-8.

113. Muraki S, Akune T, Oka H, Ishimoto Y, Nagata K, Yoshida M, et al. Incidence and risk factors for radiographic knee osteoarthritis and knee pain in Japanese men and women: a longitudinal population-based cohort study. Arthritis Rheum. 2012;64(5):1447-56.

114. Nelson ME, Rejeski WJ, Blair SN, Duncan PW, Judge JO, King AC, et al. Physical activity and public health in older adults: recommendation from the American College of Sports Medicine and the American Heart Association. Medicine and science in sports and exercise. 2007;39(8):1435-45.

115. Nishimura A, Hasegawa M, Kato K, Yamada T, Uchida A, Sudo A. Risk factors for the incidence and progression of radiographic osteoarthritis of the knee among Japanese. Int Orthop. 2011;35(6):839-43.

116. Osteras H, Osteras B, Torstensen TA. Medical exercise therapy, and not arthroscopic surgery, resulted in decreased depression and anxiety in patients with degenerative meniscus injury. J Bodyw Mov Ther. 2012;16(4):456-63.

117. Park CH. Comparison of morphine and tramadol in transforaminal epidural injections for lumbar radicular pain. Korean J Pain. 2013;26(3):265-9.

118. Pauli C, Grogan SP, Patil S, Otsuki S, Hasegawa A, Koziol J, et al. Macroscopic and histopathologic analysis of human knee menisci in aging and osteoarthritis.

Osteoarthritis Cartilage. 2011;19(9):1132-41.

119. Peng B, Fu X, Pang X, Li D, Liu W, Gao C, et al. Prospective clinical study on natural history of discogenic low back pain at 4 years of follow-up. Pain Physician. 2012;15(6):525-32.

120. Peul WC, van Houwelingen HC, van den Hout WB, Brand R, Eekhof JA, Tans JT, et al. Surgery versus prolonged conservative treatment for sciatica. The New England journal of medicine. 2007;356(22):2245-56.

121. Portegijs E, Rantanen T, Sipila S, Laukkanen P, Heikkinen E. Physical activity compensates for increased mortality risk among older people with poor muscle strength. Scandinavian journal of medicine & science in sports. 2007;17(5):473-9.

122. Rabago D, Best TM, Beamsley M, Patterson J. A systematic review of prolotherapy for chronic musculoskeletal pain. Clin J Sport Med. 2005;15(5):376-80.

123. Rainville J, Jouve CA, Hartigan C, Martinez E, Hipona M. Comparison of short- and long-term outcomes for aggressive spine rehabilitation delivered two versus three times per week. Spine J. 2002;2(6):402-7.

124. Raynauld JP, Martel-Pelletier J, Berthiaume MJ, Labonte F, Beaudoin G, de Guise JA, et al. Quantitative magnetic resonance imaging evaluation of knee osteoarthritis progression over two years and correlation with clinical symptoms and radiologic changes. Arthritis Rheum. 2004;50(2):476-87.

125. Refshauge KM, Maher CG. Low back pain investigations and prognosis: a review. British journal of sports medicine. 2006;40(6):494-8.

126. Rittenberg JD, Ross AE. Functional rehabilitation for degenerative lumbar spinal stenosis. Phys Med Rehabil Clin N Am. 2003;14(1):111-20.

127. Roemer FW, Kwoh CK, Hannon MJ, Green SM, Jakicic JM, Boudreau R, et al. Risk factors for magnetic resonance imaging-detected patellofemoral and tibiofemoral cartilage loss during a six-month period: the joints on glucosamine study. Arthritis Rheum. 2012;64(6):1888-98.

128. Rompe JD. Shock-wave therapy for plantar fasciitis. J Bone Joint Surg Am. 2005;87(3):681-2; author reply 2-3.

129. Rompe JD, Furia J, Maffulli N. Eccentric loading versus eccentric loading plus shock-wave treatment for midportion achilles tendinopathy: a randomized controlled trial. Am J Sports Med. 2009;37(3):463-70.

130. Safran O, Schroeder J, Bloom R, Weil Y, Milgrom C. Natural history of nonoperatively treated symptomatic rotator cuff tears in patients 60 years old or younger. Am J Sports Med. 2011;39(4):710-4.

131. Salata MJ, Gibbs AE, Sekiya JK. A systematic review of clinical outcomes in patients undergoing meniscectomy. Am J Sports Med. 2010;38(9):1907-16.

132. Sato K, Kikuchi S, Yonezawa T. In vivo intradiscal pressure measurement in healthy individuals and in patients with ongoing back problems. Spine(Phila Pa 1976). 1999;24(23):2468-74.

133. Schiphof D, Boers M, Bierma-Zeinstra SM. Differences in descriptions of Kellgren and Lawrence grades of knee osteoarthritis. Ann Rheum Dis. 2008;67(7):1034-6.

134. Sems A, Dimeff R, Iannotti JP. Extracorporeal shock wave therapy in the treatment of chronic tendinopathies. J Am Acad Orthop Surg. 2006;14(4):195-204.

135. Shin BJ. Risk factors for recurrent lumbar disc herniations. Asian Spine J. 2014;8(2):211-5.

136. Sihvonen R, Paavola M, Malmivaara A, Itala A, Joukainen A, Nurmi H, et al. Arthroscopic partial meniscectomy versus sham surgery for a degenerative meniscal tear. The New England journal of medicine. 2013;369(26):2515-24.

137. Spindler KP, Wright RW. Clinical practice. Anterior cruciate ligament tear. The New England journal of medicine. 2008;359(20):2135-42.

138. Staples MP, Forbes A, Ptasznik R, Gordon J, Buchbinder R. A randomized controlled trial of extracorporeal shock wave therapy for lateral epicondylitis(tennis elbow). J Rheumatol. 2008;35(10):2038-46.

139. Stasinopoulos D, Stasinopoulou K, Johnson MI. An exercise programme for the management of lateral elbow tendinopathy. British journal of sports medicine. 2005;39(12):944-7.

140. Swart E, Redler L, Fabricant PD, Mandelbaum BR, Ahmad CS, Wang YC. Prevention and screening programs for anterior cruciate ligament injuries in young athletes: a cost-effectiveness analysis. J Bone Joint Surg Am. 2014;96(9):705-11.

141. Takada E, Takahashi M, Shimada K. Natural history of lumbar disc hernia with radicular leg pain: Spontaneous MRI changes of the herniated mass and correlation with clinical outcome. J Orthop Surg(Hong Kong). 2001;9(1):1-7.

142. Tanaka Y. [Epidemiology of low back pain]. Clin Calcium. 2005;15(3):35-8.

143. Tashjian RZ. Epidemiology, natural history, and indications for treatment of rotator cuff tears. Clin Sports Med. 2012;31(4):589-604.

144. Teichtahl AJ, Wluka AE, Forbes A, Wang Y, English DR, Giles GG, et al. Longitudinal effect of vigorous physical activity on patella cartilage morphology in people without clinical knee disease. Arthritis Rheum. 2009;61(8):1095-102.

145. Thanasas C, Papadimitriou G, Charalambidis C, Paraskevopoulos I, Papanikolaou A. Platelet-rich plasma versus autologous whole blood for the treatment of chronic lateral elbow epicondylitis: a randomized controlled clinical trial. Am J Sports Med. 2011;39(10):2130-4.

146. van Gelder BM, Tijhuis MA, Kalmijn S, Giampaoli S, Nissinen A, Kromhout D. Physical activity in relation to cognitive decline in elderly men: the FINE Study. Neurology. 2004;63(12):2316-21.

147. van Gijn J. Lumbar spinal stenosis. The New England journal of medicine. 2008;358(24):2647; author reply -8.

148. Vinas FC, Wilner H, Rengachary S. The spontaneous resorption of herniated cervical discs. J Clin Neurosci. 2001;8(6):542-6.

149. Wang SY, Olson-Kellogg B, Shamliyan TA, Choi JY, Ramakrishnan R, Kane RL. Physical therapy interventions for knee pain secondary to osteoarthritis: a systematic review. Annals of internal medicine. 2012;157(9):632-44.

150. Wang Y, Wluka AE, Berry PA, Siew T, Teichtahl AJ, Urquhart DM, et al.

Increase in vastus medialis cross-sectional area is associated with reduced pain, cartilage loss, and joint replacement risk in knee osteoarthritis. Arthritis Rheum. 2012;64(12):3917-25.

151. Weinstein JN, Lurie JD, Tosteson TD, Hanscom B, Tosteson AN, Blood EA, et al. Surgical versus nonsurgical treatment for lumbar degenerative spondylolisthesis. The New England journal of medicine. 2007;356(22):2257-70.

152. Weinstein JN, Tosteson TD, Lurie JD, Tosteson AN, Blood E, Hanscom B, et al. Surgical versus nonsurgical therapy for lumbar spinal stenosis. The New England journal of medicine. 2008;358(8):794-810.

153. Wheelock AJ. Shock wave therapy for treatment of plantar fasciitis. Jama. 2003;289(2):172; author reply -3.

154. White DK, Zhang Y, Felson DT, Niu J, Keysor JJ, Nevitt MC, et al. The independent effect of pain in one versus two knees on the presence of low physical function in a multicenter knee osteoarthritis study. Arthritis Care Res(Hoboken). 2010;62(7):938-43.

155. Widuchowski W, Widuchowski J, Faltus R, Lukasik P, Kwiatkowski G, Szyluk K, et al. Long-term clinical and radiological assessment of untreated severe cartilage damage in the knee: a natural history study. Scandinavian journal of medicine & science in sports. 2011;21(1):106-10.

156. Wilke HJ, Neef P, Caimi M, Hoogland T, Claes LE. New in vivo measurements of pressures in the intervertebral disc in daily life. Spine(Phila Pa 1976). 1999;24(8):755-62.

157. Willick SE, Hansen PA. Running and osteoarthritis. Clin Sports Med. 2010;29(3):417-28.

158. Yaffe K, Barnes D, Nevitt M, Lui LY, Covinsky K. A prospective study of physical activity and cognitive decline in elderly women: women who walk. Archives of internal medicine. 2001;161(14):1703-8.

159. Yamaguchi K, Tetro AM, Blam O, Evanoff BA, Teefey SA, Middleton WD. Natural history of asymptomatic rotator cuff tears: a longitudinal analysis of asymptomatic tears detected sonographically. J Shoulder Elbow Surg. 2001;10(3):199-203.

160. Yoon KH, Park KH. Meniscal repair. Knee Surg Relat Res. 2014;26(2):68-76.

161. Zelle BA, Gollwitzer H, Zlowodzki M, Buhren V. Extracorporeal shock wave therapy: current evidence. J Orthop Trauma. 2010;24 Suppl 1:S66-70.

162. Zingg PO, Jost B, Sukthankar A, Buhler M, Pfirrmann CW, Gerber C. Clinical and structural outcomes of nonoperative management of massive rotator cuff tears. J Bone Joint Surg Am. 2007;89(9):1928-34.

163. Norbert Boos · Max Aebi(Editors), Spinal Disorders Fundamentals of Diagnosis and Treatment, Springer,2008

164. Braddom, Randal, Physical Medicine and Rehabilitation, 4th, Sounders, 2011

165. Brunker & Khan's, Clinical Sports Medicine, 4th, Mc Graw Hill, 2012

166. Thompson WR, ed. ACSM's Guidelines for exercise testing and prescription. 8th ed. Philadelphia PA: Lippincott Williams & Wilkins, 2010